Racines de faubourg

SOPHIE-JULIE PAINCHAUD

Racines de faubourg

• 2 •

1970-1986

Le désordre
(deuxième partie)

suivi de

Le retour

Guy Saint-Jean
ÉDITEUR

Guy Saint-Jean Éditeur
3440, boul. Industriel
Laval (Québec) Canada H7L 4R9
450 663-1777
info@saint-jeanediteur.com
www.saint-jeanediteur.com

• • • • • • • • • • • • • • • •

Catalogage avant publication de Bibliothèque et Archives nationales du Québec et Bibliothèque et Archives Canada

Painchaud, Sophie-Julie, 1973-
Racines de faubourg
Édition originale : c2010-c2011.
Sommaire : t. 1. 1955 à 1970 -- t. 2. 1970 à 1986.
ISBN 978-2-89758-000-1 (vol. 1)
ISBN 978-2-89758-001-8 (vol. 2)
I. Titre.
PS8631.A36R32 2015   C843'.6   C2015-940420-7
PS9631.A36R32 2015

• • • • • • • • • • • • • • • •

Nous reconnaissons l'aide financière du gouvernement du Canada par l'entremise du Fonds du livre du Canada (FLC) ainsi que celle de la SODEC pour nos activités d'édition. Nous remercions le Conseil des Arts du Canada de l'aide accordée à notre programme de publication.

Canada   Patrimoine Canadian   SODEC   Conseil des Arts   Canada Council
             canadien   Heritage   Québec   du Canada   for the Arts

Gouvernement du Québec – Programme de crédit d'impôt pour l'édition de livres – Gestion SODEC

Cette édition est une compilation d'une partie de *Racines de faubourg, tome 2: Le désordre* (© Guy Saint-Jean Éditeur inc. pour l'édition originale, 2010) et du texte complet de *Racines de faubourg, tome 3: Le retour* (© Guy Saint-Jean Éditeur inc. pour l'édition originale, 2011).

Conception graphique de la page couverture et mise en pages : Christiane Séguin

Dépôt légal – Bibliothèque et Archives nationales du Québec, Bibliothèque et Archives Canada, 2015
ISBN : 978-2-89758-001-8

Imprimé et relié au Canada
1re impression, mai 2015

ASSOCIATION
NATIONALE
DES ÉDITEURS
DE LIVRES   Guy Saint-Jean Éditeur est membre de
                l'Association nationale des éditeurs de livres (ANEL).

Remerciements

Merci à Jean-René d'être en mesure de voir au-delà du solde bancaire et de m'accepter comme je suis. J'ai vraiment frappé le jackpot *matrimonial.*

Merci à Guillaume et Dominic. Je vous aime très fort. J'espère que vous le savez.

Merci à ma famille, par voie biologique ou par alliance, pour votre soutien constant.

Merci à toute l'équipe chez Guy Saint-Jean, pour cette liberté dont j'ai tant besoin et qui m'est toujours accordée.

À mes grands-mères Marie-Louise Painchaud et Simonne Noël. Pour le macaroni au fromage, les beignes, la douceur infinie et les rires qui résonnent encore aujourd'hui. Je m'ennuie.

Arbres généalogiques des personnages

FAMILLE MOUSSEAU

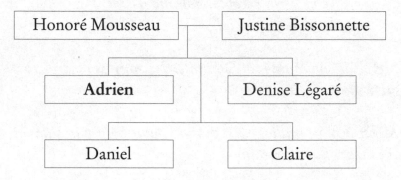

FAMILLE MARCHAND

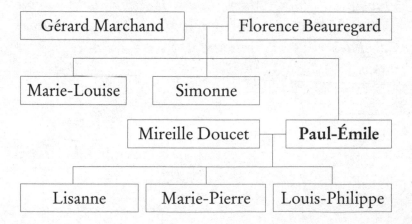

FAMILLE TAILLON

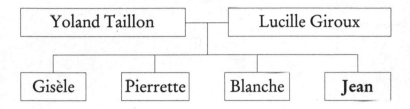

FAMILLE FLYNN

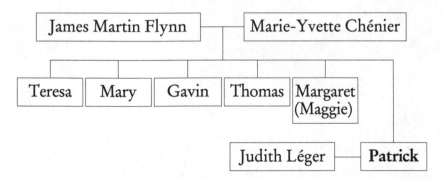

La nostalgie n'est plus ce qu'elle était.

Stan Kenton

Chapitre II
1970

5
Paul-Émile... à propos d'Adrien

«Adrien Mousseau, as-tu idée de ce que tu me demandes ?! As-tu idée de ce qui risque de nous arriver si les mauvaises personnes apprennent que Patrick se cache ici ?!»

Quelqu'un m'a déjà dit – je ne me souviens plus qui, exactement – que d'entrer chez Adrien et Denise équivalait à mettre le pied dans un igloo par une journée humide de juillet. La relation entre les deux était devenue si froide qu'elle en avait imprégné les murs de leur maison.

«Simonac, Denise !... Pourrais-tu, pendant deux minutes, penser à autre chose qu'à ta petite personne ? On peut pas le laisser se faire embarquer comme ça, sans raison !

— Sans raison ?! Ça fait deux ans qu'il se promène à droite pis à gauche en criant qu'il faut faire la révolution ! Que c'est en faisant couler le sang qu'on va réussir à se purifier !

— Que Patrick ait une couple de bardeaux de lousse, je veux ben. Mais il a rien à voir avec le FLQ. L'indépendance du Québec, ça l'intéresse pas. Y'a toujours été ben clair là-dessus.

— Pourquoi ils veulent l'arrêter, d'abord ?

— Je sais pas... La seule réponse que je peux trouver, c'est qu'ils vont se servir de ça pour faire le ménage.

— Le ménage ?... Franchement, Adrien ! Lâche-moi la paranoïa, veux-tu ?

— Pourquoi ils s'en prendraient à Patrick, d'abord ? As-tu une autre explication ?

— Je le sais pas pourquoi ils s'en prendraient à lui, pis je veux pas le savoir. Mais ce que je sais, par exemple, c'est que je ne veux pas de Patrick dans ma maison. Pas avec les enfants.

— Denise… Patrick, je le connais. Il ferait jamais de mal à Claire pis Daniel.

— Regarde, Adrien… Je sais que c'est ton chum… Je sais que vous avez grandi ensemble… Mais ce Patrick-là, moi, je le connais pas. Je l'ai jamais vu. Le seul que je connais, c'est le fou furieux qu'on voit à'télé. Pis fie-toi sur moi que j'ai pas envie d'aller consoler les petits à trois heures du matin parce qu'un débile que tu connais depuis trente ans aura eu la brillante idée, pour les endormir, de leur raconter l'histoire des enfants morts du Biafra.

— On pourrait installer Patrick pis Judith au sous-sol.

— Pis les petits vont aller jouer où ? Dans'salle de bains ? »

Pour ma part, j'aurais dit à Claire et Daniel d'aller jouer dans la chambre à coucher de leurs parents. Ce n'est pas comme s'il s'y passait grand-chose, de toute façon.

« Denise, peux-tu essayer de comprendre, juste pour une fois ? Patrick pis moi, on se connaît depuis la petite école. Il me demande de l'aider… Je peux pas le laisser tomber. »

Adrien avait déjà laissé tomber Patrick. Une fois. Alors qu'il avait nié le connaître devant un collègue de la permanence. Et si Patrick n'était au courant de rien, Adrien, lui, se souvenait de tout. Ça le rongeait. Et c'est pour racheter sa conscience, à mon avis, qu'il accepta de l'aider. Pas pour ce que nous avions déjà été et que nous n'étions plus. Si je veux bien admettre que la nostalgie peut déformer la réalité, encore faudrait-il que le Patrick Flynn de la fin des années soixante et du début des années soixante-dix corresponde à un quelconque souvenir de notre enfance. Dois-je préciser que ce n'était pas le cas ? Patrick ne ressemblait plus en rien à cet ami de jeunesse avec qui nous avions grandi. Et Jean peut bien invoquer Marie-Yvette Flynn et le Cameroun pour justifier le comportement de Patrick en 1970 mais rien ne vient changer le fait qu'à cette époque, il était carrément insupportable. Il ne ressemblait plus du tout au garçon que nous avions connu et aimé.

Patrick avait perdu les pédales. Point à la ligne. Et Adrien se sentait coupable de n'avoir pas su ou voulu tenir le guidon pour l'empêcher de tomber.

J'ignore pourquoi, mais Denise finit par céder après un peu plus d'une heure de négociations. Plus par fatigue, j'imagine, que par un quelconque élan d'altruisme. Et pas avant d'avoir obtenu d'Adrien une promesse formelle que Patrick et Judith ne passeraient pas plus de deux jours sur la rue Robert. Entre-temps, il fut décidé que Claire et Daniel iraient passer la fin de semaine chez leur grand-mère Mousseau, sur la rue Montcalm.

«Merci, Denise, soupira Adrien à sa femme, sincèrement ému.

— Je t'avertis, Adrien : si ton chum se met à délirer sur les joies de vivre en Albanie, je le passe à la tronçonneuse ! C'est-tu assez clair ?»

Adrien hocha de la tête en riant. Pour ma part, j'ai toujours trouvé ironique que ce rare moment d'entente entre lui et Denise, cet instant relevant presque de la science-fiction où ils réussirent à s'entendre sur quelque chose, eut lieu lors d'un événement aussi critique que la crise d'Octobre. Comme si la tension ambiante suffisait à alimenter leur couple, qui en avait besoin pour éventer un quotidien aux allures de presto.

«Parlant du réfugié politique, il devrait être ici à quelle heure ? »

Le réfugié politique aurait dû se trouver sur la rue Robert depuis un bon moment, déjà.

« C'est où, le Ty-Coq Barbecue ? demanda Denise.

— Sur Mont-Royal. Proche de Papineau. Ça prend à peu près une vingtaine de minutes, en auto, pour se rendre jusqu'ici.

— Mon Dieu ! Il devrait déjà être ici depuis longtemps. »

Comme cela lui arrivait souvent lorsqu'il se trouvait avec Denise, Adrien ne dit rien, adoptant un mutisme que son père n'aurait pas renié. Pour une rare fois, Denise, consciente de la gravité de la situation, démontra envers son époux un signe de compassion.

« Écoute… Y'a probablement eu de la misère à trouver un taxi. Tu vas voir. Il va arriver d'une minute à l'autre. »

Adrien, ne voulant prendre aucun risque, fila en direction du Ty-Coq Barbecue, espérant malgré tout apercevoir un taxi rouler tranquillement sur la rue Robert avec Patrick à l'intérieur. Pourtant, Adrien savait, d'instinct, que les choses n'allaient pas se passer ainsi.

« Dis pas un mot de ça à ma mère ! cria-t-il à Denise avant de partir. Je voudrais pas qu'elle en parle à monsieur Flynn ! »

Une heure plus tard, Adrien revint chez lui sans Patrick, qui ne s'est jamais pointé au Ty-Coq Barbecue. Judith s'y trouvait, par contre. Et Adrien la ramena chez lui, ce qu'il regretta pas plus tard que vingt minutes après son arrivée. Lui et Denise, d'ailleurs, durent se retenir à deux mains pour ne pas l'assommer d'un coup de poêle en fonte. Convaincue – avec raison – que Patrick se trouvait en prison à l'heure actuelle, Judith commença une envolée lyrique aberrante où elle se mit à comparer la Loi sur les mesures de guerre aux arrestations massives de Juifs par la Gestapo[1], pendant la Deuxième Guerre mondiale. Sans blague.

« Prendrais-tu une bonne bière, Judith ? lui demanda Adrien, sarcastique.

— Non, merci. Ce que je vis en ce moment, je veux le vivre à froid. Je veux me souvenir de chaque seconde lorsque mon mari est devenu un héros pour le reste du monde entier. Je veux pouvoir me souvenir que Patrick aura payé de sa VIE sa conviction de vivre dans une société pourrie ! Mon mari va devenir le Che Guevara du Québec ! Le nouveau Martin Luther King !

— Tu sais, Judith... Même avec une bière, tu t'en souviendrais.

— Penses-tu que je le sais pas ce qui se passe, Adrien ? Le FLQ, c'est juste un prétexte pour cacher que le même complexe militaro-industriel qui s'est débarrassé des frères Kennedy veut aussi se débarrasser de Patrick. Parce qu'il est trop dangereux ! Mais prends-en ma parole : Patrick va être reconnu à sa juste valeur, pis il va être célébré dans le monde entier ! Des livres vont être écrits sur lui ! »

Bon. Je comprends pourquoi Jean trouvait Judith insupportable. Mais Adrien et Denise n'avaient pas affaire, ici, seulement à une personne déplaisante. Adrien et Denise venaient d'ouvrir les portes de leur maison à une femme carrément débile. Comparer Patrick à Martin Luther King... Pourquoi pas à Jésus Christ, un coup parti ?

Refusant de supporter seul le poids de Judith, Adrien, de manière hypocrite, invita Jean à souper. Avoir été dans les souliers de Jean, j'aurais sacré à Adrien la volée de sa vie.

---

1   Police secrète sous le régime nazi d'Adolf Hitler.

Mais, de manière habile, celui-ci mit l'accent de la discussion sur Patrick. Et Jean s'était laissé faire.

« Qu'est-ce qu'on fait, maintenant ? demanda Adrien entre deux bouchées de lasagne. Comment on le sort de là ?

— Je vais faire des appels, répondit Jean. Je vais faire tout ce que je peux mais sans rien garantir. La situation est exceptionnelle. D'un point de vue légal, y'a pas grand-chose que je peux faire. Pas tout de suite, en tout cas. Tous les gens qui pourraient m'aider, tous les contacts que j'ai, en ce moment, ça me sert à rien.

— On pourrait pas aller au palais de justice ?

— Aïe ! s'écria Denise. Si vous pensez que vous allez me laisser toute seule avec Jeanne d'Arc dans le salon, j'ai des petites nouvelles pour vous autres, moi ! »

Installée dans la chambre de Claire, Judith passait toutefois son temps au salon, occupée à écrire des lettres aux journaux et à répéter que Patrick était devenu un martyr; que la révolution bolchévique de 1917 était à nos portes. Personnellement, j'aurais appelé la police à la mention des mots « Che » et « Guevara ». Tout de même !... Il y a des limites à la loyauté. Surtout lorsque celle-ci ne nous est pas retournée.

« En allant au palais de Justice, prévint Denise, vous allez perdre votre temps. Même toi, Jean. Tu vas te cogner le nez à des portes closes.

— On peut quand même pas rester les bras croisés, répliqua Adrien, irrité.

— Votre meilleure chance de sortir Patrick de là, c'est d'appeler Paul-Émile Marchand. Vous le savez. Pis pourquoi vous l'avez pas déjà fait, ça, je comprends pas pantoute. »

Alors, voilà. Après des années d'une absence soigneusement planifiée, Adrien et Jean allaient m'imposer un retour sur scène que je ne souhaitais pas. Pourtant, eux non plus ne voulaient pas me revoir et ce fut en baissant les yeux qu'ils rejetèrent la suggestion de Denise du revers de la main, soit dit en passant. Parce que si le Patrick revu et amélioré du Cameroun était déjà difficile sur le système, mon propre retour, après des années d'absence, risquait de porter un coup fatal à leur entêtement à faire comme si rien n'avait changé. Comme si j'allais toujours être pour eux celui qui ne les avait pas encore abandonnés.

Malheureusement, Jean et Adrien, s'ils voulaient aider Patrick, n'avaient d'autre choix que de me contacter. La situation étant ce qu'elle était à l'époque – et je n'ai pas l'intention de débattre à propos de la suspension des droits civils –, leur meilleure chance de faire libérer Patrick passait inévitablement par moi.

Peu de temps après, lorsque la voiture de Jean s'arrêta devant mon domicile de la rue Pratt, celui-ci émit un commentaire sur son étonnement à se souvenir du trajet après tant d'années. Adrien, pour sa part, fronça les yeux devant son complexe d'infériorité qui faisait un retour en force. S'il y avait une chose inchangée depuis notre jeunesse, c'était celle-là. Cet indécrottable complexe du petit pain qui ne l'empêcha pas de faire mieux que son père – bon, ce ne fut pas très difficile – mais qui, néanmoins, le faisait sentir comme le dernier des imposteurs lorsqu'il se trouvait ailleurs qu'en pays de connaissance.

Adrien a déjà affirmé qu'il n'était jamais venu chez moi à l'époque où j'habitais Outremont. C'est faux. Il y est venu, ce soir-là. Brièvement, mais il y est venu.

« Oui ?… »

Mireille ne les a pas tout de suite reconnus. Jean, avec ses airs de jovialiste sur les stéroïdes, ne lui inspira aucune crainte. Mais Adrien, avec son dos courbé, ses sourcils froncés et ses airs d'adolescent attardé sur le point d'être pris en faute, l'indisposa davantage.

Quiconque ayant vécu à cette époque se souviendra que l'heure n'était pas à la fraternité entre étrangers. Pas dans mon coin, en tout cas.

« On a tellement entendu parler de cette cabane-là... observa Jean en sifflant d'admiration. Ça fait drôle de se trouver ici.

— Paul-Émile est pas là, mais voulez-vous entrer quand même ? Prendriez-vous quelque chose à boire ?

— Non, merci, refusa Adrien. On est pressé. »

Je n'ai jamais compris comment Adrien pouvait travailler autant pour la séparation du Québec alors qu'il était aux prises, en même temps, avec un tel complexe du petit pain. Comment pouvait-il aspirer à faire du Québec l'égal de n'importe quel autre pays alors qu'il n'était même pas capable de mettre les pieds à Outremont sans trembler dans sa culotte ? C'est bien beau de dire que son équipe est la meilleure, mais encore faut-il être en mesure d'avoir ce qu'il faut pour ne pas en être retranché. À cet égard, la remarquable carrière d'Adrien au PQ – il fut, entre autres, l'un des principaux artisans de la victoire du 15 novembre 1976 – demeurera un mystère pour moi.

« Écoute, Mireille... commença Jean. Il faudrait qu'on parle à Paul-Émile. C'est important. »

Pendant nos années de mariage, Mireille ne sut jamais quoi faire de Patrick, Jean et Adrien. Comme je ne parlais pas d'eux, elle en avait déduit qu'ils appartenaient à mon passé. Et comme je n'étais pas du genre à ressasser des souvenirs... Pourtant, tous les trois refaisaient surface, à l'occasion, dans des circonstances où Mireille pouvait deviner l'importance qu'ils avaient déjà eue pour moi. Toutefois, je demeurais muet, refusant de revenir inutilement en arrière alors que Mireille se grattait la tête en posant des questions qui restaient sans réponse. Pauvre elle. Je ne lui ai pas facilité les choses. Pour ma défense, je me suis souvent excusé auprès d'elle, depuis, pour avoir été un mauvais mari.

«Paul-Émile est pas ici. Y'est à Ottawa. Avec ce qui se passe en ce moment, vous comprendrez qu'il est pas mal occupé. Mais je peux vous donner son numéro de téléphone, si vous voulez.

— Ça nous prendrait plutôt son adresse, demanda Adrien. Ce serait mieux si on pouvait lui parler en personne.

— Ça fait tellement longtemps, ajouta Jean, sonnant toujours comme un vendeur itinérant pressé de se débarrasser de ses encyclopédies. Pis ce qu'on a à lui dire, c'est vraiment important. On peut pas lui dire ça par téléphone.

— Écoutez… Je sais pas…»

Mais Mireille savait. Juste à voir l'air d'Adrien qui voulait manifestement quitter Outremont le plus vite possible, elle savait tout ce qu'il y avait à savoir. Adrien et Jean ne voulaient pas me revoir, eux qui m'en voulaient encore de les avoir forcés à me rayer de leur carte lorsque j'avais choisi de tirer un trait sur le faubourg à mélasse.

Au fil des ans, jamais je n'avais présenté à mon ex-femme ces trois pans de ma vie pour ce qu'ils furent réellement. Aux noces d'Adrien, Mireille avait eu de moi l'image de quelqu'un qui s'emmerdait, impatient d'aller ailleurs. Lors de parties de balle-molle jouées au parc Iberville, elle avait surtout eu devant elle un joueur forcé par Jean, en échange de sa voiture, à exhiber ses talents de lanceur – assez considérables – plutôt qu'un jeune se permettant, pour une rare fois, de retrouver ses vieux copains. Et tout ça sans parler de mon propre mariage, où Jean et Adrien furent tout bonnement ignorés…

Je m'étais si bien appliqué à ne pas mêler qui j'étais et ce que je m'apprêtais à devenir que Mireille n'eut jamais droit à cette partie de moi-même qui fut marquée, à mon corps défendant, par les rues de mon enfance. Elle n'eut droit qu'à Jean et Adrien qui m'en voulaient de les avoir tous tenus à l'écart. Et elle savait, à travers ça, qu'il devait s'agir de quelque chose d'urgent si Adrien s'était donné la peine de sourciller sa rancune et son inconfort jusque sur la rue Pratt.

«Je vais vous donner son adresse à Ottawa. Je sais pas quand vous aviez l'intention d'y aller…

— On va y aller maintenant, répondit Jean. C'est urgent. Ça peut pas attendre.

— Bon… Ben… Il se couche tard, de toute façon. Inquiétez-vous pas. À l'heure où vous allez arriver, vous le réveillerez pas.

— Oh! On s'inquiète pas, répliqua Adrien, sarcastique. Même s'il était en train de ronfler, ça changerait pas grand-chose.»

Hésitante, Mireille tendit à Jean un bout de papier et leur souhaita une bonne route à tous les deux. Jean la remercia en souriant – de manière plus naturelle que lors de son arrivée –, tandis qu'Adrien se contenta de hocher la tête pour mieux se sauver au pas de course.

Je déteste les lieux communs mais je veux bien m'en permettre un, pour une fois: la vie, parfois, fait drôlement les choses: en cherchant à ramener Patrick vers eux, Jean et Adrien n'eurent d'autre choix que de passer par moi.

Évidemment, je n'en fus pas très heureux.

6
Patrick... à propos des quatre

Contrairement à ce qu'une certaine époque de ma vie pourrait laisser croire, je ne fus jamais porté à attirer la lumière des projecteurs sur moi. L'idée de vivre ma vie pour ensuite mourir sans avoir laissé la moindre trace ne me faisait absolument pas peur. Bien au contraire. Lorsque vint le temps où je me trouvai en position de faire le bilan de mon existence, la pensée que viendrait un jour où plus personne ne se souviendrait et ne s'intéresserait à mes erreurs fut, pour moi, d'un extraordinaire réconfort. Et comme je ne ressentis jamais un urgent besoin de publiciser mes quelques bons coups, l'oubli – pour ne pas dire le vide qu'amène le passage du temps pour la plupart d'entre nous – fut, pour moi, un cadeau inespéré et apprécié.

De nous quatre, je ne fus jamais le plus extraverti. Même Paul-Émile, à sa manière et malgré la croyance générale, l'était plus que moi. Il est, d'ailleurs, totalement faux d'affirmer que Paul-Émile ne parlait pas. En réalité, il parlait bien plus fort et bien plus clairement que la plupart d'entre nous. Bien plus que Jean, par exemple, qui se donnait des airs de Mardi Gras, mais qui ne se révélait finalement que très peu. Paul-Émile, contrairement à lui, se dévoilait énormément, mais à condition de le décoder, de saisir son langage plutôt nuancé. Un peu comme une toile que l'on apprend à lire avec le temps.

Pour ma part, le semblant de célébrité – ou de notoriété, plutôt – que m'amena ma période contestataire fut, pour moi, bien plus un mal nécessaire qu'un désir de faire connaître mon nom aux quatre coins du Québec. Peut-être parce qu'à travers ma mère, ayant vu où le besoin démesuré d'attention pouvait mener, je me sentis, toute ma vie, plus à l'aise là où je serais en mesure de ne déranger personne. Alors il fut d'autant plus frustrant, pour moi, d'être au cœur des retrouvailles, même forcées, de Paul-Émile, Jean et Adrien. Des années plus tard, étant en mesure d'analyser les choses avec plus de recul, je ressens encore un certain malaise au souvenir de cette rencontre. Pas parce que les choses prirent une mauvaise tournure – ce qui fut le cas –, mais plutôt parce que les choses prirent une mauvaise tournure à cause de moi.

Si je ne fus jamais du genre à rechercher l'attention, je ne l'étais pas davantage pour rechercher la nostalgie. Pourtant, à l'âge où je suis rendu, je m'étonne souvent de la trouver quand même sur mon chemin, que je le veuille ou non. Une note de musique qui me ramène en arrière… Une odeur qui me retourne à ce que je fus, un jour… Une personne croisée, quelque part, venant m'en rappeler une autre qui n'existe plus… Cette nostalgie, toutefois, se voulait différente de celle étouffant Jean et Adrien, qui peinaient énormément à laisser le passé devenir ce qu'il était appelé à être. Ce fut pour cette raison, entre autres, que la rencontre avec Paul-Émile ne se déroula pas très bien. Je m'en suis longtemps voulu, d'ailleurs. Mais seulement des années plus tard. À l'époque, mon besoin de ne pas attirer l'attention sur ma personne étant sérieusement malmené, je me sentis incapable d'assumer ce rôle de jeune premier dans ces retrouvailles.

La lâcheté aussi, parfois, fait bien les choses.

Jean et Adrien roulèrent sur l'autoroute 40, discutant de la saison de hockey qui venait de débuter et de la saison de baseball qui, elle, venait de prendre fin. Tous deux cherchaient activement à ignorer la nervosité, toujours plus étouffante à mesure qu'Ottawa approchait, et décompresser en silence était, bien sûr, tout à fait hors de question. Adrien, d'une part, en aurait été très certainement incapable. Alors un curieux croisement de conversation entre Carl Yastrzemski et Henri Richard, ponctuée de statistiques et de commentaires sur la carrière de l'un et de l'autre, les poussa jusqu'aux portes de la résidence de Paul-Émile sans avoir eu à reconnaître, ne serait-ce que pendant quelques secondes, l'étendue de la nervosité qui les tenaillait.

Lorsqu'il frappa à la porte, Jean laissa échapper un rire nerveux, glissant à Adrien qu'il se sentait comme un écolier essayant de vendre du chocolat pour financer un quelconque projet scolaire. Plus tard, Adrien affirmera que l'image n'était pas si mauvaise. Qui allait leur ouvrir la porte, exactement? Et dans quel état d'esprit?… Tous deux n'en avaient absolument aucune idée. Pour eux, Paul-Émile était, désormais, un parfait inconnu, un étranger. Alors comment savoir si cet inconnu était capable de bonté? Comment savoir s'il n'allait pas plutôt faire preuve d'une retentissante indifférence?

Quelques secondes plus tard, lorsque Paul-Émile ouvrit enfin la porte, le teint pâle et les traits tirés, le choc fut grand pour Jean et Adrien alors qu'ils prirent conscience qu'ils n'auraient fort probablement pas reconnu un de leurs plus vieux amis s'ils l'avaient croisé dans la rue. Le visage de Paul-Émile avait, d'un seul coup, perdu les traits d'un souvenir de jeunesse.

« Entrez. Je vous attendais. Mireille m'a appelé. Elle aurait dû vous dire de rester chez vous. Vous venez de faire deux heures de route pour rien. »

Malgré le ton froid, presque brutal, employé par Paul-Émile, Adrien et Jean furent frappés par l'attitude familière dont celui-ci fit preuve à leur endroit. Neuf ans, neuf longues années s'étaient écoulées depuis leur dernière rencontre et Paul-Émile s'adressa à eux de la même manière que si Jean et Adrien s'étaient pointés sur la rue Wolfe pour lui emprunter le tout dernier exemplaire d'*Action Comics*. Et malgré le ressentiment quasi instantané s'emparant d'eux à ce moment-là, ce fut cette même familiarité, précisément, qui encouragea Jean et Adrien à empêcher Paul-Émile de leur fermer la porte au nez.

Jean, qui ne fut jamais réputé pour être quelqu'un de particulièrement rancunier, se surprit à durcir la mâchoire d'une manière plutôt rude à la simple vue de Paul-Émile. Si je pus toujours, pour ma part, bénéficier d'un certain capital de sympathie fortement nourri par les excès passés de ma mère, ce ne fut jamais son cas. Pourtant, madame Marchand avait forgé la personnalité de son fils d'une manière tout aussi forte que la mienne mais de cela, personne ne parlait jamais. Je suppose que le départ de Paul-Émile du faubourg à mélasse, volontaire et planifié, en comparaison au mien qui me fut cavalièrement imposé, venait me donner un avantage non négligeable. Parce que tout comme mon vieil ami, je mis beaucoup de temps à essayer de tirer un trait définitif sur mon passé. Et en dépit de mes nombreuses tentatives, les gens ayant fait partie de mon histoire refusaient de m'oublier. À mon très grand chagrin, d'ailleurs, quelquefois.

Adrien, plus sensible à ces choses-là, avait compris que Paul-Émile n'était peut-être pas aussi fermé à cette visite qu'il ne voulait le laisser paraître. Mireille l'avait prévenu… Paul-Émile était au courant de leur arrivée et il aurait très bien pu ne pas répondre. Ou alors quitter son domicile – scandaleusement cossu, selon la rumeur – pour aller longuement siroter un café dans un quelconque restaurant d'Ottawa. Mais Paul-Émile était resté chez lui, indiquant à

Jean et Adrien le chemin du salon. Ce dernier, à tort ou à raison, y avait vu un signe d'ouverture.

« Écoute, Paul-Émile… commença Adrien, doucement. On n'aurait pas fait deux heures de route si ç'avait pas été important.

— Je sais pas pourquoi vous êtes ici, mais aussi ben vous le dire tout de suite : la réponse est non. »

Adrien se trouva, bien malgré lui, dans la position peu enviable de celui qui devait tout faire pour que l'entretien ne dérape pas. Logiquement, c'était entre lui et Paul-Émile que les choses auraient dû mal tourner. Tout les séparait, désormais. Surtout concernant les opinions politiques et Dieu sait que la crise d'Octobre fut un terreau particulièrement fertile en échauffourées de toutes sortes entre indépendantistes et fédéralistes, venant ainsi jeter les bases, j'imagine, aux ruptures familiales plus ou moins sérieuses ayant eu lieu pendant la campagne référendaire de 1980. Mais, curieusement, c'est Jean qui fut amer, en colère et qui en voulait visiblement à Paul-Émile alors que celui-ci usait d'un ton condescendant, forçant ainsi Adrien à jouer à l'arbitre.

« Vraiment, Paul-Émile… éclata Jean en fermant les poings. Tu changes pas, toi, han ? Toujours aussi affable qu'une planche de *plywood*. Ben franchement, à force de te tenir avec Trudeau, j'aurais pensé qu'il aurait pris un cinq minutes pour t'enseigner les bonnes manières. Juste pour ça, ça aurait valu la peine de payer mes impôts.

— T'en veux, des bonnes manières ? Ben je vais t'en donner, moi. Pourrais-tu, s'il te plaît, prendre la porte et la refermer en sortant ? Je t'offrirais ben du thé pis des biscottes mais tu conviendras qu'un avocat à putes dans mon salon, c'est pas très bon pour ma réputation. »

Ce fut d'une puérilité à faire pleurer, digne d'une

escarmouche de cour d'école et ni l'un ni l'autre ne sortit de cette rencontre – la première en neuf ans, dois-je le rappeler – avec le blason particulièrement redoré. Mais honnêtement, je ne crois pas que ni Jean ni Paul-Émile n'auraient pu reprendre contact sans un minimum de bousculade. Si Jean, comme je l'ai déjà dit, n'était pas du type rancunier, il était celui d'entre nous qui tenait le plus à garder intact notre groupe d'amis – sa seule vraie famille, à laquelle Lili et madame Bouchard se sont plus tard greffées – et, forcément, en voulut beaucoup à Paul-Émile d'avoir choisi de partir; comme si le départ de celui-ci venait imposer à Jean un autre rejet des Taillon.

Paul-Émile, quant à lui, croyait sincèrement avoir réussi son départ et parvenait, sans trop de difficulté, à lire mes péripéties dans les journaux comme si je n'eus été rien d'autre qu'un détraqué qu'il n'avait aucune envie de rencontrer. Mais la présence de Jean et d'Adrien dans son salon vint plutôt lui rappeler le lien l'unissant à ce fou furieux qu'il avait déjà, un jour, bien connu. Et Paul-Émile, en bon petit roi que sa mère avait élevé, réagit plutôt mal à cette contrariété.

«Pour la dernière fois, prévint-il Jean et Adrien, je sais pas ce que vous êtes venus faire ici pis je veux pas le savoir. En passant, de quel droit vous vous êtes pointés ici? C'est pas comme si je vous avais invités…

— Parle-moi d'un enfant de chienne!… s'exclama Jean, échappant un rire sec au passage.

— Jean, calme-toi, l'enjoignit Adrien.

— Me calmer?! Comment ça, me calmer?! Je suis calme, moi! Serein comme un pigeon! Pis ça irait encore mieux si Monseigneur, ici présent, pouvait comprendre une fois pour toutes, même s'il fait tout pour l'oublier, qu'il vient de la même place que nous autres, qu'il mange comme nous autres, pis qu'il chie par le même trou que nous autres! Y'a beau se draper dans le *cash* de son beau-père, y'a beau se donner la plus belle face de fendant, il pourra jamais cacher d'où il vient! Pis surtout, il pourra jamais cacher qu'il est un maudit parvenu!»

Le visage fermé de Paul-Émile n'exprimait absolument aucune émotion mais, à sa simple respiration, Adrien comprenait que ses limites étaient dangereusement près d'être atteintes. Jean, pour sa part, ne se formalisa de rien du tout et poursuivit sa diatribe.

«Dis-moi donc, Paul-Émile: il te paie combien, Albert Doucet, pour coucher avec sa fille? Pis à ta place, je cracherais pas trop sur les putains de la rue Sainte-Catherine. Entre ce qu'elles font pis ce que toi, tu fais, sais-tu, je vois pas grand différence.»

Adrien, sachant l'inévitable sur le point de se produire, tenta bien futilement de s'interposer mais Paul-Émile fut plus rapide, administrant à Jean un magnifique crochet au menton.

Ce coup de poing au visage aurait dû n'être rien d'autre qu'une insignifiante note en bas de page; un vulgaire fait divers dans l'histoire d'une amitié qui n'en avait jamais manqué. Si souvent, dans nos années de jeunesse, avions-nous fait étalage de nos dons pugilistiques qu'il m'apparaît presque insignifiant d'en faire mention. Un garçon grandissant dans les rues du faubourg à mélasse et ne sachant pas se servir de ses poings se voyait aux prises avec un sérieux problème à régler, et chacun de nous avait été un jouvenceau beaucoup trop fier pour laisser la chance à qui que ce soit de croire que tel était notre cas. Alors nous frappions fort, et nous frappions beaucoup. Sur un menton… Sur un nez…

Dans le ventre... Nous frappions quelquefois avec notre tête, à la manière d'un bouc, ou encore avec nos pieds, lorsque les poings ne suffisaient pas. Mais jamais, au grand jamais, un coup porté par l'un d'entre nous avait pour but de heurter l'un de nous quatre. C'était toujours nous contre les autres. Nous contre les jeunes du quartier voisin. Nous contre l'équipe de hockey affrontée, par un après-midi de février, au parc Berri. Nous n'étions évidemment pas seuls contre le reste du monde mais tous savaient, néanmoins, que Jean, Paul-Émile, Adrien et moi formions une espèce de microgroupe, une entité à part au sein de la bande dont nous faisions partie. Et si nous nous battions volontiers pour préserver l'honneur de cette même bande, tous savaient que la profonde amitié qui nous unissait depuis l'enfance passait avant tout le reste. Si l'un de nous quatre était frappé, les trois autres répliquaient avec une hargne sans merci, comme si c'était leur propre fierté qui venait d'être entachée.

Ce lien, si fort, m'émut longtemps et plus que je ne saurais l'exprimer.

Ce fut peut-être pour cette raison, quand j'y pense, que j'eus d'énormes difficultés à reconnaître ma part de responsabilité – réelle ou non – dans ce qui venait de se passer. Un lien s'était brisé. Une rupture eut lieu. Et j'en fus la cause.

«T'es un bel écœurant, toi! lança Adrien à Paul-Émile tandis que Jean, la fierté fortement endommagée, luttait pour demeurer debout.

— Quand quelqu'un arrive chez nous sans se faire annoncer pis qu'il me balance des insultes par la tête, c'est comme ça qu'il se fait recevoir.

— Mais tu t'attends à quoi, au juste? Qu'on se mette à genoux?... C'est ça que tu veux?

— Écoute, Adrien... J'ai aucune idée de quoi tu parles pis

ben franchement, ça m'intéresse pas. La porte est là. Si vous voulez bien la prendre… »

Au ton condescendant adopté par Paul-Émile, Adrien fut à nouveau aux prises avec cette désagréable impression d'avoir quinze ans sur la rue Pratt et de ne souhaiter rien d'autre qu'être ailleurs. Après toutes ces années, le sentiment d'infériorité était toujours aussi fort, aussi cuisant. Et s'il n'avait jamais su quoi faire pour combattre ce sentiment lorsqu'il se trouvait en terrain inconnu, l'envie d'une bonne bagarre, elle, ne lui faisait jamais défaut lorsqu'il se trouvait en terrain familier. Et Paul-Émile, malgré des années d'absence, demeurait une présence familière dans la vie d'Adrien.

« Je vais partir, Paul-Émile, seulement quand j'aurai fini de te dire ce que j'ai à dire. Quitte à t'enfoncer les mots dans le fond de ta gorge. C'est-tu assez clair, ou s'il faut que je te fasse un dessin ? »

Certains comprennent très tôt, dans leur vie, la signification réelle du mot « amitié », alors que d'autres ne la saisissent, malheureusement, que beaucoup plus tard. L'aspect mondain des relations que nous entretenons, au fil du temps, vient souvent brouiller les cartes, compliquer les choses en nous portant à croire qu'une solide amitié se définit par un bon nombre d'activités sociales communes, jumelé à une propension à rire aux mêmes blagues et à aimer les mêmes bières. Alors, j'aime croire que les différents obstacles posés sur notre route le sont pour que nous arrivions non seulement à trouver le bon en nous, mais à le trouver chez les autres aussi ; à voir en eux de manière plus claire. Comme si les épreuves cherchaient à faire le ménage à notre place, aidant à discerner les compagnons de taverne des quelques autres ayant plus de profondeur. Et de loyauté, aussi.

Mon grand-père Chénier disait souvent qu'un être

humain se définissait par-dessus tout à la richesse de ses amitiés et qu'un homme ayant un seul véritable ami, dans le sens le plus noble du terme, était plus comblé que le dernier des millionnaires.

J'étais le plus fortuné des hommes et je ne le savais pas.

À l'époque, je ne fus très certainement pas en état de comprendre la profondeur des liens qui m'unissaient à Jean, Paul-Émile et Adrien. Tout comme je ne crois pas qu'eux furent plus en mesure de les décoder. Une amitié aussi longue que la nôtre n'est jamais planifiée, discutée, analysée. Paul-Émile réussit peut-être à orchestrer son départ de la rue Wolfe avec une brillante minutie mais il échoua lamentablement, comme la suite des choses le démontrera, à ignorer la profondeur de liens ayant racine dans le sol d'un quartier qu'il s'acharnait à ne pas reconnaître. Et Adrien, l'ayant regardé partir il y a longtemps avec une résignation hostile, s'éleva devant Paul-Émile, ce soir-là, comme il ne le fit jamais plus afin que celui-ci puisse se souvenir de ce que j'avais, un jour, représenté pour lui.

Jean, grandement touché, assista à la scène en ayant l'impression d'avoir remonté le temps et pourtant, personne n'avait rien remonté du tout. Adrien fit valoir ses arguments non pas à la manière d'un enfant essayant de combler sa peur du vide, comme il l'avait si souvent fait dans le passé, mais en greffant plutôt mon passé au présent de Paul-Émile; en utilisant ce que celui-ci était devenu, sans jamais toutefois chercher à le diminuer, pour lui rappeler l'enfant qu'il avait déjà été. Et si l'amitié nous ayant unis avait réussi, jusqu'à ce jour, à survivre principalement à travers les souvenirs d'une époque disparue, cette même amitié, pour la première fois, grandissait en tenant compte de ce que nous étions devenus. Pas de ce que nous n'étions plus.

Le rapprochement définitif n'aurait lieu que plus tard, bien plus tard. Mais le pont entre notre passé et notre présent, à tous les quatre, était maintenant construit, même si sa traversée ne se ferait que bien malgré nous.

Comme je l'ai affirmé un peu plus tôt, il fut un temps où je culpabilisai énormément sur ce qui se déroula dans le salon de Paul-Émile, ce soir-là. Parce qu'il me prit un temps fou à en comprendre le sens et la profondeur, mais aussi parce qu'il m'importait très peu de le faire. Je ne voulais pas de mes amis. Je ne les voulais pas dans ma vie et je ne voulais très certainement pas qu'ils aient une incidence, quelle qu'elle soit, sur celle-ci. Je ne pouvais me le permettre.

À mon retour d'Afrique, je m'étais juré que ma vie entière allait commencer et se terminer par cette rage de changer le monde qui m'habitait depuis que j'avais mis les pieds sur ce continent. Je voulais que les deux mondes que j'avais connus changent de place. Je voulais donner aux miséreux toute la richesse dont la plupart d'entre nous abusaient sans le moindre remords. Et surtout, je voulais étaler toute ma haine pour un monde convaincu qu'il n'y en avait aucun autre en dehors du sien, aussi superficiel et chimérique soit-il. Alors, forcément, je luttais de toutes mes forces pour éloigner de moi ce qui aurait pu me distraire de mes ambitions. Incluant, malheureusement, Jean, Paul-Émile et Adrien.

Pourtant, loin de m'éloigner de mon but, ils m'en rapprochaient.

Je fus trop ignare pour le comprendre.

7
Adrien... à propos de Paul-Émile

Je ne fus pas du nombre des personnes arrêtées et emprisonnées sans raison pendant la crise d'Octobre. Incroyablement, je ne fus même pas fouillé, contrairement à Denise qui s'était fait demander, par un militaire particulièrement zélé, d'ouvrir son sac à main et de vider ses poches de manteau alors qu'elle sortait du Complexe Desjardins.

J'en ai ri pendant des semaines ! L'air complètement ahuri et insulté de Denise – qui vouait un culte quasi passionnel à Pierre Elliott Trudeau – alors qu'elle m'expliquait ce qui s'était passé me fit à peu près le même effet qu'un numéro d'Olivier Guimond.

Les emprisonnements sans raison d'Octobre 70, par contre, n'avaient rien de burlesque et encore aujourd'hui, une envie me prend de fesser sur à peu près n'importe quoi lorsque j'entends ou je lis sur les conditions des prisonniers à cette époque. Et la seule pensée que Patrick eut à endurer les bruits de gâchette, l'obscurité et les coups de matraque sur les barreaux de sa cellule à trois heures du matin, entre autres, fait carrément pousser en moi des envies de lynchage. Il avait beau être, disons, particulier, il n'en restait pas moins notre ami et notre frère. Même si, bien franchement, j'aurais été heureux de le voir laisser ses opinions probolchéviques dans un coin de sa cellule.

Honnêtement, je ne sais pas comment je m'y suis pris pour convaincre Paul-Émile de le sortir de là. Il était tellement clair que celui-ci ne voulait pas nous voir, Jean et moi, que je me suis demandé, pendant quelques instants, si nos chances ne seraient pas meilleures en allant directement faire notre demande au 24, Sussex[2]. C'est dire! Et encore, nous avons appris que notre mission auprès de Paul-Émile avait réussi seulement lorsque Patrick téléphona chez moi deux jours plus tard pour dire qu'il était libre. À Jean et moi, Paul-Émile n'avait rien voulu dire.

Des années plus tard, alors que le recul procuré par les années vint faciliter les discussions, j'ai pu me faire ma petite idée sur les conséquences que notre rencontre avait eues pour Paul-Émile. Tout comme j'ai été en mesure de comprendre pourquoi, à l'époque, il ne nous a rien dit.

Paul-Émile se rendit à la prison Parthenais, où Patrick se trouvait, à la toute dernière minute. Presque sur un coup de tête. Lorsque Jean et moi sommes partis de chez lui, ce soir-là, sa seule intention était d'aller se coucher, espérant futilement que la crise soit résolue à son réveil.

Politiquement, Paul-Émile était reconnu pour ses talents de gestionnaire en temps de crise, pour son sang-froid, et pour sa capacité à tordre des bras lorsque la situation l'exigeait, tout en préservant les apparences d'harmonie et de joie pour la galerie. Mais tout ce qui s'était passé depuis l'enlèvement de James Richard Cross allait au-delà même de ce que Paul-Émile était en mesure de supporter et sous des airs d'homme stoïque admirablement au-dessus de ses affaires, il développa, à cette période, de formidables problèmes d'ulcères qui n'allaient plus jamais le quitter.

Depuis que Patrick s'était mis en tête de... hum... purifier l'Occident, il arrivait souvent à Paul-Émile de lire ses dernières frasques dans les journaux en secouant la tête, à la manière d'un lecteur découragé devant la prise de poids d'Elvis ou les déboires matrimoniaux d'Elizabeth Taylor. La

---

2　Résidence officielle du premier ministre.

transformation de notre ami était trop brutale pour ne pas en faire une sorte de spectacle morbide, où détourner les yeux était une tâche colossale à accomplir. Mais Paul-Émile, bien évidemment, y arrivait en se disant que le Patrick de la rue de la Visitation et celui s'étant marié tout nu sur une ferme des Cantons-de-l'Est n'étaient pas la même personne; que de les relier par souvenirs était aussi ridicule qu'inutile.

Alors qu'ai-je pu bien dire pour le convaincre de se compromettre en faisant libérer Patrick? Quel fut le moment exact où un déclic, si petit soit-il, se produisit dans la tête de mon ami? Je ne saurais même pas répondre. Je me souviens d'avoir insisté sur l'aspect illégal et immoral de son arrestation. Je me souviens lui avoir dit que même si le rêve de Patrick était de faire revivre la Révolution française en sol québécois, jamais n'avait-il été préoccupé par des idées d'indépendance; que si l'on m'avait emprisonné, cela aurait fait infiniment plus de sens que son incarcération à lui. Je me souviens aussi avoir dit à Paul-Émile d'oublier les apparitions quasi hebdomadaires de Patrick dans *Photo-Police* pour mieux se concentrer sur l'amitié qui les avait un jour unis; qu'il eût un temps où l'un aurait fait n'importe quoi pour l'autre.

En dépit de mes talents d'orateur dont je venais tout juste de faire la découverte, Paul-Émile ne me laissa aucune occasion de voir si j'avais réussi à l'atteindre. Sans dire un mot à personne, il se pointa à Parthenais où il signa l'ordre de libération de Patrick, sous le regard tout à fait ahuri d'un gardien de prison qui demandait pourquoi on s'apprêtait à remettre en liberté un personnage aussi fêlé. Paul-Émile ne répondit pas à la question, se contentant d'exiger qu'on lui emmène le détenu avant de le faire sortir.

« Parfait, répliqua le gardien. C'est vous le *boss*. De toute façon, je serais prêt à gager mes bretelles de culotte qu'il va retourner en prison pas plus tard que la semaine prochaine. »

Quelques instants plus tard, un Patrick épouvantablement cerné fut emmené dans la pièce où Paul-Émile se trouvait. Pour tous les deux, le choc fut énorme. Mais Paul-Émile, pour une rarissime fois, eut plus de difficulté à le cacher, n'ayant rien d'autre pour le guider que le souvenir de ce que Patrick avait déjà été et qu'il n'était manifestement plus. Pour Patrick, par contre, la situation fut quelque peu différente : du souvenir de Paul-Émile – et de ce que Paul-Émile était devenu –, il s'en fichait comme de l'an quarante.

« Salut, Patrick. »

Au début, Paul-Émile crut que son envie de se retrouver face à face avec Patrick n'était due qu'à la curiosité ; qu'à un désir d'apposer un « après » au visage de notre ami, pour mieux effacer l'« avant ». Mais lorsqu'il ouvrit la bouche, Paul-Émile fut le premier surpris par ce qui en sortit.

« Écoute… commença-t-il. Je m'excuse… Je veux que tu saches que j'ai rien à voir avec ton arrestation. »

Voilà. Paul-Émile avait un cœur, après tout. Je ne crois pas que quiconque en ait jamais douté. Sauf lui-même, évidemment. Et je suis d'avis qu'il m'en a voulu, pour un temps, d'avoir réussi à secouer l'essence de ce qu'il croyait être.

Patrick, pour sa part, ne fut pas du tout impressionné.

« Regarde… confronta-t-il Paul-Émile, camouflant le choc de le revoir, après tant d'années. Je me fais plus beaucoup d'illusions sur les manières de fonctionner du gouvernement. Fédéral, provincial ou municipal. Est-ce que c'est toi qui m'as fait enfermer ? Est-ce que c'est un autre ? Je m'en balance. Tout ce que je sais, c'est que j'ai été mis dans le même panier qu'une gang de clowns indépendantistes, pis qu'on m'a arrêté uniquement à cause de mes convictions. »

Plus tard, Paul-Émile nous dira qu'il fut stupéfié, à l'époque, de voir à quel point Patrick n'avait pas vieilli; qu'avec la mèche rousse lui tombant sur les yeux au moment où il affirmait se foutre de tout, Patrick donnait plutôt l'impression de se taper une rébellion adolescente qu'aucun d'entre nous n'aurait reniée vingt ans plus tôt.

« Tu dis que t'as rien à voir avec tout ça, poursuivit Patrick d'un ton suffisant. Paul-Émile, t'as pas à te cacher. Au contraire, je voudrais te remercier. Parce que les derniers jours m'ont montré à quel point le monde où on vit est vraiment pourri, pis que j'ai raison de me battre comme je le fais. Sens-toi pas mal, Paul-Émile. Tu m'as rendu un grand service. »

Normalement, Paul-Émile aurait ri devant autant d'arrogance. Il se serait levé de sa chaise pour ensuite indiquer à Patrick la porte de sortie, tout en lui faisant clairement comprendre de ne pas outrepasser les limites d'une générosité qui ne lui venait pas facilement. En gros, Paul-Émile aurait écrasé Patrick d'une réplique assassine afin de lui enlever toute chance de le rabaisser à son tour, chose qu'il n'avait jamais acceptée de qui que ce soit. Surtout pas de ses subordonnés du bas de la ville.

Mais, voilà. Patrick ne ressemblait plus en rien au jeune homme désespérément soumis à sa mère, à l'amateur des Red Wings de Détroit et au prêtre chroniquement incompétent faisant rire aux éclats une paroisse au grand complet. Et Paul-Émile, quoique bien malgré lui, fut complètement subjugué par cette totale transformation, au point où il eut l'impression de discuter avec un homme rencontré pour la première fois, tout en ne se rendant même pas compte du ton franchement fendant que Patrick employait en lui parlant.

Pendant de longues minutes, Paul-Émile s'employa à

chercher des bribes du jeune homme qu'il avait déjà connu et fut sidéré de constater qu'il n'y arrivait pas.

«Pourquoi tu te compliques la vie comme ça? demanda-t-il à Patrick. T'as eu le *guts* de lâcher la prêtrise parce que tu savais que c'était pas pour toi. Tu t'es marié. Pourquoi t'en profites pas pour vivre une petite vie tranquille avec ta femme? Tu pourrais te trouver une job, avoir des enfants...»

Patrick répliqua à Paul-Émile en émettant un rire qu'il aurait voulu méprisant. Toutefois, Paul-Émile n'arrivait qu'à entendre une immense tristesse; une tristesse allant bien au-delà du désarroi dans lequel sa famille le plongeait sur une base presque quotidienne et dont il parvenait à s'échapper à travers le temps passé avec nous. À ce moment précis, alors que tous les deux se trouvaient face à face pour la première fois en dix ans, Paul-Émile n'entendait rien d'autre que la tristesse d'un homme n'ayant plus aucune échappatoire et qui, surtout, s'était résigné à ne plus jamais en trouver.

Pour Patrick, le faubourg à mélasse et ses souvenirs disparurent de manière encore plus expéditive qu'ils ne l'avaient fait pour Paul-Émile.

«Penses-tu sincèrement que je fais exprès? Penses-tu vraiment que j'aime ça, vivre comme ça? Fie-toi sur moi, Paul-Émile: j'aimerais ben mieux être capable de me lever, le matin, de me dépoussiérer le nombril, de prendre ma tasse de Maxwell House, d'aller travailler à'*shop*, de revenir chez nous, de boire ma bière, de coucher avec ma femme pis d'écouter mon hockey. J'aimerais ça, être capable de m'ef-fouarer sur un divan, pis de penser à rien. J'aimerais ça, moi aussi, être capable de perdre mon temps. J'aimerais ça, moi aussi, avoir rien dans'tête, pis d'être heureux juste parce que je me lève le matin. Mais veux-tu en savoir une bonne, Paul-Émile? Je suis pas capable. Je trouve ça trop difficile.

— C'est un choix, ça, Patrick. T'as pas à vivre ta vie comme si la fin du monde arrivait tous les jours. T'as pas à être sombre tout le temps. T'étais pas comme ça, avant. »

À ce stade-ci de la conversation, Patrick n'essayait plus de rire et toute trace de mépris avait maintenant disparu. Ne restait plus que cette immense détresse dont Jean et moi étions témoins depuis deux ans et qui venait, désormais, frapper Paul-Émile de plein fouet.

« Je suis pas comme toi, Paul-Émile. Je serai jamais capable de programmer qui je suis en fonction de ce qui m'arrange le plus. Mais si tu savais à quel point je t'envie, des fois… »

Paul-Émile, refusant de poursuivre le malaise, fit signe au gardien d'escorter Patrick aux portes de la prison avant de lui-même quitter la pièce sans jamais laisser paraître à quel point cette rencontre l'avait secoué.

La crise d'Octobre, comme tout le monde le sait, connut son dénouement avec un homme mort, un autre libéré après plus de deux mois de captivité et une poignée de ravisseurs en exil à Cuba. Paul-Émile, pour sa part, en ressortit avec une détermination renouvelée à avancer sans jamais se laisser distraire par le passé et, surtout, sans rien voir d'autre que son présent qui n'avait pas d'histoire et qui ne nous incluait pas du tout. Quelques jours après la remise en liberté de Patrick, Jean et moi avons tenté de contacter Paul-Émile pour le remercier. Bien franchement, personne ne fut plus surpris – pour ne pas dire estomaqué – que nous d'apprendre ce qu'il avait fait pour sortir notre ami de prison et, en garçons bien élevés, nous tenions à le lui faire savoir. Mais Paul-Émile n'était jamais là. Toujours trop occupé. Ou parti ailleurs. Saisissant le message sans aucun problème, Jean et moi avons tout simplement laissé tomber.

À partir de ce moment, Paul-Émile se mit à fuir le bas de

la ville avec encore plus d'ardeur qu'auparavant. Sa rencontre avec Patrick vint lui jeter au visage un sentiment de résignation, un complexe du petit pain qu'il a craint toute sa vie mais qu'il s'était permis d'oublier avec les années. À tort ou à raison, madame Marchand avait brûlé son énergie à convaincre Paul-Émile de ne jamais rien accepter, de ne jamais se contenter de ce que lui-même avait décidé. Cette attitude, que je lui envie encore aujourd'hui, lui donna la force d'aller se chercher tout ce qu'il a toujours voulu. Par contre, cette même attitude vint également lui donner, de façon détournée, une certitude que l'herbe du faubourg à mélasse ne serait jamais aussi verte qu'ailleurs. Après avoir vu sa mère, pendant les vingt premières années de sa vie, lui pointer les gens du quartier un à un en disant qu'il se destinait à une existence aussi misérable que la leur s'il ne devenait pas quelqu'un d'autre, Paul-Émile ne sut jamais prendre en compte que le faubourg à mélasse avait tellement plus à offrir que des Marie-Yvette Flynn et des gens comme mon père. Lui-même en était la preuve vivante, mais il refusait de le comprendre.

La résignation ayant émané des propos de Patrick eut tôt fait de rappeler à Paul-Émile que peu importe la distance parcourue, peu importe les allures de hippie qui tranchaient nettement avec son visage d'enfant de chœur, peu importe les citations de Lénine et d'Abbie Hoffman, Patrick n'avait rien su faire d'autre de sa vie que de la subir, convaincu qu'il ne pourrait jamais rien y changer. Tout au long de leur face-à-face, Paul-Émile avait cherché des traces du Patrick d'autrefois, alors que ce fut Marie-Yvette Flynn, dans toute sa spectaculaire amertume, qui s'était pointée à la prison Parthenais. Et Paul-Émile en fut pétrifié.

Malgré ma volonté – discutable, je le reconnais

aujourd'hui – de demeurer auprès de Denise en raison des enfants, et malgré tout ce que Paul-Émile peut raconter, je ne crois pas avoir vécu ma vie selon quelque précepte de résignation. Si tel avait été le cas, je n'aurais certainement pas consacré la presque totalité de ma vie professionnelle au mouvement indépendantiste. Surtout après deux référendums perdus et quelques élections difficiles. Et Dieu sait que Jean s'imposa, de manière continue, une ignorance totale de ce que signifiait le terme même de résignation. Mais Paul-Émile ne voulut jamais le reconnaître et nous n'avons rien fait pour l'en convaincre. De toute façon, madame Marchand s'acharnait tellement à mouler son fils de manière à ce qu'il puisse la retourner en 1929 que nous aurions tous pu parader sur la rue Sainte-Catherine, habillés en *dandy* tout en chantant *Puttin' on the Ritz*, que Paul-Émile aurait fini par nous ignorer quand même. Nous ne faisions pas partie de l'histoire des Marchand. Pas de celle de sa mère, en tout cas. Et c'est ce qui comptait le plus aux yeux de Paul-Émile.

L'apparente résignation de Patrick devant son incapacité à être heureux et, surtout, à ne pas se soustraire au destin de sa mère, vint brutalement rappeler à Paul-Émile que malgré la rue Pratt, malgré la famille Doucet, malgré son poste à Ottawa et malgré sa mère qui jouait les Norma Desmond à Outremont, les racines de Paul-Émile, celles qui le définissaient bien au-delà de ce qu'il voulait reconnaître, n'étaient jamais très loin. Et comme il n'y avait plus rien chez lui à réinventer, sa rencontre avec Patrick lui indiqua qu'il ne restait plus rien d'autre que le déni, la fuite en avant.

Pour la deuxième fois, Paul-Émile allait disparaître de nos vies.

8
Jean... à propos de Patrick

Une fois de plus, je tiens à dire que je n'ai absolument rien contre les femmes. Au fil de l'histoire, je me suis souvent fait un malin plaisir à casser du sucre sur le dos de quelques-unes d'entre elles – la bonne femme Flynn; ses filles; Florence Marchand... – mais ce n'était jamais fait, à mon avis, de façon gratuite. Soyez honnêtes: aucune de celles-là ne venait vraiment faire honneur à son sexe, contrairement à des perles du genre féminin telles que ma merveilleuse Muriel, Mireille, Lili, madame Mousseau ou encore Denise Filiatrault – mon fantasme ultime; jamais assouvi, malheureusement.

Mais parmi les femmes que j'ai passionnément détestées au cours de ma vie, personne ne fut haï avec autant d'exaltation que Judith Léger, dont je devrai, à mon très grand chagrin, parler pendant encore un bon moment.

Heureusement, je n'ai pas eu à me trouver dans la même pièce qu'elle trop souvent dans ma vie. Mais lorsque c'était le cas, la savoureuse épouse de Patrick faisait toujours pousser en moi de fortes envies de faits divers où les journaux m'auraient fait le bonheur de rapporter sa disparition. Rien de violent, rassurez-vous. Seulement un peu de chloroforme, un aller simple pour le Turkménistan et un geôlier s'assurant qu'elle ne retrouve plus jamais le chemin de Montréal. Et donnez-moi un peu de crédit, tout de même!... J'en connais qui ont déjà souhaité pire à de bien meilleures personnes.

Mais revenons à nos moutons...

Lorsque Patrick sortit de prison, c'est moi qui fus chargé d'aller le chercher et de le ramener chez Adrien.

«Judith?... Elle est où?...

— Chez Adrien. Inquiète-toi pas. Denise s'en est bien occupée. »

De tout le trajet, ces mots furent les seuls échangés entre nous. Je ne sais pas si Patrick était préoccupé, ou s'il n'avait tout simplement pas envie de jaser, mais reste qu'à l'exception de ces quatre petits mots, il n'ouvrit pas du tout la bouche, de la rue Fullum jusqu'à la rue Robert. Pour ma part, alors que l'avocat en moi crevait d'envie de connaître les détails entourant son incarcération, est-ce que je peux vous dire que je trouvais le temps assez long, merci ?

Lorsque nous sommes entrés chez Adrien, mon cœur se mit soudainement à battre d'anticipation : je regardais tout autour de moi et ne voyais Judith nulle part. Doux Jésus, était-ce possible qu'une âme charitable se soit chargée de catapulter la chipie en Asie Mineure sans que j'aie à mettre en jeu ma toute modeste contribution au Barreau québécois ?

« Judith est dans la chambre de ma fille, révéla Denise à Patrick, s'approchant pour tenter de lui serrer la main. C'est la deuxième porte à gauche. Elle dort encore. »

Tabarn !...

D'un air superbement détaché, Patrick se contenta de hocher la tête, pour ensuite prendre la direction de la chambre de Claire et y retrouver sa tête à claques. Évidemment, Denise ne fut pas très impressionnée par ces manières qui laissaient plutôt à désirer. Même pour un mal embouché comme moi.

« Aïe ! s'exclama-t-elle. Je te dis que lui, c'est pas la politesse qui l'étouffe ! Adrien pis toi, vous vous démenez pour le faire sortir de prison !... Moi, je m'occupe de son hystérique de femme !... Faudrait surtout pas qu'il se sente obligé de dire merci ! »

J'aimais bien Denise. Malgré le fait qu'elle et Adrien cherchaient régulièrement à s'entretuer de manières toujours plus loufoques – elle lui servit, un jour, un café à base d'eau de Javel en prétextant avoir oublié de vider la bouilloire qu'elle avait nettoyée, la veille; pas sûr, moi… –, j'avais beaucoup d'affection pour cette femme foncièrement authentique qui ne cherchait jamais à donner le change. Mais les quelques jours où elle eut à héberger Judith tout en réussissant à ne pas l'égorger me commandèrent une admiration pour Denise qui ne verra jamais de fin.

Pendant que Patrick croupissait en prison, Judith avait passé le temps en rédigeant le brouillon d'un livre portant sur son grand révolutionnaire de mari, hurlant à pleine page que Patrick allait marquer à jamais la mémoire collective occidentale. Trois jours après son arrivée sur la rue Robert, elle se planta devant Denise, assise à la table de la cuisine, et exigea que celle-ci jette un coup d'œil au premier chapitre. *Pronto.*

«Je suis occupée, Judith. J'ai des bulletins à remettre bientôt, pis…

— Franchement, Denise! Tu penses quand même pas qu'une gang de petits baveux de quatrième année est plus importante que mon mari, probablement mort torturé, à l'heure où on se parle?»

Si j'avais été à la place de Denise, j'aurais été prêt à téléphoner à la police pour leur avouer que j'étais membre fondateur du FLQ en échange de ne plus avoir à endurer Judith. Mais infiniment plus patiente que moi, Denise se mit à lire le premier chapitre et fit aller son stylo rouge en durcissant sa mâchoire.

Le jour de sa sortie de prison, regardant Patrick prendre le chemin de la chambre pour y retrouver sa femme, j'ai tout à coup ressenti un puissant besoin de détourner les yeux, de regarder ailleurs et de porter mon attention sur autre chose. Pour la première fois en deux ans, je prenais conscience que je n'arrivais plus à endurer le personnage grotesque que mon ami était devenu – j'avais bien assez de me supporter moi-même –, que je ne voulais plus accepter ses airs supérieurs et son ton cassant, alors que je devais continuellement faire mon deuil d'une amitié s'enfonçant toujours plus dans la folie d'un souvenir traumatisant, folie nourrie par une pauvre fille qui l'était encore plus.

Il nous est souvent arrivé, à Adrien et à moi, de détourner les yeux devant ce que Patrick était devenu. De soupirer d'impatience et de sacrer allègrement, aussi. Mais jamais avons-nous brisé les liens qui nous unissaient de manière officielle parce que, quelque part, nous espérions toujours, comme les deux innocents que nous étions, que notre copain allait finir par émerger. Et si nous étions prêts à reconnaître que le Cameroun avait pris une partie de Patrick qu'il ne rendrait à personne, nous étions tout aussi disposés à nous contenter d'un rire, d'une tape dans le dos ou de n'importe quel autre signe visant à nous faire comprendre qu'Adrien et moi n'étions pas dans ses bonnes grâces uniquement lors-qu'il avait besoin de nous. Pourtant, il était clair, alors que Patrick passa devant Denise et moi comme si nous avions été deux crottés en train de lever la patte sur une borne-fontaine, qu'aucun signe ne nous serait jamais envoyé.

Exaspéré d'être constamment pris pour un moins que rien – ce que j'étais parfaitement capable de faire moi-même, merci –, je pris alors une décision qui me brisa le cœur en mille morceaux mais qu'Adrien endossa complètement: pour nous, c'en était fini de Patrick. S'il avait besoin d'aide, nous serions là pour lui. De loin, de manière détachée, sans plus jamais essayer d'obtenir les vingt premières années de sa vie en retour. Nous qui en avions tellement voulu à Paul-Émile d'être parti sans jamais se retourner, nous étions sur le point de faire exactement la même chose. Patrick avait ri de nous pour la dernière fois.

Pourtant, alors qu'il s'approchait d'une Judith endormie, Patrick allait vivre un moment troublant, bref mais déterminant, qui aurait des conséquences sur des années à venir et qui, surtout, aurait nécessité notre présence, à Adrien et à moi.

Avec le temps, Adrien et moi avons fini par comprendre que le Patrick d'autrefois était toujours vivant. Seulement, il ne l'était jamais avec nous, réservant plutôt ses sourires et sa bonne humeur pour sa commune de la rue Boyer, qui en était tout bonnement venue à prendre notre place. Ces gens-là avaient su accepter d'emblée le Patrick qui était revenu d'Afrique, chose que ni moi ni Adrien n'avons su faire convenablement. Et parmi ses nouveaux amis, personne ne sut tirer profit de la transformation de Patrick autant que Judith. Patrick ne l'aimait pas. De ça, je serai toujours convaincu. Mais elle le comprenait, l'acceptait et, surtout, n'essayait jamais de lui faire comprendre la futilité des gestes qu'il posait. Ce qui était moins apparent, toutefois, et beaucoup plus malsain, est que Judith a su se servir de la rébellion de Patrick pour nourrir la sienne, plus grosse et plus destructrice, à l'égard du monde entier. Aussitôt, l'emprisonnement de celui-ci motiva Judith à en faire un héros, un martyr venant carburer davantage sa haine envers un monde où elle n'avait jamais su s'adapter et qu'elle s'était juré de mouler selon sa vision des choses, peu importent les sacrifices que cela nécessiterait. Et par le fait même, un Patrick mort devenait aussi essentiel à la survie de Judith que l'air lui passant par les poumons. La perte de son mari, pour elle, serait le sacrifice ultime venant justifier cette bataille qu'elle menait, envers et contre tous. Patrick serait son propre Che Guevara, en ce sens où sa mort, injuste, lui donnerait la force de se battre jusqu'à la fin.

Alors, qu'aurait dû faire Patrick à sa sortie de prison? Aurait-il dû se planter un couteau dans le ventre parce qu'il avait eu le malheur de survivre à la Loi sur les mesures de guerre? Aurait-il dû se jeter devant un train parce qu'une vieille connaissance avait détourné le destin en le sortant de sa cellule? Si au moins, dans le genre activiste, Judith avait ressemblé le moindrement à Jane Fonda, j'aurais pu comprendre. Mais je ne comprenais rien. Pas plus qu'Adrien. Et à cause de ça, nous avons laissé Patrick couler. Parce que lorsqu'il s'est retrouvé face à face avec Judith et qu'elle se réveilla enfin, celle-ci figea, regarda longuement son mari alors que Patrick fut consterné par ce qu'il lut dans les yeux de sa femme.

Il était revenu. Il était vivant et en bonne santé. Et Judith en fut catastrophée.

Adrien et moi nous étions démenés pour faire sortir notre ami d'enfance de prison alors que Judith, sans jamais nous dire le moindre mot, espérait que nous allions retrouver son cadavre dans un coin de sa cellule pour mieux se donner la force de poursuivre son combat.

Mais le Che de la rue de la Visitation est mort-né. Et Judith s'est éteinte.

9
Adrien... à propos de Paul-Émile

Politiquement, Paul-Émile et moi en étions venus à ressembler à deux pions adverses sur un jeu d'échecs. Il est vrai qu'en ce qui concerne le statut du Québec – question particulièrement chère à mon cœur –, nous n'avons jamais logé à la même enseigne et j'avoue qu'il m'est souvent arrivé, délibérément, d'ennuyer Paul-Émile en monologuant sur les incompatibilités historiques de la Belle Province avec le reste du Canada. Je me souviens tout particulièrement d'un soir où j'étais allé lire, sous la fenêtre de chambre de Paul-Émile, un texte d'une merveille indescriptible sur la nécessité, pour le Québec, de faire l'indépendance. Exaspéré, Paul-Émile finit par me balancer une chaudière d'eau froide par la tête alors que son voisin, monsieur Desrosiers – le père de Suzanne –, me suggéra de rentrer chez nous au pas de course si je ne voulais pas en recevoir une autre. Eh! Seigneur! Ce que j'ai pu en ennuyer, des gens, avec mes monologues d'un kilomètre de long! Pourtant, je ne regrette rien. Malgré les revers et les déceptions, l'indépendance du Québec demeure, pour moi, la cause de ma vie. Tout comme l'unité du Canada restera toujours un principe fondamental aux yeux de Paul-Émile.

Avec tout ce qui s'est passé au Québec sur le plan politique, dans les années soixante-dix, je me suis souvent demandé si l'amitié entre Paul-Émile et moi, eut-elle été vigoureuse à l'époque, aurait survécu. Probablement pas. Mais nos relations étant ce qu'elles étaient à l'époque – c'est-à-dire inexistantes –, je ne le saurai jamais.

À l'époque de la conférence de Victoria[3], alors que je commençais moi-même à jouir d'une certaine réputation à Québec et à Ottawa, je n'avais pu m'empêcher de sourire en apprenant les misères que causait Robert Bourassa à mon ami d'enfance. Paul-Émile avait négocié serré pour une plus grande centralisation des pouvoirs et notre délicieux premier ministre provincial, en exigeant un élargissement des pouvoirs sociaux, était quelque peu venu mettre du sable dans l'engrenage, provoquant ainsi l'échec de la conférence.

Ici, je tiens à préciser que, pour des raisons d'étiquette et de moralité, je ne répéterai pas les différentes injures, riches en vocabulaire sacerdotal, que Paul-Émile proféra à l'endroit de Robert Bourassa, ce jour-là. Au cas où un enfant lirait ceci… On ne sait jamais.

À son retour de Victoria, Paul-Émile, la pression au plafond, n'avait toujours pas réussi à se calmer. Ayant pris l'échec de la conférence de manière très personnelle, il ressentait le besoin de penser à autre chose, de se regarder dans le miroir et de voir un autre homme que le conseiller politique venant tout juste de se faire passer un sapin. Tout naturellement, il pensa à Suzanne.

«Vous allez où ? lui demanda le chauffeur de taxi, alors que la voiture quittait l'aéroport de Dorval.

— 6677, rue Étienne-Bouchard », répondit Paul-Émile.

Paul-Émile détestait le quartier où Suzanne habitait. Trop à l'est… Pas assez riche… Trop quelconque… Il avait long-temps essayé de la convaincre de déménager à l'ouest, dans un coin plus luxueux et nettement au-delà de ce que Suzanne

---

3   Ayant eu lieu en 1971, cette conférence se voulait une tentative du premier ministre Trudeau de rapatrier la Constitution du Canada et d'y ajouter une charte des droits et libertés.

pouvait se payer. Et lorsqu'elle lui fit remarquer que ce n'était pas tout le monde qui, comme lui, jouissait d'un contact direct avec son banquier, Paul-Émile, avec une maladresse qui m'aurait fait passer pour le roi des gants blancs, tenta d'offrir à Suzanne un appartement, tous frais payés, dans une tour résidentielle du centre-ville avec vue sur le fleuve et la Place Ville-Marie. La réplique ne se fit pas attendre.

« Franchement, Paul-Émile !... J'ai-tu l'air d'une guidoune ?

— Qui te parle de guidoune ?

— Moi. Parce que c'est comme ça que je me sentirais.

— Simonac, Suzanne ! Tu travailles, tu payes pour toutes tes dépenses…

— Et ça va rester comme ça.

— Laisse-moi donc faire ça pour toi. Je veux te faire cadeau d'un bel appartement, dans un des plus beaux quartiers de la ville…

— Je SUIS dans un des plus beaux quartiers de la ville.

— Aïe ! Ris pas de moi, veux-tu ? Tu trouves ça beau, toi, des rangées de petits duplex collés les uns sur les autres ?

— Moi, j'aime ça. J'ai de bons propriétaires, le monde est gentil, pis je suis proche de tout. Le centre-ville, Paul-Émile, c'est pas tout le monde qui trouve ça beau. Outremont non plus, soit dit en passant.

— OK, d'abord. Mais laisse-moi au moins t'acheter une maison où…

— Paul-Émile, le jour où je vais me faire entretenir, il va pleuvoir des cochons sur la ville de Montréal. Pis si je finis par être propriétaire d'une maison, un jour, c'est parce que je vais me l'être payée moi-même. »

Suzanne était foncièrement indépendante, pas de doute

là-dessus. Elle l'avait toujours été. Mais je me suis souvent demandé si sa propension à refuser systématiquement l'offre de Paul-Émile – parce qu'elle se répétera plusieurs fois au fil des années – ne cachait pas également la nécessité de camoufler la présence de Guy Drouin dans sa vie. Parce que celui-ci, deux ans après leurs retrouvailles, était toujours dans le portrait. Et comment Suzanne s'y est prise pour que Paul-Émile, pendant longtemps, n'en ait pas connaissance, je ne l'ai jamais su. D'accord, Drouin et Paul-Émile vivaient dans des univers complètement différents mais il y avait toujours bien monsieur Marchand qui se trouvait à cheval entre les deux ! Avec monsieur Desrosiers roucoulant littéralement son bonheur à voir Guy Drouin de retour dans la vie de sa fille, il était absolument impossible que le père de Paul-Émile n'en ai rien su. Se pouvait-il que la relation entre le père et le fils ait pu se briser à ce point ? À moins que ce ne soit monsieur Marchand qui prit la décision de ne pas se mêler de la vie privée de Paul-Émile… Essayer de comprendre tout cela, bien franchement, me donne des maux de tête chaque fois.

Toutefois, l'ignorance de Paul-Émile connut une fin brutale à son retour de Victoria. Trop plongé dans ses dossiers pour se rendre compte qu'il était arrivé sur la rue Étienne-Bouchard, ce fut le chauffeur de taxi qui dût lui faire signe qu'il était temps de se faire payer.

« Déjà ?

— Déjà.

— Heu… OK. Laissez-moi juste le temps de ranger mes papiers. Vous pouvez laisser votre compteur rouler. »

Le chauffeur envoya un sourire forcé à Paul-Émile, qui, lui, s'affairait à remettre ses dossiers dans sa mallette, trop occupé pour voir qui était en train de sortir du 6677 de la rue Étienne-Bouchard.

« Aïe ! s'écria soudainement le chauffeur de taxi, tout excité. C'est Guy Drouin, ça ! »

Paul-Émile, le cerveau subitement réduit à l'état de purée, leva brusquement la tête pour apercevoir enfin, à son tour, Guy Drouin se diriger vers sa Buick Le Sabre. Quelques secondes à peine s'écoulèrent entre le moment où celui-ci s'installa dans sa voiture, démarra le moteur, pour ensuite avancer vers le nord ct tourner à gauche sur la rue Bélanger. Atterré, Paul-Émile eut pourtant l'impression d'avoir été assis sur la banquette arrière du taxi depuis les dix dernières années. Comme s'il n'avait jamais rien fait d'autre que de revivre cet instant où il aperçut, pour la première fois, Suzanne et Guy s'embrasser devant le domicile des Desrosiers sur la rue Wolfe et que sa propre relation avec Suzanne n'avait jamais existé. Comme s'il n'avait jamais rien pu faire d'autre que de les subir, tous les deux, en se marchant sur le cœur et en faisant abstraction de ses propres sentiments. Bref, Paul-Émile goûta enfin à sa propre médecine, celle qu'il administrait à Suzanne depuis dix ans. Affirmer qu'il en trouvait le goût désagréable décrivait sa réaction, d'ailleurs, de manière assez pauvre. Et au regard fermé qu'il affichait, il était plutôt clair qu'il n'allait pas tolérer l'arrière-goût très longtemps.

Paul-Émile ne fut jamais le plus bavard d'entre nous. Pour bien comprendre, il fallait connaître son code personnel, savoir déchiffrer ses gestes et lire ses regards. Et lorsque Suzanne ouvrit la porte, après que Paul-Émile eut frappé trois coups de la manière la plus impersonnelle qui soit, sa lecture de lui se fit en un quart de seconde.

Paul-Émile avait vu Guy Drouin sortir de chez elle. Il savait tout et Suzanne n'essaya même pas de le convaincre du contraire.

« Qu'est-ce que tu fais ici ? » se contenta-t-elle de lui demander.

La réponse ne fut rien de moins qu'expéditive. Et lorsque la main de Paul-Émile atteignit la joue de Suzanne, celle-ci perdit l'équilibre, sa tête allant frapper le plancher de son hall d'entrée. Mais plutôt que de se mettre à pleurer ou de chercher à se justifier, Suzanne se releva, s'approcha de Paul-Émile qui la regardait toujours comme si elle était la dernière des traînées et lui administra une forte claque du revers de la main.

« Ne lève plus jamais la main sur moi, avisa-t-elle d'une voix brisée. Est-ce que c'est clair ? »

Paul-Émile, le cœur brisé, humilié et confus, n'étant pas en mesure de voir clairement quoi que ce soit, gifla Suzanne une seconde fois. En larmes et la joue enflée, celle-ci laissa échapper un grand cri avant de décocher un superbe crochet au menton de Paul-Émile qui, déconcerté par la violence du coup qu'il venait de recevoir, s'écroula par terre.

Je n'ai pas su quoi faire de cette histoire lorsqu'on me l'a racontée. Tout comme je ne le sais pas plus maintenant. Si mon père ne fut jamais en mesure de m'élever comme il aurait dû le faire, j'avais cependant été vite à comprendre, à travers les mots et les agissements des hommes de mon quartier, que l'on ne devait pas lever la main sur une femme. En ce sens, jamais je ne pourrai excuser, aussi isolé et unique fût-il, ce geste de Paul-Émile.

Cela étant dit, je peux tout de même comprendre l'état d'esprit dans lequel il se trouva lorsqu'il finit par apprendre que Suzanne jouait sur deux tableaux à la fois. Même s'il était loin d'être un expert dans l'art de le démontrer, Paul-Émile aimait sincèrement et profondément Suzanne et le choc de la savoir avec Guy Drouin, jumelé à son humeur depuis son retour de Victoria, fut plus qu'assez pour lui faire perdre les pédales. Et pour être honnête, je ne peux m'empêcher d'admirer la façon dont Suzanne réagit aux frappes de Paul-Émile. Avec ses cinq pieds et un pouce et ses cent livres mouillées, Suzanne n'avait absolument rien d'un Gino Brito, s'attaquant aux deux cent quinze livres de Paul-Émile comme s'ils avaient été son *punching bag* personnel. Curieusement, Paul-Émile ne l'en aima qu'encore plus.

« Pourquoi ?… » demanda celui-ci en massant sa mâchoire.

Suzanne mit quelques secondes à répondre. Elle pleurait et sa main droite lui faisait affreusement mal.

« Si tu savais à quel point ça fait longtemps que j'essaie de couper les ponts avec toi, Paul-Émile. Mais je suis pas capable. Quand je m'imagine sans toi, j'ai mal au cœur pis je pleure comme une Madeleine. »

Et là, après être descendu aussi bas que d'administrer deux claques à Suzanne en plein visage, Paul-Émile crut bon d'en rajouter une couche supplémentaire en lui servant la réplique qui suit :

« Fais-moi plaisir pis lâche les violons, veux-tu ? J'arrive ici pis je tombe sur ton ex qui sort de chez vous ! Que tu me dises à quel point t'es pas capable de te passer de moi, ben franchement, ça me passe cent pieds par-dessus la tête ! »

Paul-Émile tout craché. Du grand cru. Si j'avais été là, moi aussi je l'aurais frappé.

« Va-t'en, Paul-Émile.

— Quoi ?… Qu'est-ce que j'ai dit ?

— Est-ce que ça te fait du bien, Paul-Émile, quand tu te grattes le nombril ?

— Essaie pas de me faire sentir coupable, Suzanne Desrosiers, quand c'est toi qui m'as fait un coup de cochon ! »

J'aurais bien voulu savoir de quel coup il s'agissait,

exactement. Ou de quelle réalité. Suzanne, malgré tout l'amour qu'elle vouait à Paul-Émile, était la seule personne de son entourage – à l'exception de monsieur Marchand – qui refusait de céder à ses moindres caprices ; qui s'obstinait à ne pas le traiter comme le grand seigneur qu'il croyait être devenu. Cela étant dit, elle devait tout de même subir le mariage de Paul-Émile comme un rappel constant de tout ce qu'elle perdait à mesure que le temps passait. Et s'il est vrai qu'elle acceptait de plein gré son rôle secondaire dans la vie de Paul-Émile, le temps et les années me révélèrent que tous deux auraient préféré, et de loin, vivre leur vie séparés, qu'ils ont souvent essayé, toujours en vain. Et au fil du temps, Suzanne regardait les photos de famille des Marchand, voyait Lisanne, Marie-Pierre et Louis-Philippe grandir tout en sachant, du même coup, que ses chances de se bâtir une famille bien à elle diminuaient à chaque minute passée auprès Paul-Émile. Ce constat lui était insupportable. Mais l'absence de Paul-Émile, pour sa part, l'était encore plus.

« J'essaie pas de te faire sentir coupable pantoute, Paul-Émile. Pis avant de me sacrer une volée en pleine face parce que t'as vu Guy sortir d'ici, pourquoi tu réfléchis pas, trente secondes, pour essayer de comprendre comment ça se fait que j'en suis rendue là ?

— J'aurais ben voulu te voir à ma place, Suzanne ! Je viens d'apprendre que monsieur Art-Ross'57 se tape ma femme ! Tu veux que je réagisse comment ?

— De la même manière que je réagis depuis dix ans, Paul-Émile : en prenant ton trou. »

Cette réplique de Paul-Émile, encore aujourd'hui, ne m'est jamais sortie de la tête. Monsieur Art-Ross'57 qui se tapait sa femme… Mais sa femme, Suzanne ne l'était pas et pourtant, au plus profond de lui-même, malgré son air détaché et toute sa négligence, je demeure convaincu que Paul-Émile ne la considérait pas autrement. Suzanne était sa véritable épouse, l'amour de sa vie, sa compagne d'une manière que Mireille, malgré le contrat de mariage et les trois enfants, ne serait jamais. Et alors qu'il s'enfonçait toujours plus profondément dans cette réalité déformée, Paul-Émile, forcément, réussit à se faire croire que Mireille n'existait pas vraiment; qu'il n'avait toujours été fidèle qu'à Suzanne. D'où sa colère de voir Guy Drouin revenir dans le portrait et le constat, inévitable, de n'avoir pas su donner suffisamment de sa vie à Suzanne pour qu'elle puisse s'en bâtir une à elle qui l'aurait rendu heureuse.

«Est-ce que c'est là qu'on est rendus? demanda Paul-Émile, sans vraiment vouloir connaître la réponse. Est-ce qu'on est rendus au point où tu veux un mari?... Des enfants?...

— J'en suis rendue au point où j'ai besoin de choses que tu peux pas me donner, Paul-Émile. J'ai besoin d'avoir une vie de famille. Pis j'ai surtout besoin d'en avoir une avec un homme qui me met en haut de sa liste.

— T'as toujours été en haut de ma liste, Suzanne.

— Non, Paul-Émile. C'est pas vrai. Je passe après Albert Doucet. Je passe après tes enfants. Pis je passe après le Parlement. Ça fait dix ans que je me contente de tes restants. J'ai beau être patiente, j'ai beau t'aimer mais je suis plus capable de faire comme si ça me coûtait rien du tout.

— Pis Drouin?... Il te fait passer en premier, lui?

— Oui, je passe en premier. Avant tout le monde. Pis après avoir passé dix ans à t'entendre me dire de rester cachée, tu peux pas savoir à quel point ça fait du bien.»

J'ai déjà dit, précédemment, que de raconter la vie de Paul-Émile, c'était surtout raconter celle des autres; que c'était, aussi, raconter l'incidence que ses propres choix avaient pu avoir sur l'existence des gens qui l'entouraient. Mais le retour de Guy Drouin dans la vie de Suzanne vint radicalement changer cette situation. À compter de cette période, ce fut au tour de Paul-Émile d'apprendre à se plier au destin, à se laisser emporter par le courant, tout en faisant des efforts titanesques pour ne pas s'y noyer. Je ne crois pas qu'il y soit jamais parvenu et la suite des choses, malheureusement, viendra me donner raison.

Enfin… Ce n'est pas le moment de commencer l'un de mes captivants monologues.

« Si t'as trouvé le bonheur parfait, qu'est-ce que tu fais encore avec moi ?

— Je te l'ai dit, Paul-Émile. Je suis pas capable de vivre sans toi. Pis crois-moi : c'est pas parce que j'ai pas essayé. »

Ce serait facile, pour moi, de dire que Paul-Émile, ce jour-là, n'eut rien d'autre que ce qu'il méritait. Ce serait sans doute très vrai, aussi. Mais la peine vive et profonde qu'il ressentit, à ce moment-là, m'empêchera toujours d'élaborer là-dessus. Un homme a beau avoir ce qu'il mérite, ce n'est jamais agréable de voir quelqu'un souffrir de la sorte. Et Paul-Émile, par sa propre faute – et un peu par celle des autres, comme il en sera question plus tard –, allait certainement vivre sa part de souffrance dans les années à venir.

« On s'est jamais parlé comme ça, toi pis moi, ouvrit Suzanne. Là, je pense qu'il est temps qu'on se dise les vraies affaires. J'aimerai jamais quelqu'un d'autre comme je peux t'aimer, Paul-Émile. Pis je sais que c'est la même chose pour toi. Mais j'ai pas de vie. Ça fait dix ans que tout ce que je fais, c'est de t'attendre. Je me lève le matin, je m'habille, je vais travailler, je reviens ici, pis j'attends que tu m'appelles. Des fois, mes parents viennent me voir… Des fois, je vais chez

Rolande… J'existe, Paul-Émile, mais je vis pas. Pis si je me retrouve à soixante ans en me disant que c'est tout ce que j'ai fait de ma vie, je vais me tirer une balle dans la tête.

— L'aimes-tu ?

— Je pourrai jamais l'aimer autant que toi, mais oui, je l'aime. À ma manière. »

Au fil des années, Jean, Patrick et moi avons souvent été découragés devant cette volonté toute stupide de Paul-Émile de faire comme si Suzanne n'était qu'un caprice, simplement parce qu'il était trop snob pour marier une fille du bas de la ville. Tout le monde savait que pour lui, Suzanne était beaucoup plus que ça et je crois que ce jour-là, alors qu'il était assis par terre, près de la porte d'entrée, la mâchoire estropiée, Paul-Émile était enfin prêt à le reconnaître.

« Qu'est-ce qu'on fait, maintenant ? » capitula-t-il.

Cette question, à elle seule, vient parfaitement résumer toute l'ampleur de l'amour que Paul-Émile ressentait pour Suzanne. Je sais que ça peut être difficile de comprendre pour qui que ce soit ne les ayant jamais vus ensemble. Mais n'importe qui ayant connu un tant soit peu Paul-Émile Marchand ne peut qu'être bouleversé par cet aveu d'impuissance totale et par le point d'interrogation semblant dire à Suzanne qu'il l'aime au point de se laisser guider par elle. Encore aujourd'hui, je n'en reviens toujours pas parce que je connais suffisamment Paul-Émile pour savoir qu'à cet instant précis, son instinct premier aurait été de foutre le camp, de classer Guy Drouin, bien puérilement, parmi les pires joueurs de toute l'histoire de la LNH et de faire comme si Suzanne n'avait jamais existé. Alors à mes yeux, son inertie représentait bien davantage et avait mille fois plus de valeur que n'importe quelle déclaration d'amour moche et éphémère. Suzanne aussi l'avait compris.

« J'ai besoin que tu m'aimes assez pour me laisser avoir une vie en dehors de toi, soupira-t-elle, doucement. J'ai besoin que tu fasses pour moi ce que je fais pour toi depuis dix ans. Pis j'ai surtout besoin que tu saches que je te quitterai jamais. Peu importe ce qui va se passer.

— Tu veux que je te laisse te marier avec lui ? Avoir des enfants ?…

— J'ai pas à attendre que tu me laisses faire quoi que ce soit, Paul-Émile, répliqua Suzanne, un brin irritée. Ce que je veux, c'est que t'assumes ton choix de pas avoir fait ta vie avec moi. Quand on a commencé à être ensemble, j'ai pas eu le choix de prendre le *package deal* qui venait avec. Mireille… Tes enfants, par après… Au fond, j'espère seulement que tu vas m'aimer assez pour me laisser vivre, même si c'est pas toujours avec toi. Comme je fais depuis longtemps. »

Sur le coup, Paul-Émile essaya de se faire croire qu'il avait le choix ; qu'il aurait très bien pu partir mais qu'il avait fini par opter pour la situation qui l'arrangeait le plus. Ce n'était pas vrai et il le comprit rapidement. Dévisageant Suzanne en silence, il comprenait, après toutes ces années, que cette impression d'avoir son mot à dire sur quoi que soit concernant leur relation n'était qu'illusoire. Suzanne, pour mon vieil ami, fut toujours l'exception à la règle voulant que sa tête ait préséance sur tout le reste.

Pour la première fois, Paul-Émile subissait et acceptait en ne faisant rien.

10
Jean... à propos de Patrick

Même dans la mort, James Martin ne put se débarrasser de son côté pathétique qui en avait fait un triste personnage de son vivant. Le père de Patrick – et époux de la très peu regrettée Marie-Yvette – mourut chez lui, d'un arrêt cardiaque, dans la nuit du 2 au 3 juin 1971, dans une mise en scène tellement ridicule qui ne fut pas sans me rappeler la fin loufoque de mon grand-père Taillon.

Ce fut Maggie – la sulfureuse Margaret, déjà saoule à 6 h 30, le matin; avouez que c'était pire que moi – qui fit la découverte: James Martin gisait sur le plancher de la salle de bains, une bouteille de bière vide dans une main et un *Playboy* dans l'autre. Le vieux cochon!... Par la suite, la famille apprendra qu'il ne s'était rien passé de particulier. Pas de chute dans laquelle James Martin se serait frappé la tête... Pas de scénario à la John Bonham où il se serait étouffé dans son vomi. Son cœur avait tout simplement cessé de battre. Fin de l'histoire. Par ailleurs, Maggie me dira, au salon funéraire, qu'elle aurait bien souhaité que le cœur de son père cesse de battre pendant qu'il était encore habillé. Difficile de la contredire là-dessus. Et vous me connaissez... Je n'ai pu m'empêcher de rire.

Ici, je tiens à préciser une chose: si vous pensez que la famille Flynn s'est empêchée de faire virer les funérailles de James Martin en carnaval simplement parce que ses membres se trouvaient entre les quatre murs d'un Alfred Dallaire, détrompez-vous tout de suite. Le salon était bondé, rempli à craquer, alors pourquoi ne pas utiliser ce public – consentant ou pas; *who cares?* – pour offrir un tout dernier rappel du *Flynn Clowns & Freak Show*? Avec, en vedette, nul autre que Teresa la Terrible et Patrick le Pouilleux!

Les minutes précédant la levée du rideau se déroulèrent dans une atmosphère de convivialité plutôt surprenante pour un salon funéraire. Les gens présents – et ils étaient nombreux, je tiens à le rappeler; James Martin ne comptait que des amis – discutaient, riaient et se rappelaient le défunt en souriant tristement. Justine et Gérard se remémoraient, en ricanant, les prises de bec publiques de Marie-Yvette et de James Martin qui avaient nourri, pendant des années, tout le quartier en potins... Adrien jasait avec Luc Desrosiers et son épouse Mary, l'une des sœurs de Patrick... Plusieurs compagnons de taverne de James Martin étaient aussi venus faire leur signe de croix devant sa tombe, tandis que les fils Flynn, Gavin et Thomas, se tenaient dans un coin, essayant de faire passer leur envie de boisson en discutant des chances du Canadien de remporter la prochaine Coupe Stanley alors que la saison de hockey venait tout juste de s'achever. Pour ma part, en dépit de mon très grand malaise à me trouver dans un salon funéraire, j'essayais de faire comprendre à Maggie, qui me suivait partout en me faisant des clins d'œil, que je commençais sérieusement à en avoir ma claque; que je n'étais pas très porté sur les femmes ayant un taux d'alcool supérieur au pourcentage d'eau que l'on retrouve dans le corps humain. Et pas besoin de me rappeler que j'étais plutôt mal placé, merci, pour passer une pareille remarque à qui que ce soit. Je ne l'ai pas fait, d'ailleurs – enfin... pas dans ces mots-là –, même si ce n'était pas l'envie qui manquait. Comme Maggie, je buvais peut-être l'équivalent d'un tonneau d'alcool par jour, mais contrairement à elle, je n'en dégageais pas l'odeur, ayant au moins la considération de me frotter avec du Old Spice en sortant de la douche, le matin.

Tout ça pour dire que, pendant que nous étions réunis devant la tombe de James Martin pour exprimer notre tristesse d'avoir perdu un bon diable, sa fille aînée, la toujours séduisante Teresa, ressemblait davantage à Joe Louis trente secondes avant un combat, plutôt qu'à une enfant endeuillée, alors qu'elle faisait les cent pas comme une obsédée à l'entrée du salon funéraire.

«*Don't you think you should be in there with your father?* lui avait d'ailleurs demandé Joe Healy, son époux. *People are asking questions. They're wondering why you're not with your family.*

— J'aurai tout le temps de parler à mon père une dernière fois avant la fermeture de la tombe. Mais si mon frère essaie de rentrer ici, je veux pouvoir lui dire moi-même que ce serait dans son meilleur intérêt de revirer de bord.

— *You know, James Martin was his father, too. And whether he wants to see him or not, I don't think it's up to you to decide.*»

Pauvre, pauvre Joe! Le regard que lui lança Teresa débordait tellement de vitriol qu'il baissa instantanément les yeux, tout en mettant les mains dans ses poches avant d'aller rejoindre ses beaux-frères. Mais entre vous et moi, ça prenait bien un amateur pour tenter de raisonner avec Teresa à ce moment-là. N'importe qui la connaissant le moindrement savait parfaitement que, lorsqu'il s'agissait de Patrick, elle était intraitable.

«Pis en plus, cria-t-elle à Joe en le regardant partir, tu pourrais pas te forcer un peu pour parler français?! Depuis le jour où je t'ai marié que je me fends en quatre pour te montrer à parler comme du monde! Ça te tenterait-tu, s'il te plaît, de me prouver que je me suis pas reproduite avec un zouave? *Speak french!*»

Comme toujours, Teresa faisait preuve d'une délicatesse digne du derrière d'un hippopotame et le pauvre Joe, dos courbé et mains dans ses poches, faisait vraiment pitié à voir. Cependant, Teresa, et ça me fait mal de le dire, avait raison de refuser la présence de Patrick au salon funéraire. Après avoir négligé, renié et levé le nez sur son père depuis son retour d'Afrique, il aurait été rien de moins que révoltant que Patrick s'y pointe.

Bien franchement, Adrien et moi croyions que Teresa perdait son temps à faire le pied de grue devant la porte d'entrée du salon funéraire. Rien, absolument rien, ne laissait présager que Patrick allait y faire acte de présence. Depuis le jour où Paul-Émile l'avait fait libérer de prison, nous ne l'avions plus revu et les seules nouvelles que nous avions de lui provenaient des journaux, comme c'était le cas avant la crise d'Octobre. Quoique ces nouvelles se faisaient de plus en plus rares, comme si les gens s'étaient fatigués de lui et qu'à force de crier toujours la même chose, il était devenu une caricature de lui-même, n'inspirant plus aucune crainte à personne. L'enlèvement de James Richard Cross et de Pierre Laporte avait causé une onde de choc monumentale mais comme Patrick n'y était associée d'aucune façon, plusieurs disaient qu'une grande gueule incitant à la violence n'ayant jamais touché à personne ne pouvait certainement pas être pire qu'une bande d'exilés ayant laissé un mort dans un coffre de voiture en route vers Cuba. En gros, la crise d'Octobre avait rendu Patrick inoffensif et son absence de plus en plus fréquente dans les journaux nous donnait l'impression, à Adrien et à moi, de le voir, comme Paul-Émile, disparaître pour la deuxième fois.

Alors, pas besoin de dire que lorsque nous l'avons vu, à notre très grande surprise, faire son apparition au salon funéraire, accompagné de sa nénette qui avait l'air encore plus mal en point que le pauvre James Martin dans son cercueil, nous savions que la rencontre entre le frère et la sœur était un classique en devenir dont nous allions parler pendant longtemps. Je vous jure, les yeux de Teresa, en voyant Patrick approcher, se sont mis à cracher du feu !

« Salut, Teresa, dit Patrick.

— Je t'attendais. »

À ce moment-ci, je regrettais amèrement de ne pas avoir avec moi un bon bol de pop corn et un verre dc Pepsi. Le spectacle s'annonçait palpitant.

« Écoute… proposa Judith à Patrick. Je vais te laisser parler à ta sœur. Faut que j'aille aux toilettes. »

Sur le coup, je remarquai que Patrick semblait agacé de voir Judith prendre le chemin de la salle de bains mais je n'en fis pas de cas, moi qui ne voulais surtout rien manquer de ce qui s'annonçait aussi palpitant qu'un combat de coqs.

« Teresa, reprit Patrick, d'un air superbement condescendant. Je veux pas faire de chicanes. Je suis venu offrir mes sympathies, c'est tout. Judith pis moi, on va s'en aller tout de suite après. »

Cet appel au calme, plutôt curieux venant de la part d'un gars ayant passé les trois dernières années à vanter les vertus d'une bonne révolution sanguinaire, eut plutôt comme effet d'enrager davantage Teresa. Et une fois de plus, malgré toute l'amitié qu'Adrien et moi avions toujours pour Patrick, nous n'avons pas eu d'autre choix que de comprendre la colère de sa sœur aînée.

« Écoute-moi comme il faut, Patrick, parce que je me répéterai pas : il est hors de question, comprends-tu, que tu t'approches de la tombe de mon père.

— Teresa…

— Je veux pas te voir ici. Si tu penses que tu vas venir jouer à l'hypocrite aujourd'hui, je te conseille fortement de te trouver autre chose à faire.

— Papa est mort. Je suis simplement venu le voir une dernière fois. Y'est où, le problème ?

— MON père, à moi, est mort. Celui de Mary, de Maggie, de Gavin pis de Thomas. Le tien, je sais pas où il est, mais y'est pas ici.

— Si ça te tente de faire une scène, fais-en une toute seule. Je m'abaisserai certainement pas à ton niveau. »

À ce moment-ci, Patrick essaya de se diriger vers la pièce où le corps de James Martin était exposé mais Teresa lui barra rapidement le chemin. Plusieurs curieux s'approchèrent alors que le pauvre Joe se tenait debout derrière sa femme, au cas où il aurait à intervenir.

« Va-t'en, Patrick. T'as pas d'affaire ici.

— Ôte-toi de mon chemin, Teresa.

— T'étais où quand papa était vivant ? T'étais où quand le seul temps où il pouvait avoir de tes nouvelles, c'était en lisant les journaux ?

— C'est pas parce que je voyais pas papa que…

— Que tu l'aimais pas ?! Ris pas de moi, veux-tu ? Si t'avais voulu voir papa, tu l'aurais vu. Pis maintenant qu'il est mort, viens pas essayer de te donner bonne conscience, parce que ça marchera pas. Fie-toi sur moi que tu te rendras pas jusqu'au cercueil. Je vais t'arracher la tête avant ! »

J'ai eu beau essayer autant comme autant, je ne comprenais pas pourquoi Patrick s'était pointé au salon funéraire ; pourquoi il se donnait la peine d'accorder à James Martin une attention qu'il lui refusait de son vivant. D'autant plus que Patrick, l'air franchement méprisant, regardait Teresa comme s'il lui était à des années-lumière supérieur et qu'il faisait un sacrifice digne de sa propre grandeur en s'abaissant, ce jour-là, à se pointer au salon funéraire.

« Je suis venu voir mon père, répéta-t-il d'un air chiant qui lui aurait valu mon poing dans la face si c'est à moi qu'il avait parlé. Si tu penses que tu vas pouvoir faire quoi que ce soit pour m'en empêcher… »

La bouche ouverte, le souffle court, tous attendaient avec impatience la réplique à venir de Teresa. Joe, Gavin, Thomas, Mary, Justine, Gérard… Adrien et moi aussi, évidemment. Comme tous les autres.

« Je suis maman d'un petit garçon, Patrick. Ben franchement, je sais pas pourquoi je te dis ça. Ça doit te passer cent pieds par-dessus la tête. Mais à cause de toi, Joey aura jamais la chance de connaître son grand-père. Chaque fois que je voyais papa ouvrir le journal pis tomber sur une photo de toi, je le voyais mourir à petit feu. Maman est morte en criant ton nom, pis papa a pété au frette à cause de toi. J'ai pas pu faire grand-chose pour empêcher mon père de crever, mais fie-toi sur moi, Patrick, que je vais faire tout ce que je suis capable de faire pour que personne manque de respect à sa mémoire. »

Ces mots, Teresa les avait dits les poings fermés, grinçant des dents. Jamais n'était-elle apparue plus la fille de sa mère qu'à ce moment-là et pourtant, malgré le souvenir pour le moins… ambivalent que Marie-Yvette nous avait tous laissé, nous ne pouvions faire autrement qu'appuyer Teresa à cent pour cent. Malgré le désir tout légitime d'un fils de faire la paix avec son père – comme Patrick nous l'expliquera, d'ailleurs, quelques années plus tard –, personne n'arrivait à oublier la souffrance sincère de James Martin et ce sentiment indéniable que le rejet de son fils avait effectivement précipité son décès. Même si ce n'était pas entièrement vrai. Le cœur et le foie de James Martin, dans un piètre état depuis probablement sa petite enfance – il serait né avec le goulot d'une bouteille de bière dans la bouche que je n'en serais pas surpris –, n'avaient tout de même rien à voir avec son fils cadet. Mais je suppose que de le croire, avec tout le ressentiment que Patrick inspirait en nous à l'époque, faisait bien notre affaire. Et comme Adrien et moi avions longtemps été en manque de notre propre père, de nous demander de comprendre le comportement de Patrick envers le sien était au-dessus de nos forces.

Au bout du compte, Teresa sortit victorieuse du combat de coqs l'opposant à son frère. Patrick finit par battre en retraite, sourire en coin, l'air de vouloir tous nous laisser à notre médiocrité. Mais pas avant d'avoir tenté de rallier à sa cause les deux seules personnes ne lui ayant, de toute sa vie, jamais fait défaut: Adrien et moi.

Tout en essayant d'ignorer superbement sa sœur aînée qui continuait de l'injurier devant tout le monde, Patrick se mit à nous regarder avec insistance, comme s'il nous demandait de la faire taire et de lui montrer le chemin jusqu'à la tombe de James Martin. Après tout, si nous avions été prêts à contacter Paul-Émile pour le faire sortir de prison, nous étions certainement capables de venir à bout de l'hystérique lui barrant le chemin. *One for my baby, and one more for the road!* Mais Adrien et moi, refusant de briser la résolution prise après la sortie de prison de Patrick, n'avons pas levé le petit doigt. Ce fut difficile. Sur le coup, nous nous sommes, tous les deux, sentis comme les deux jumeaux de Judas. Cependant, le souvenir de Teresa dans mon bureau, enceinte jusqu'aux oreilles, me racontant son père qui pleurait en cachette, était trop vif pour que je me découvre des envies de passe-droits envers Patrick. Tout comme je savais qu'Adrien n'avait pas encore digéré de le voir, lui et sa gre-luche, quitter la rue Robert sans la moindre parole ou le moindre merci.

Pendant toutes ces années, Adrien et moi, à l'opposé de Patrick et de Paul-Émile, n'avons jamais cessé de considérer nos souvenirs de jeunesse comme un trésor à sauvegarder. Tout comme nous n'avons jamais cherché à les renier. Ce qui, par le fait même, nous libérait de toute dette envers le Patrick qui était revenu du Cameroun.

Ce Patrick-là, nous ne le connaissions pas. Et donc, for-cément, nous ne lui devions rien du tout.

Lorsqu'il comprit enfin ce qui se passait, Patrick nous regarda, Adrien et moi, comme si nous venions tout juste de lui scier les deux jambes. Pour la première fois de sa vie, il prenait conscience de ne plus pouvoir avancer sans ce filet de sécurité qui le protégeait depuis son enfance et qu'il tenait scandaleusement pour acquis, contrairement à Paul-Émile qui, lui, avait au moins eu la décence de ne pas revenir sur ses pas lorsqu'il en aurait eu besoin. Adrien, moi et même Paul-Émile ne voulions plus être là pour Patrick. Pas par esprit de vengeance, ce que je tiens à préciser. Mais si je ne suis pas vindicatif ou rancunier, Adrien et moi, par contre, en avions plus qu'assez de faire rire de nous.

Ce fut à ce moment-là – lorsqu'il comprit qu'il ne pouvait plus compter sur ses deux plus vieux amis – que Patrick choisit de partir en nous offrant, en guise de cadeau d'adieu, son sourire le plus fendant, nous regardant avec des yeux suintant le mépris. Comme si nous tous – Adrien, moi, Teresa et tous les autres – avions été trop zouaves, trop inno-cents pour apprécier la lumière qui irradiait de sa présence.

Est-ce que son mépris ne cachait pas plutôt un méca-nisme de défense pour dissimuler sa peine causée par deux amis d'enfance ? Ça se peut. Tentative de camoufler le choc de ne pouvoir dire au revoir à James Martin comme il l'aurait voulu ? Je m'en balance comme de l'an quarante ! Adrien et moi avions besoin de faire comprendre à Patrick que nous n'étions pas à son service et qu'il ne pouvait surtout pas nous manipuler en invoquant nos souvenirs de jeunesse, alors qu'il faisait tout pour faire comme si ces souvenirs n'avaient jamais existé.

Il y a quand même des limites à se faire prendre pour des crétins.

Notre message a passé. Très bien, même, parce que neuf ans – NEUF ANS ! – allaient s'écouler avant que Patrick ne se manifeste à nouveau. Et bien franchement, alors que nous le regardions quitter le salon funéraire presque au pas de course, je crois qu'Adrien et moi savions très bien, à ce moment-là, que Patrick venait de nous rayer de sa carte. Pour un temps, en tout cas. Le risque de perdre son amitié en est un que nous avons pris avec une volonté presque comique. Comme deux enfants se faisant demander s'ils avaient envie d'une journée au Parc Belmont.

Et Judith, me direz-vous ? Non, je ne l'ai pas oubliée. Au moment où Patrick s'éloignait du salon en nous adressant presque un doigt d'honneur, sa dulcinée était toujours aux toilettes, occupée à faire ce qu'elle y faisait depuis dix minutes : s'envoyer de la coke dans le nez.

Chapitre III
1976

1
Paul-Émile... à propos d'Adrien

Encore aujourd'hui, la mémoire collective québécoise retient que ce fut le référendum de 1980 qui divisa des familles et mit fin à des amitiés. C'est vrai. Mais les élections provinciales de 1976, à mesure que les gens prenaient conscience que le PQ allait prendre le pouvoir, ne furent pas de tout repos, non plus, pour les relations interpersonnelles. Le mariage de Denise et Adrien, justement, en fut un bel exemple et le rôle principal que joua Adrien dans la victoire du PQ vint pulvériser ce qui restait de civisme entre deux personnes qui peinaient déjà à se supporter.

« Qu'est-ce que je peux faire pour vous convaincre, une fois pour toutes, que je suis pas une espionne à la solde des péquistes ? demanda Denise à un bénévole libéral, à l'autre bout du fil. Je veux juste faire ma part pour la campagne des libéraux, c'est tout.

— Je veux pas vous faire de peine, Madame Mousseau, mais mettez-vous à notre place, trente secondes : votre mari est l'organisateur principal de la campagne du PQ.

— Écoutez... Je suis une fédéraliste convaincue. Je l'ai toujours été. J'ai ma carte de membre du PLQ depuis les élections de 1973. Pis je vous prierais de me croire quand je vous dis que je partage absolument pas les convictions séparatistes de mon mari.

— Ça doit être beau, chez vous, à l'heure du souper ?...

— Je suis prête à faire n'importe quoi pour vous aider. Des téléphones… Du porte-à-porte… Je suis enseignante. Me semble que je pourrais aider pour la préparation des discours du candidat libéral dans mon comté…

— Madame Mousseau, je suis très content de savoir que vous allez voter pour Aimé Brisson. Et dites-vous bien qu'en votant pour le Parti libéral, vous nous aidez de la meilleure manière qui soit.

— *&% !#. »

Denise avait vraiment mal au cœur à l'idée qu'un parti souverainiste forme le prochain gouvernement – qui pouvait l'en blâmer ? – et rageait en voyant Adrien quitter la maison, le matin, sifflant et giguant vers sa voiture. Celui-ci, pour sa part, n'avait rien à faire des états d'âme de sa femme et souffrait de ne pouvoir vivre la frénésie ambiante aux côtés d'Alice. Celle-ci était candidate dans un comté de l'est de Montréal et je n'apprendrai rien à personne en disant qu'elle fut élue, pour ensuite être nommée ministre par René Lévesque. Adrien était heureux pour elle, bien sûr, mais il était clair pour tout le monde que les deux auraient voulu partager les événements de novembre 1976. Malgré les efforts d'Alice pour être loin d'Adrien, tous les deux se croisaient régulièrement, surtout pendant la campagne électorale, et leur malaise évident à se retrouver face à face faisait le bonheur des mêmes commères qui bavassaient sur eux depuis maintenant six ans.

« Avez-vous vu le nouveau chum d'Alice ?

— Non. Il a l'air de quoi ?

— Une vraie copie carbone d'Adrien.

— Encore ? ! Coudonc ! Elle fait exprès !

— Pas que je veux être méchante, mais est-ce que la copie carbone d'Adrien a, lui aussi, trente livres en trop ?

— Ouin… C'est vrai qu'il devrait *slaquer* un peu sur les cheeseburgers.

— Ç'a l'air que son menton est tombé de trois pieds quand il a rencontré le nouveau chum d'Alice.

— Pourtant… Il devrait être habitué. C'est le troisième qui lui ressemble comme deux gouttes d'eau.

— Pauvre lui. Y'avait l'air de quelqu'un qui venait de recevoir toute une claque sur la gueule ! »

Concernant sa tristesse à voir Alice avec d'autres hommes, Adrien n'eut que lui à blâmer, s'obstinant à croire que Claire et Daniel, maintenant âgés de treize et quinze ans, avaient toujours besoin que leurs parents demeurent mariés. La vérité, pourtant, est que tous deux n'auraient rien demandé de mieux que de voir Adrien et Denise partir chacun de leur côté. Pour eux aussi, l'élection de 1976 ne fut pas facile. Tout comme les quatre élections précédentes[4], soit dit en passant, où les liens entre leur père et leur mère devenaient encore plus tendus qu'ils ne l'étaient habituellement. Solidement campés sur leurs positions, persuadés du bien-fondé de leurs opinions, Adrien et Denise devenaient carrément insupportables. Ce fut d'ailleurs avec les cheveux dressés sur la tête que Claire et Daniel apprirent qu'une nouvelle campagne électorale était sur le point de commencer. Et lorsque tous les deux reçurent une invitation à aller vivre ailleurs pendant les semaines qu'allait durer la campagne, ils sautèrent dessus sans se poser la moindre question.

« Qu'est-ce que vous faites ? leur avait demandé Denise en les voyant près de la porte d'entrée avec leurs valises.

---

4   Les élections fédérales de 1972 et 1974, ainsi que les élections provinciales de 1970 et 1973.

— Je m'en vais passer une couple de jours chez mon ami Alain, répondit Daniel, tendu comme une corde de violon.

— Pis moi, ajouta Claire, je m'en vais chez grand-maman.

— C'est hors de question ! opposa Adrien à ses enfants. Vous avez de l'école, vous avez vos leçons pis vos devoirs à faire. Vous restez ici. »

Cet épisode se déroula un matin du mois d'octobre, alors que la campagne électorale était sur le point d'être déclenchée.

« Je vous jure, papa, que mes notes s'en ressentiront pas, plaida Daniel. Les parents d'Alain sont encore plus à cheval sur les études que vous l'êtes. Pendant que je vais être là-bas, je vais probablement être encore plus dans mes livres qu'ici.

— Pis les parents d'Alain sont d'accord avec ça ? demanda Denise, sceptique.

— Oui. Vous pouvez les appeler. Ils vont vous le dire.

— Je me fous complètement de ce que les parents d'Alain vont dire, répliqua Adrien. La réponse est non. Point final. À votre âge, les enfants partent pas pendant des semaines loin de leurs parents. »

Défait, Daniel prit sa valise et s'apprêtait à retourner à sa chambre lorsque Claire lui fit signe de ne pas bouger.

Les enfants Mousseau, malgré une ressemblance physique étonnante, avaient des personnalités aux antipodes l'une de l'autre. Daniel était effacé, marchait la tête baissée avec les bras le long du corps et longeait les murs. Comme s'il avait toujours su être le résultat d'une nuit moche et que sa confiance en lui en souffrait. Maladivement timide, il ne se faisait des amis qu'avec difficulté et passait la majorité de son temps à dévorer des livres d'histoire médiévale. Lors d'un voyage à Paris, un collègue d'Adrien tomba, par hasard, sur une école où une plaque indiquait que le roi Clovis – qui était-il, je n'en ai aucune idée – était enterré à cet endroit. Le collègue photographia la plaque et donna le cliché à Daniel, en cadeau. En guise de remerciement, celui-ci se contenta de sourire et de serrer la main du collègue qui crut, à tort, que Daniel n'avait rien à cirer de la photographie.

« Fie-toi sur moi : il est fou comme un balai, révéla Adrien au collègue. Il a souri. D'habitude, quand sa mère et moi on lui donne un cadeau, il fait juste nous serrer la main. Compte-toi chanceux. »

Claire, par contre, était tout le contraire de son frère aîné. Extravertie et douée pour l'avant-scène, elle avait passé son enfance à traîner Denise et Adrien dans des récitals de chant, de danse et dans des pièces de théâtre où elle réussissait toujours à se faire donner le premier rôle. Ému, Adrien était persuadé d'avoir une nouvelle Ethel Merman[5] sur les bras alors qu'il m'apparaît évident que Claire n'avait aucune envie de gagner sa vie en chantant *There's No Business Like Show Business* ; qu'elle cherchait plutôt à attirer l'attention sur elle en distrayant ses parents de leurs batailles quotidiennes. Son stratagème, d'ailleurs, fonctionna pendant un temps et Claire dut se résoudre à passer à autre chose le jour où Denise et Adrien s'engueulèrent au beau milieu d'un spectacle de danse pour une question de chaussons apparemment mal lacés. La carrière de Claire à Broadway venait de prendre le bord mais pas sa propension à attirer l'attention sur elle, si ça lui évitait les disputes de ses parents. Et pour y arriver, la confrontation fut tout indiquée.

---

5   Actrice et chanteuse américaine reconnue pour ses rôles dans des comédies musicales.

« C'est pas que je veux être mal polie, contrecarrat-elle, alors qu'elle et son frère se tenaient debout, avec leur valise, mais Daniel pis moi, on aimerait mieux aller vivre dans une niche avec un doberman enragé plutôt que de subir une autre campagne électorale avec vous autres. Celle-là est même pas commencée pis c'est déjà pus vivable, ici dedans !

— Claire… lui glissa Daniel, la suppliant du regard de se taire.

— Quoi ?… C'est vrai ! J'ai juste treize ans mais j'ai tout le temps l'impression qu'un des deux va falsifier mes cartes d'identité, juste pour m'envoyer voter pis faire chier l'autre !

— Claire, change de ton ! » l'avertit Denise.

Claire ne voulait pas changer de ton. À treize ans, elle avait déjà compris que, lorsque ses parents se disputaient avec elle, ils ne se disputaient pas entre eux. Et que de cette manière, la vie sur la rue Robert était moins pénible. C'était triste.

« C'est pas juste d'avoir à choisir un camp ou l'autre ! On n'est même pas en âge de voter, câlique, pis vous faites déjà de l'endoctrinement ! Pis essayez même pas de me convaincre du contraire parce que c'est ça que vous faites ! Si Daniel avait pas peur de vous comme la peste, il vous dirait la même chose. »

Le pauvre Daniel se contentait de ravaler sa salive et de regarder par terre.

« L'idée de partir pour une couple de jours, c'était pas la mienne. Ni celle de Daniel. Grand-maman a été la première à nous demander si on voulait aller chez elle pendant la campagne. Une heure après, ç'a été au tour de monsieur pis madame Cossette de demander à Daniel s'il voulait aller chez eux. Savez-vous pourquoi ? Parce qu'ils trouvent qu'on fait pitié. »

Difficile de contredire Claire sur ce point. Pendant long-temps, le tout Saint-Léonard allait se souvenir de l'engueu-lade épique entre Denise et Adrien pendant la campagne électorale de 1973. Irritée de constamment voir arriver des stratèges péquistes dans son salon, Denise en avait fait part à Adrien, qui essaya de lui expliquer que leur maison était le seul endroit suffisamment grand pour accueillir tout le monde. Évidemment, la dispute escalada en guerre ouverte, avec Denise balançant par la fenêtre des pizzas fraîchement livrées de chez Joe le Roi de la Patate pour inciter les collè-gues à partir. Adrien, de manière prévisible, la traita de tous les noms en l'incitant elle-même à prendre la porte. Le tout se déroulant sous les yeux de voisins bouche bée devant le spectacle de pizzas volantes, de collègues stupéfiés et de Claire et Daniel qui regardaient, en pleurant, leurs parents se déchirer une fois de plus.

« Pis est-ce que j'ai besoin de vous dire que je me ferai pas humilier devant tout le quartier, comme c'est arrivé y'a trois ans, rappela Claire, toujours sur un ton de confrontation.

— Votre père sera pas souvent à la maison, dans les pro-chaines semaines… Il va tout le temps être sur la route avec monsieur Lévesque.

— Papa était souvent parti, aussi, la dernière fois. Mais même quand y'appelait ici pour avoir de nos nouvelles, Daniel pis moi, on se retrouvait quand même pris pour entendre vos engueulades.

— C'était pas si pire que ça, quand même…, répliqua Adrien en esquissant un sourire.

— Oui, c'était si pire que ça ! C'est tout le temps aussi pire que ça ! Vous aimez peut-être ça, vous deux, vos chicanes politiques, mais pas nous autres. »

Des années plus tard, alors qu'Adrien lui expliqua qu'elle

et Daniel furent la seule raison pourquoi lui et Denise étaient restés mariés, Claire entra dans une colère mémorable, causant ainsi un froid de quelques semaines entre le père et la fille. Plutôt que de voir l'aveu d'Adrien comme une preuve d'amour envers elle et Daniel, Claire le perçut plutôt comme une marque de lâcheté ayant marqué son enfance au fer rouge pour le reste de ses jours. Encore aujourd'hui, malgré une relation qui dure depuis dix-sept ans, Claire se fige à la mention du mot mariage et ne veut rien savoir de la maternité. Comme quoi l'idée de demeurer mariés pour le bien des enfants… Et s'il est vrai que je n'ai jamais été amoureux fou de ma femme, je mets au défi n'importe qui de prouver que nous nous sommes déjà disputés devant qui que ce soit. Même pas à propos de ce que nous allions manger pour souper. Quand j'étais à la maison, évidemment…

Bon. Revenons plutôt à l'histoire…

Robert Bourassa déclencha des élections générales deux jours après le départ de Claire et Daniel. Parce qu'Adrien et Denise ont fini par les laisser partir. Et heureusement. Comme prévu, la campagne de 1976 ne fit rien pour redorer le blason de leurs parents.

«Je t'avertis, Adrien. Si t'as encore l'intention de tenir des réunions dans mon salon, j'ai des petites nouvelles pour toi. Je suis prête à sacrer les meubles aux vidanges, s'il le faut, mais je veux pas voir un seul de ta gang d'insignifiants arriver chez nous.

— La Terre à Denise : je te ferai remarquer que c'est mon salon, aussi. Si je veux tenir des réunions ici, je vais le faire. T'auras juste à te calmer en allant fumer tes Du Maurier dans'cabane à jardin.

— Je suis écœurée de marcher sur mes principes ! Es-tu capable de comprendre ça ?! Pis c'est pas vrai que je vais continuer à recevoir des nationaleux dans mon salon pendant que je prépare des cocktails weiners dans'cuisine !

— Pour ce qu'ils goûtaient... Pis c'est vrai que c'est ben mieux d'aller faire du porte-à-porte pour une gang de corrompus qui fait du patronage à droite et à gauche ! Faudrait surtout pas se débarrasser de ça en élisant un gouvernement intègre ! Au cas où on se tiendrait debout !...

— Fais-moi pas rire, veux-tu ? Vous avez même pas été foutus de gérer un journal comme du monde[6]. Pis vous voulez qu'on croit, après ça, que vous seriez capables de gérer une province au grand complet ? !

— Parce que ton sacro-saint Bourassa a été capable, lui ? !

— Tu peux ben dire ce que tu veux, Adrien, je m'en sacre. C'est surtout pas toi qui vas m'empêcher de voter libéral.

— Fais-en donc à ta tête, Denise... Si tu penses que c'est ton vote qui va faire une différence... Mais je t'avertis : j'ai deux sondeurs qui vont être ici dans moins d'une heure. Si tu fais l'hystérique, je t'attache pis je t'enferme dans la garde-robe !

— *Over my dead body !*

— Ça peut s'arranger, si tu y tiens...

— Tes sondeurs, va les rencontrer ailleurs ! Allez donc vous louer une chambre de motel à l'heure, tiens ! Même un parti de pouilleux comme le PQ devrait être capable de se payer ça !

— Pourquoi ce serait pas toi qui partirais d'ici ? Tu disais que tu voulais faire du bénévolat pour les libéraux... Il doit bien y avoir une couple de petits vieux, dans le comté, à qui il faut que t'ailles faire peur, aujourd'hui. »

Je suis conscient de raconter, plus souvent qu'autrement,

---

6 Le quotidien *Le Jour*.

l'histoire d'Adrien en m'y insérant au passé conditionnel. Si j'avais été là, j'aurais fait ci… Si j'avais été là, j'aurais dit ça… Mais, bon. Je dois assumer mon absence. Je n'étais pas là et je l'ai voulu comme ça. Inutile de revenir là-dessus. On peut bien raconter le passé, mais on ne peut pas le changer. Cela étant dit, si j'avais été là pour Adrien, à l'époque, je lui aurais foutu un solide coup de pied au derrière. Il aurait eu besoin de quelqu'un pour lui faire comprendre qu'il était devenu une victime de ses propres habitudes. Ses enfants n'en étaient plus, mais il se servait d'eux, de leur supposé besoin de lui pour éviter de reconnaître que le match de lutte avec Denise durait depuis si longtemps qu'il n'arrivait plus à vivre autrement; qu'il aurait perdu ses points de repère, aussi tordus soient-ils. Les disputes le laissaient vidé, épuisé mais les habitudes le tenaient avec une force allant même au-delà de ce qu'il ressentait toujours pour Alice.

Et parlant d'Alice, Denise entendit, pendant la campagne, un sondeur péquiste dire à Adrien qu'elle se dirigeait vers une bonne majorité. Sur le coup, Adrien n'avait rien dit, hochant la tête d'un air satisfait. Un député de plus dans le camp du PQ. Mais quelques heures plus tard, pendant la nuit, Denise se leva pour aller à la salle de bains et aperçut Adrien, assis au salon, marmonnant les mots suivants en tenant une feuille de pointage entre ses mains: « Elle va être ministre… Ma belle Alice va être ministre. »

S'il me reprocha longtemps d'avoir renié mes racines, Adrien aurait eu tout intérêt à faire de même. Pour lui, pour ses enfants et pour Alice, il aurait été vital de mettre derrière lui le silence et l'immobilisme que lui a légué son père. Il aurait perdu moins de temps et aurait appris à être heureux bien avant.

2
Jean... à propos de Patrick

Il y a bien des choses que je déteste, dans la vie. Un grand verre d'eau, par exemple. Les Weetabix... Les péteux de broue... Les Maple Leafs de Toronto, aussi. Et Johnny Hallyday!... Ne me demandez pas pourquoi, chaque fois que je l'entends à la radio ou le vois à la télévision, j'ai envie de me mettre à hurler! J'imagine que ses pantalons de cuir et ses airs de rebelle provoquent, chez moi, une quelconque réaction chimique que je ne comprends pas.

Mais il n'y a rien, absolument rien, que je déteste plus que les hôpitaux. Je vous en ai déjà parlé, d'ailleurs, et si vous ne lisez pas en diagonale, vous vous en souvenez sûrement. Encore aujourd'hui, je préfère souffrir le martyre plutôt que d'aller à l'urgence. Je suis d'ailleurs convaincu – et là-dessus, je m'attends à me faire lancer des tomates – que de passer du temps à l'hôpital est néfaste pour la santé. Prenez Charlotte, par exemple. La sœur de maman Muriel. Au mois de mai 1975, alors qu'elle était en pleine forme et qu'elle continuait de s'occuper de sa ferme, son médecin l'envoya passer quelques tests de routine à l'hôpital. Un mois plus tard – UN MOIS! –, elle était morte. Cancer généralisé. Quatre semaines plus tôt, elle trayait encore ses vaches. On viendra me dire, après ça, que les hôpitaux servent à soigner les gens.

Tout ça pour vous dire que Patrick aussi détestait les hôpitaux. Pas viscéralement comme moi, ni depuis aussi longtemps. Mais le souvenir des enfants morts au centre de Yaoundé lui avait fait cadeau d'une nausée perpétuelle lorsqu'il se trouvait à moins d'un kilomètre d'un département de soins intensifs. L'hospitalisation de sa douce, à l'automne 1976, ne fit rien pour arranger les choses.

Adrien et moi n'avions plus de nouvelles de Patrick depuis la mort de James Martin. Les journaux non plus, d'ailleurs. Notre copain avait complètement disparu de la circulation sans donner de nouvelles à personne. Nul ne savait où Patrick se trouvait et je ne suis pas certain que lui non plus le savait.

Six mois après les funérailles de James Martin, Adrien était passé, par hasard, sur la rue Boyer et avait vu une affiche indiquant que le logement où Patrick, Judith et les autres habitaient était maintenant vide et à louer. Depuis la crise d'Octobre, il ne restait d'ailleurs plus grand-chose de l'Armée rouge *made in Quebec* ayant élu domicile sur le Plateau Mont-Royal: Claude – le fameux Claude qui avait rencontré Patrick dans une épicerie – partit travailler pour l'entreprise familiale et renia complètement ses idéaux de gauche. Un autre – je crois qu'il s'appelait Martial, mais je n'en suis pas certain; Martin, peut-être... – qui s'envoyait autant de cochonnerie dans le nez que le faisait Judith croupissait dans un pénitencier pour une série de vols à main armée, alors que d'autres s'étaient carrément volatilisés dans la nature. À quoi ça sert de rêver à la révolution quand plus personne n'y croit, à commencer par soi-même?

Mais dans toute cette bande de débiles gonflée aux niaiseries soviétiques, personne ne fut plus désillusionné que Judith elle-même. Personne ne tomba de plus haut. Elle qui s'était imaginée mariée à un sacrifié de type Che Guevara dut se rendre à l'évidence que Patrick n'était pas un surhomme; qu'il ne suintait pas la noblesse et la pureté. Qu'il n'était peut-être pas si prêt que ça, au fond, à mourir pour récurer l'Occident. Bref, que Patrick était humain, ni plus ni moins, avec ses qualités et ses défauts. Ce que nous avons tous essayé de lui faire comprendre, soit dit en passant.

La pauvre créature, comme nos arrière-grands-parents auraient dit, ne s'en est jamais remise.

Patrick, pour sa part, refusa vaillamment de baisser les bras et jurait de poursuivre le combat. Mais comme je l'ai dit plus tôt, plus personne ne voulait se battre, à commencer par sa dulcinée, qui usait tout ce qui lui tombait sous la main pour oublier ses échecs: pot, mescaline, héroïne, cocaïne... Et comme les choses à oublier s'empilaient toujours un peu plus, peu de temps s'écoula avant que Patrick ne se rende compte qu'il était maintenant pris avec une junkie sur les bras. D'où l'hospitalisation de Judith à l'automne 1976, alors qu'elle passa très proche de mourir d'une surdose de cocaïne.

On était loin d'Abbie Hoffman. Quoique...

«Pouvez-vous me dire quelque chose, demanda Patrick au médecin en exercice ce soir-là. Elle a pas encore repris conscience...

— Vous êtes son mari?

— Heu... Oui.

— Sa respiration est régulière. Elle a passé proche de mourir mais d'après ce que je peux voir, elle est hors de danger.»

Malgré la bonne nouvelle, le médecin, qui se demandait où il avait déjà vu Patrick, eut l'impression que celui-ci fut presque déçu d'apprendre que Judith allait s'en sortir.

«Je vais être franc avec vous, poursuivit le médecin. Si votre femme continue comme ça, elle se rendra pas jusqu'à la fin de l'année.»

Alors aussi bien faire crever Judith tout de suite! Cela faisait des années que Patrick essayait de la convaincre d'entrer en cure de désintoxication; de ramener vers lui la *pasionaria* gauchiste d'autrefois, prête à passer tout le monde au bulldozer pour s'assurer la réalisation de ses idéaux! Est-ce que j'ai besoin de vous dire qu'il n'y est jamais arrivé ? La fille qui était allée jusqu'à se marier à poil, devant des journalistes, pour prouver sa pureté – celle-là, je n'en suis jamais revenu –, avait baissé les bras pour faire place à une loque humaine qui se complaisait dans l'abandon, préférant mourir lentement plutôt que de faire face à ses échecs. La Judith de 1968 – le poing en l'air, forte en gueule et en idéologie marxiste – mourut en octobre 1970 dans la maison des Mousseau lorsqu'elle comprit que mon vieil ami ne serait jamais Saint-Patrick-de-la-Gauche. Pourquoi s'acharner à faire comme si cette Judith-là vivait encore ?

Quelques instants plus tard, lorsque Judith ouvrit les yeux et qu'elle porta son regard sur Patrick, celui-ci, exténué, fut incapable de le soutenir. Sans dire un mot, il s'assit sur une chaise près du lit, regrettant presque de ne pas avoir vu mourir sa femme.

« N'importe quoi, se dit-il, pour ne plus avoir à me supporter dans ses yeux. »

À l'époque, je ne crois pas que j'aurais pu comprendre pourquoi Patrick s'obstinait tellement à demeurer aux côtés de Judith, alors qu'elle ne voulait rien d'autre que de passer le temps à se geler la face. Mais avec les années, j'en suis venu à réaliser qu'il s'était donné comme mission de réussir là où il croyait avoir échoué avec Agnès : lui sauver la vie. La loque humaine que Judith était devenue donnait à Patrick l'occasion de se racheter et de continuer à se battre pour quelque chose de concret, alors que toutes ses batailles n'avaient rien donné. Malheureusement pour lui, Judith refusait d'être sauvée. Et si Agnès aurait vraisemblablement croqué dans la vie avec Patrick qui se serait fait un plaisir de jouer au père Ingalls à ses côtés, Judith n'était intéressée à survivre d'aucune façon. Que Patrick ne l'ait pas remarqué relève d'un aveuglement total. Ou d'un égoïsme fini. Comme vous voulez.

Par contre, son refus de laisser Judith à elle-même allait porter un coup presque fatal à son besoin de changer le monde.

On ne fréquente pas les ténèbres, même par personne interposée, sans y laisser une partie de soi-même. Et je suis très bien placé pour le savoir.

3
Adrien... à propos de Paul-Émile

Je me sens presque honteux d'admettre ceci, surtout à mon âge, mais je viens tout juste de découvrir les sushis. J'en ai presque fait honte à ma fille, l'autre jour, lorsqu'elle m'a emmené manger dans un restaurant japonais. À la seconde où j'ai pris ma première bouchée, j'en ai presque vu des étoiles ! Jésus, Marie, Joseph que c'est bon ! J'en bave rien qu'à y penser. C'est la nourriture des Dieux, il n'y a pas d'autres mots. D'ailleurs, en partant d'ici, je pense que je vais aller faire un tour au restaurant japonais où ma fille m'a emmené. J'ai un petit creux pour des sushis aux crevettes... Quoique tous ceux qui me connaissent diront que mon petit creux n'a pas de fond, que je suis toujours en train de manger ou grignoter quelque chose. J'ai longtemps carburé aux burgers, à la friture, à la pizza au bacon, au chocolat et autres divinités du même genre mais disons seulement qu'une bonne crise de foie incite fortement à changer son alimentation. Au début, j'en pleurais presque, m'imaginant devoir manger des feuilles de salade et boire du lait écrémé pour le reste de mes jours. Et après avoir avalé ma première bouchée de sushis, j'en ai oublié pour de bon mes envies de pogos et de biscuits aux pépites de chocolat !

Au diable, la malbouffe !

Vive les sushis aux crevettes !

Enfin...

Je pourrais continuer à parler de sushi pendant des heures parce que bien franchement, je n'ai pas très envie de parler de Paul-Émile. Les années soixante-dix et quatre-vingt, pour diverses raisons, furent difficiles pour lui. C'est déjà suffisamment ardu de commenter les misères d'un ami mais quand, en plus, cela nous renvoie à nos propres malheurs!...

Une chose à la fois. Je ne voudrais pas trop en dire en même temps.

Plus tôt, j'ai fait mention de la conférence de Victoria et de Guy Drouin, deux belles grosses taches noires dans la vie de mon ami. Notons que les choses ne se sont pas forcément améliorées par la suite. À son très grand chagrin, Paul-Émile dut se résoudre à partager Suzanne avec monsieur Art-Ross'57, comme il appelait son rival avec mépris, et apprendre à vivre avec la possibilité très réelle que Suzanne l'épouse et ait des enfants avec lui. Juste à y penser, Paul-Émile en avait des brûlements d'estomac et devait avaler des quantités quasi industrielles de lait de magnésie pour se soulager. Quant à moi, je demeure, encore aujourd'hui, complètement pantois devant l'abstraction qu'il faisait de ses choix passés. Malgré la douleur évidente que lui causait la présence de Guy Drouin dans la vie de Suzanne, jamais Paul-Émile ne s'attardait à regretter son mariage avec Mireille. Comme il l'a déjà dit, on peut raconter le passé mais on ne peut pas le changer. Conséquent avec lui-même, il ne se permettait jamais de se demander de quoi serait fait son présent s'il avait pris un chemin différent. En fait, la seule réflexion à laquelle il pouvait s'attarder concernait Suzanne; s'il voulait continuer de la voir, ou non. Malgré sa frustration, Paul-Émile choisit de continuer de l'aimer et assumait entièrement sa décision. Sa tranquillité d'esprit, toutefois, ne venait pas diminuer sa douleur de vivre ce qu'il avait fait endurer à Suzanne pendant dix ans. Crachez en l'air et ça vous retombe sur le nez, comme le disait ma grand-mère Bissonette.

Professionnellement aussi, les choses n'étaient pas faciles pour Paul-Émile. Je me souviens qu'à l'époque, il avait plutôt mal réagi à l'élection imminente du PQ. Malgré le coup de main qu'il donna aux libéraux provinciaux, rien ne semblait vouloir nous arrêter et il le prenait personnel. Pourtant… Quand le climat ambiant est tellement pourri que le premier ministre de la province ne peut même pas sortir sans gardes du corps!… Devait-on blâmer Paul-Émile pour ça? Lui se blâmait, en tout cas, parce qu'il rageait de voir que son travail ne semblait pas donner quoi que ce soit de valable, et considérait notre victoire prochaine comme une atteinte grave à sa crédibilité.

Si j'aime bien croire que la nature ne m'a pas accablé du défaut d'être mesquin, disons seulement que je n'ai pas pleuré longtemps lorsque j'ai su que l'expatrié de la rue Wolfe était blessé dans son amour-propre.

Toutefois, Paul-Émile reçut, à peu près à la même époque que les élections de 1976, une autre claque au visage. Une qu'il n'a pas vu venir du tout.

«Paul-Émile?… lui demanda Mireille lors d'un souper, une semaine avant les élections.

— …

— Paul-Émile, pourrais-tu, s'il te plaît, mettre tes dossiers ailleurs pendant le souper? T'as même pas encore touché à ta lasagne.»

Ce soir-là, Mireille s'était occupée de tout, avait tout préparé elle-même, et confié les enfants à madame Marchand pendant quelques heures. Une lasagne fut préparée, une bouteille de vin rouge fut servie et, surtout, un discours fut répété encore et encore dans les heures précédant le souper.

Ce soir-là, Mireille annonça aussi à Paul-Émile qu'elle le quittait. La réflexion avait été longue, très longue, amorcée lorsque Mireille avait su pour Suzanne. Mais la certitude de vouloir autre chose de sa vie s'était imposée d'elle-même lors de sa rencontre avec l'inoubliable Veronica Quinlen, huit ans auparavant. Qu'est-ce que Mireille voulait, exactement ? Elle ne l'a pas su tout de suite. Elle eut, par contre, la volonté de ne pas faire les choses impulsivement, refusant de quitter Paul-Émile si cela voulait dire qu'elle redeviendrait cette même personne qu'elle était avant son mariage. Alors tranquillement, elle s'est bâti une autre personnalité, basée sur un fort désir d'indépendance. Elle est retournée aux études pour y décrocher une maîtrise en psychologie, elle qui n'avait jamais vraiment accordé d'importance à l'école, histoire de se perfectionner dans un domaine particulier pour plus tard être en mesure dc subvenir elle-même à ses besoins. Et surtout, elle s'est lentement détachée de Paul-Émile, délaissant peu à peu la vie qu'il lui offrait pour s'en bâtir une nouvelle où elle occuperait toute la place. Où elle n'arriverait plus derrière qui que ce soit. Dorénavant, Mireille se ferait un devoir de vivre pour elle-même, en compagnie des gens qu'elle aimait. Jamais plus elle ne vivrait uniquement pour eux. À ce niveau, elle se rappelera toujours la leçon servie par Veronica Quinlen.

Mireille n'a plus jamais entendu parler de la star déchue de Broadway. Pour ce qu'elle en savait, l'ambassadeur avait très bien pu catapulter sa femme au fin fond de la Mongolie après cette soirée où il fut humilié devant tout ce qu'Ottawa comptait de politiciens et de diplomates. Peu de temps après, Mireille entreprit des recherches sur la vedette que Veronica Quinlen – Veronica Bates, à l'époque – avait été dans une autre vie, et fut choquée par l'information amassée. La comédienne des années trente ne ressemblait pas du tout – mais alors là, pas du tout – à la femme pitoyable rencontrée ce soir-là, et Mireille en fut profondément secouée. Veronica Bates était extraordinairement belle, douée pour la comédie musicale et dansait, selon les critiques de l'époque, avec la grâce d'une déesse. Veronica Quinlen, par contre, sentait le fond de tonneau, peinait à tenir debout et rotait jovialement son verre de vodka. Juxtaposant l'image de la comédienne au souvenir qu'elle gardait de l'épouse de l'ambassadeur américain, Mireille s'était mise à pleurer, tellement la peur de connaître le même sort la terrifiait. Ce fut à ce moment-là, précisément, qu'elle commença à bâtir les fondations d'une nouvelle vie. Mireille Marchand devait disparaître. De ça, elle était certaine. Mais elle ne voulait pas, comme je l'ai déjà dit, redevenir la Mireille Doucet qu'elle était avant son mariage.

En novembre 1976, Mireille était enfin en paix avec elle-même. Sa relation avec ses enfants était au beau fixe, elle exerçait un métier qui la passionnait et, surtout, elle ne voulait plus rien savoir de son mari. Il était maintenant temps, pour elle, de le lui faire savoir.

« Je comprends qu'on se voit pas souvent, ces temps-ci, lui dit Paul-Émile. Mais si je fais pas quelque chose, un gouvernement séparatiste va être élu dans une semaine. Ce que t'as à me dire pourrait pas attendre après le 15 ?... »

Cette affirmation de Paul-Émile, je l'ai toujours considérée d'une arrogance et d'une suffisance à faire hurler. S'il ne faisait rien... Il se prenait pour qui, au juste ? Batman ? Il ne pouvait tout de même pas arrêter une vague populaire à lui tout seul ! Et malgré la volonté toute libérale de nous faire passer pour des clowns, nous n'étions quand même pas le Joker. Franchement !...

« Tu sais, Paul-Émile, si quelqu'un, un jour, est intéressé à savoir pourquoi notre mariage a pas fonctionné, y'aura juste à ouvrir un livre d'histoire. Les sacrifices que t'as pu faire au nom de l'unité canadienne... »

Bang ! Pris de court par cette rare démonstration de

sarcasme dont Mireille faisait preuve, Paul-Émile ne sut pas y répliquer.

— Moi aussi, mon temps est compté, Paul-Émile. Avec le travail pis les enfants, j'ai pas beaucoup de temps à moi. Ça fait longtemps que je veux te parler mais j'avais jamais le temps.

— Quel travail ?

— Ça fait un an que j'ai une job, Paul-Émile. Tu le savais pas ?

— Écoute, Mireille… Je suis ben content que tu fasses du bénévolat, mais… »

Ouf ! Honnêtement, Paul-Émile aurait dû continuer de se taire. Même lorsqu'il n'essayait pas, il réussissait à être condescendant. Quel talent incroyable !

« Je fais pas du bénévolat, Paul-Émile. Je suis rémunérée. Comme une grande. J'ai un salaire bien à moi depuis un peu plus d'un an, maintenant. Tu devrais lâcher les péquistes, trente secondes, pour t'occuper plus de tes finances. Si tu le faisais, tu saurais que ça fait très exactement quatorze mois que je subviens toute seule à mes besoins ; que je touche plus du tout à ton argent.

— L'argent a jamais été un problème entre nous autres, Mireille. Pis je comprends pas pourquoi tu ressens le besoin, tout d'un coup, de séparer les comptes de banque. »

Mais Paul-Émile comprenait. Beaucoup plus qu'il ne le laissait paraître.

« C'est justement ça, le but, Paul-Émile. C'est pas juste les comptes bancaires que je veux séparer. »

Oui, Paul-Émile comprenait. Il n'en eut pas moins le souffle coupé. Cela faisait tellement longtemps qu'il vivait sa vie sans jamais tenir compte de Mireille que lorsque ce fut à son tour à elle de s'emparer du volant, il ne sut pas quoi faire. Une fois de plus, Paul-Émile allait devoir subir, et une fois de plus, il en fut complètement désorienté. Pas parce que Mireille le quittait – ç'aurait bien été le comble du ridicule – mais parce que mon vieil ami, pour la première fois en quinze ans, voyait le château de cartes, dont il avait lui-même dressé les plans, sinon s'effondrer, au moins se transformer. Par le fait même, il comprenait aussi que cette transformation toucherait inévitablement ses enfants, Lisanne, Louis-Philippe et Marie-Pierre.

La claque en plein visage, c'est de là qu'elle est venue.

« C'est fini, Paul-Émile. Ça fait quinze ans que je me fais croire qu'on a un vrai mariage mais là, c'est terminé. Je me suis assez culpabilisée en me disant que c'était de ma faute si tu m'aimais plus. Sauf que tu m'as jamais aimée, Paul-Émile. Y'a rien que je peux faire pour changer ça. Pis franchement, ça me tente pas. Ça me tente plus. Je mérite mieux que ça.

— Mireille, je… Qu'est-ce que tu veux que je te dise ?

— Rien. Y'a rien à dire. »

Il y a une chose, ici, que je tiens à spécifier. Oui, Paul-Émile fut blessé par la fin de son mariage, et uniquement en raison de ses enfants. Pendant longtemps, il s'inquiéta des conséquences de sa séparation sur leur vie – en 1976, Louis-Philippe n'avait pas encore dix ans – et chercha à surcompenser pour ses absences de toutes les manières qui soient.

Il peut bien parler de moi, il n'était pas mieux.

Mais jamais, en dépit de sa peine à l'égard des enfants, n'a-t-il cherché à convaincre Mireille de revenir sur sa décision. Paul-Émile comprenait – et là-dessus, je lui lève mon chapeau – le besoin de sa femme, après quinze ans d'un mariage plus qu'ordinaire, d'être heureuse ailleurs. Après tout, Mireille avait toujours su respecter sa part du marché et si lui ne s'était jamais donné la peine de le faire,

Paul-Émile refusait d'être méprisable au point de refuser la liberté à sa femme. Le respect qu'il n'avait pas eu dans son mariage, il saurait en faire preuve dans sa séparation.

« Qu'est-ce qu'on fait, maintenant ? lui demanda-t-il. Tu veux que je parte ?

— Non. Ici, c'est la maison de ta famille. J'ai pas d'affaire à te demander de partir.

— Ç'a quand même pas d'allure que ce soit toi qui déménages…

— Pourquoi pas ? Je me suis jamais sentie chez nous, ici, Paul-Émile. Aussi bien recommencer ailleurs. Même si c'est pas loin. Tu sais, la maison qui était à vendre, au coin de la rue…

— C'est toi qui l'as achetée ? !…

— Oui. J'ai pensé que notre séparation pourrait être moins traumatisante, pour les enfants, si on habitait pas loin l'un de l'autre. Évidemment, j'aimerais que les petits viennent vivre avec moi. »

Plusieurs politiciens et conseillers ont souvent affirmé que la politique était toxique pour la vie de famille. Paul-Émile et moi pourrions difficilement prétendre le contraire. Au moment où Mireille lui annonçait son départ, celui-ci prit conscience, pour la première fois, qu'il ne voyait pas grandir ses enfants. Ottawa avait pris toute la place. Au point où Lisanne, l'aînée, dira un jour à Paul-Émile qu'elle ne ressentit rien du tout à l'annonce de la séparation de ses parents. À quatorze ans, elle était déjà assez vieille pour comprendre que sa mère ne faisait qu'officialiser une situation qui durait depuis déjà longtemps. Sur le coup, Paul-Émile n'avait rien dit, mais après l'avoir vu ravaler sa salive trois fois en trente secondes, Lisanne comprit qu'elle venait de toucher une corde sensible.

« Je veux pas causer de problèmes, Mireille. Mais je veux voir les enfants aussi souvent que possible.

— T'es jamais là, Paul-Émile. Nous deux séparés, à part pour le déménagement, les petits verront probablement même pas la différence.

— Ça va changer. »

Et ça a effectivement changé. Paul-Émile devait subir, tenter de vivre sa vie selon celle des autres, alors que le contraire avait prévalu pendant si longtemps. Et il le fit avec une surprenante bonne volonté. D'accord, le cœur n'y était pas toujours et il demeurait catégorique dans son intention de vivre sa vie à sa manière. Mais Paul-Émile, à travers Suzanne, ses enfants et sa séparation d'avec Mireille, apprenait à considérer autrui dans les choix qu'il faisait. Pour lui, c'était déjà énorme.

Cependant, la transformation n'était pas terminée. En fait, elle ne prendrait fin que des années plus tard, alors que Paul-Émile dut se relever d'une expérience aussi paralysante que terrifiante. Et il ne fut plus jamais le même.

C'est pour ça que je tournais en rond, plus tôt. Parce que c'est de plus en plus difficile de parler de Paul-Émile ; parce que j'ai l'impression de raconter un coucher de soleil alors que le ciel se couvre. D'un côté comme de l'autre, il n'y a qu'obscurité et c'est lourd à raconter.

Sur ce, je m'en vais manger mes sushis.

4
Patrick... à propos de Jean

« Pis ?... Savez-vous pour qui vous allez voter ? »

LA question de l'heure, en cet automne de l'année 1976. Et la question, surtout, à laquelle Jean prenait un malin plaisir à répondre en affirmant qu'il ne voterait tout simplement pas. Qu'il ne l'avait jamais fait.

Au fil des années vécues ensemble, Adrien, Jean, Paul-Émile et moi avons abordé une kyrielle de sujets. Par le biais de ses monologues sans fin, Adrien nous avait souvent amenés à discuter de trucs tous plus variés les uns que les autres. Et s'il adorait parler de politique, il avait appris, comme nous tous, qu'il valait mieux ne pas en parler devant Jean. Celui-ci, en dépit de toute l'affection portée à Adrien, qu'il considérait comme un frère, vouait un mépris foudroyant – et je pèse mes mots – à l'ensemble de la classe politique québécoise, canadienne et américaine. Pour Jean, Pierre Elliot Trudeau n'était rien d'autre qu'un fils de riche qui considérait le poste de premier ministre comme son dû et qui voyait le Parlement comme son joujou personnel. René Lévesque ? Un complexé de Napoléon qui cherchait à compenser pour sa petite taille en s'emparant du pouvoir. Richard Nixon ? Watergate[7]. Tout simplement. Rien d'autre à ajouter.

De mon point de vue, je n'ai jamais cru que Jean détestait autant la politique qu'il ne voulait le laisser paraître. Si je suis prêt à affirmer que le sujet lui puait au nez, je suis d'avis, aussi, que l'agitation sociale ayant marqué les années soixante et soixante-dix vint un peu trop faire obstacle à sa volonté de vivre sa vie en parfait hédoniste et qu'il en fût

---

7   Scandale politique ayant mené à la démission du président des États-Unis.

profondément secoué. Alors Jean s'insurgeait tout simplement en rejetant violemment ce qu'il ne voulait pas reconnaître. Ironiquement, il réagissait plus ou moins avec la politique comme un alcoolique ayant pris la décision de cesser de boire : en faisant comme si la bière et le gin étaient les pires calamités envoyées par Dieu sur Terre.

Parlant des problèmes d'alcool de Jean, il va sans dire que ceux-ci ne s'étaient qu'aggravés avec les années, au grand désarroi de tous les gens qui l'entouraient et qui cherchaient des solutions, tout aussi différentes les unes des autres, pour contrer sa dépendance. Madame Bouchard, par exemple, eut l'idée d'organiser une soirée de cartes chez Jean tous les vendredis soirs en compagnie d'Adrien, de Denise, de Lili et de son époux.

« Au moins, avait dit madame Bouchard à Lili, on va être certaines que les vendredis, il traînera pas dans les bars saoul comme un cochon. »

Lili était revenue dans l'entourage de Jean depuis quelques années déjà. Tombée amoureuse de son médecin traitant, elle avait téléphoné à mon vieil ami pour lui annoncer son mariage prochain, tout en insistant sur le fait qu'elle tenait absolument à ce qu'il soit présent. Ému par la voix de Lili qui émanait un bonheur et une joie de vivre l'ayant désertée depuis longtemps, Jean avait accepté d'assister au mariage et la relation frère-sœur ayant précédé l'attentat reprit comme si elle n'avait jamais cessé. Au grand bonheur de madame Bouchard, d'ailleurs, dont le contact avec Lili ne fut jamais rompu. Je serais d'ailleurs prêt à parier gros qu'au départ, Jean avait accepté de renouer avec Lili simplement parce qu'il savait que madame Bouchard en serait ravie. Au fil des années, celle-ci était devenue, pour Jean, aussi indispensable que le soleil du matin et lorsqu'elle se résolut enfin à prendre sa retraite, Jean loua l'appartement adjacent au sien pour continuer de la voir tous les jours.

Enfant, Jean ne fut certes pas en manque d'amour de la part de ses parents. Mais cet amour était tordu, malsain et, surtout, conditionnel à ce que Jean se soumette à cette vision qu'ils avaient de ce que leur fils était appelé à devenir. Madame Bouchard, pour sa part, aimait Jean comme celui-ci aurait dû être aimé lorsqu'il était enfant. De sérieux dommages ayant tout de même été faits, jumelés à l'alcool qui lui brûlait le foie, Jean n'arrivait malheureusement pas à prendre la pleine mesure de ce dévouement exceptionnel. Pas par égoïsme mais plutôt par incapacité chronique de reconnaître que cet amour était pour lui.

Quelquefois, il m'arrive de me dire que nous avons long-temps, tous les deux, souffert du même mal.

La soirée du 12 novembre 1976, comme tous les vendredis depuis les dix-huit derniers mois, fut dédiée aux cartes. Ce soir-là, les habitués étaient tous présents – à l'exception, évidemment, d'Adrien, retenu ailleurs – et avaient convenu de consacrer quelques heures au poker. Malheureusement pour Jean, les élections qui devaient avoir lieu trois jours plus tard monopolisaient sérieusement la discussion.

«Dans notre comté, lança Lili, installée aux côtés de son époux, c'est Lise Payette qui se présente pour le PQ.

— La pauvre madame Payette!... s'exclama madame Bouchard. J'étais la fan numéro un d'*Appelez-moi Lise*. Mais quand j'ai su qu'elle se présentait pour le PQ…

— Moi, je vais voter pour elle, révéla Yves Lajoie, l'époux de Lili.

— Je sais pas comment vous faites, poursuivit madame Bouchard. Je serais jamais capable de donner mon vote à un parti qui veut couper mon pays en deux.

— Enfin ! s'exclama Denise. Un peu de bon sens ! J'espère seulement que lundi, dans les bureaux de vote, les gens vont penser comme vous, madame Bouchard.

— Ouin… répliqua Lili. Je veux pas te faire de peine, ma Denise, mais as-tu remarqué que la très grande majorité des artistes s'affichent pour le PQ ? »

Malgré sa carrière de comédienne ayant pris fin en raison de l'attentat, Lili ne s'éloigna jamais du milieu culturel. Recyclée en impresario, elle s'était servie de ses nombreux contacts dans l'entourage de la télévision et de la radio pour se bâtir un réseau impressionnant de clients, se démontrant ainsi à elle-même qu'elle était capable de bien d'autre chose que de faire la folle, comme elle l'avait d'ailleurs dit à Jean quelques minutes à peine avant l'attentat.

« C'est quoi le rapport avec les artistes ? demanda Denise.

— Le rapport, c'est que quatre-vingt-dix-neuf pour cent de mes clients seraient prêts à vendre leur mère pour être vus en public avec René Lévesque. Ça trompe pas, ça. Prends-en ma parole : lundi soir, le party va être pogné au Centre Paul-Sauvé. Je te gagerais ma chaise roulante là-dessus. »

Roulant les yeux d'impatience, avalant une gorgée de brandy, Jean demeura muet. Un peu plus tôt dans la journée, il avait reçu la visite d'un inspecteur de police du nom de Raymond Forget, venu lui dire que l'enquête portant sur la tentative d'assassinat dont il fut victime, huit ans auparavant, n'avançait pas du tout et que le dossier serait probablement fermé – ce qui ne fut pas le cas, comme nous allions l'apprendre bien plus tard. Secoué, Jean regarda cependant l'inspecteur de police comme si l'enquête était le dernier de ses soucis, avant de se verser un verre de vodka pour oublier le visage de Lili lui étant subitement venu à l'esprit.

Mon inconfort, lorsque je me trouvais en présence de Lili,

n'est un secret pour personne. Et si j'ai tenté à plusieurs reprises de changer la donne, je me dois d'avouer que je n'y suis jamais parvenu, incapable de me débarrasser de cette impression de me trouver en présence d'un camion de pompiers lorsqu'elle était à moins de cent mètres de moi. À peu près à la même époque – trois ou quatre mois, je crois, précédant l'arrivée de René Lévesque au pouvoir –, je tombai face à face avec elle et son époux, alors que je marchais sur la rue Saint-Denis. Lili m'a regardé, non pas comme la bête de cirque oubliée que je m'étais permis de devenir avec les années, mais comme un visage faisant irruption de son passé, tout simplement. Son sourire fut sincère, chaleureux ; je ne trouvai quand même rien d'autre à faire que de l'ignorer et de supposer que ce sourire n'était pas pour moi. Ce fut à ce moment précis que mon talent extraordinaire – probablement hérité de ma mère – à ne m'attarder qu'au côté sombre de la vie, à ne voir le verre qu'à moitié vide, me rendit tout à fait incapable de supporter un personnage comme Lili. Son optimisme m'aveuglait. Surtout à cette époque.

Jean, pour sa part, l'avait laissée revenir vers lui, apprenant à la regarder sans ne jamais voir le fauteuil roulant, tout en sautant sur la moindre occasion de faire comme si non seulement le fauteuil n'existait pas mais qu'il n'avait, en fait, jamais été là. Toutefois, la visite de l'inspecteur Forget vint lui jeter au visage une réalité de Lili à laquelle il refusait d'adhérer et, alors que tous jouaient au poker en commentant la campagne électorale, Jean se retenait pour ne pas ordonner à sa vieille amie de partir.

L'épisode disgracieux de Saint-Germain-de-Grantham, au soulagement de tous, ne s'est pas répété. Toutefois, son souvenir n'était jamais bien loin.

« Les artistes !... s'exclama Denise, essayant d'ignorer la

sobriété déclinante de Jean. Y'ont tout le temps la tête dans les nuages ! Jamais je croirai qu'ils sont représentatifs de quoi que ce soit !

— Merci, répliqua Lili, sourire en coin.

— Je m'excuse… Encore une fois, je me suis ouvert la trappe avant de penser.

— Excuse-toi pas, pardonna Lili en riant. Je suis imprésario, maintenant. J'ai vendu mon âme au diable ! Mais ça m'empêchera quand même pas de voter PQ.

— Pis vous, Yves ? demanda madame Bouchard. Qu'est-ce que vous en pensez ?

— Ben franchement, y'a deux semaines, j'aurais gagé mon sarrau que Bourassa allait être réélu. Mais là, je le sais pus.

— Dites-moi quand même pas que vous pensez que c'est Lévesque pis sa gang qui vont rentrer ?!

— Hier, je jasais avec un collègue à l'hôpital. Il me disait que son beau-père, qui va mourir du cancer d'un jour à l'autre, lui a fait promettre de s'arranger pour que son vote aille quand même au candidat péquiste de son comté.

— Franchement ! s'écria Denise.

— Ben quoi ?… renchérit Lili. Un vote, c'est un vote.

— Coudonc ! Trompes-tu ton mari avec le mien, toi ? »

Alors que Lili et Denise riaient, madame Bouchard brassait les cartes tandis que Jean, cantonné dans son ivresse grandissante, ne disait pas un mot. Préoccupé par le mutisme de son voisin de table, le bon docteur Lajoie, se balançant sur sa chaise, posa une question qu'il jugeait insignifiante et qui n'avait comme but que de ramener Jean sur Terre.

Cette question, effectivement d'apparence anodine, sonna plutôt le glas de la soirée.

« Pendant que j'y pense… Le beau-père de mon collègue

est un Taillon. De Verchères. As-tu de la famille dans ce coin-là, Jean ? »

Le bruit d'un verre de brandy se brisant sur le plancher du salon fit sursauter Denise, tandis que Lili et madame Bouchard regardèrent Jean silencieusement pendant de longues secondes, attendant une réaction, n'importe laquelle, qui ne vint malheureusement pas.

« Quoi ?... demanda le pauvre Yves. Est-ce que j'ai dit quelque chose qui fallait pas ? »

Un Taillon de Verchères... Ç'aurait pu être n'importe qui. Pourtant, Jean fut instantanément convaincu qu'il s'agissait bel et bien de son père. Sa journée avait débuté d'une trop mauvaise façon et sa vie était sens dessus dessous depuis trop longtemps pour qu'il se permette de croire que l'innocente question du docteur Lajoie n'était pas une tuile de plus, s'ajoutant à toutes les autres ayant formé son existence misérable des dernières années.

Mourant, monsieur Taillon l'était pour Jean depuis si longtemps qu'il fut sidéré par ce besoin soudain de revoir son père avant qu'il meure vraiment. Et pourquoi donc, au fait ? Dès le lendemain matin, Adrien et Lili tentèrent de le convaincre qu'un retour au royaume de Jean Ier ne lui apporterait que des misères, mais Jean refusa obstinément de les écouter. Quelque part, l'être complètement perturbé qu'il était à cette époque ressentait le besoin de tomber encore plus bas, de payer davantage pour les souffrances qu'il s'était lui-même infligées. Alors, forcément, le retour des Taillon dans sa vie représentait une occasion qu'il ne put laisser passer.

Nul besoin d'affirmer qu'Adrien, Lili et madame Bouchard eurent à ramasser Jean – enfin, ce qu'il en restait – pendant longtemps. Et à l'époque, j'étais beaucoup trop imbibé de ma propre souffrance pour me préoccuper de ce frère qui aurait eu bien besoin de ma présence.

Mon comportement, j'en suis pleinement conscient, relevait d'une triste ironie lorsque l'on considère que je consacrai plusieurs années de ma vie à dénoncer l'égoïsme de toute une population.

5
Jean... à propos de Patrick

« T'as du front, Flynn, de m'appeler pour me demander de t'ouvrir la porte de ton logement ! s'exclama le propriétaire de l'immeuble où Patrick habitait. Ça fait deux mois que tu paies pas ton loyer ! »

Heu... Disons, ici, que « loyer » était un bien grand mot. « Taudis » aurait mieux décrit l'état des lieux. « Trou » aussi. Mais pas « loyer », qui comporte, tout de même, un élément de dignité et de stabilité faisant cruellement défaut à l'horreur habitée par Patrick et Judith. Les rats auraient eux-mêmes appelé des exterminateurs pour se débarrasser des deux locataires que je n'aurais pas été surpris du tout.

« J'ai oublié mes clés, répondit Patrick à son propriétaire. Soit je vous appelais, soit je brisais une fenêtre pour entrer. Je me suis dit que vous aimeriez mieux que je vous demande de m'ouvrir la porte.

— Tu pouvais pas rejoindre ta femme ? »

Le pétard n'étant pas joignable la plupart du temps, Patrick était allé frapper chez un voisin pour lui demander s'il avait le numéro de téléphone du propriétaire.

« Judith est pas souvent chez nous, ces temps-ci. Pis pour ce qui est des loyers en retard, je vais vous payer ça bientôt. »

Franchement ! Le propriétaire n'allait jamais voir la couleur de cet argent et le savait très bien. Pourquoi Patrick est allé dire ça, je n'en ai aucune idée. À ce stade-ci de l'histoire, je pouvais déjà imaginer son déménagement, vers deux ou trois heures du matin, alors que lui et Judith fuiraient leur troupeau de rats pour un tout nouveau nid de coquerelles, sans les loyers en retard qui leur pendraient au-dessus de la tête.

« Je suis bon prince, je vais t'ouvrir la porte. Mais si j'ai pas de tes nouvelles le 1ᵉʳ décembre, t'auras affaire à te trouver un nouveau logement.

— Mettre du monde à la rue pendant le temps des Fêtes… C'est beau, l'esprit chrétien.

— Mon esprit chrétien vous accompagne chaque premier du mois, toi pis ta femme, quand vous encaissez votre chèque de bien-être social. »

Patrick ne dit rien, regardant plutôt son propriétaire avec les lèvres plissées, ce qu'il faisait dorénavant presque toujours. Comme s'il mordait perpétuellement dans une pomme au goût un peu trop suret…

Après avoir déverrouillé la porte, le propriétaire jeta un dernier regard à Patrick avant de retourner à sa voiture et de prendre le chemin de son bungalow de Greenfield Park. S'il avait eu envie d'entrer à l'intérieur pour apprécier l'état des lieux, la forte odeur d'excréments qui lui monta au nez aussitôt la porte ouverte le fit changer d'idée et il s'éloigna sans même entendre les remerciements que son locataire lui envoya.

« Patrick ?… »

Lorsqu'il entendit la voix de sa douce qui semblait provenir d'outre-tombe, Patrick se mit à sacrer comme il ne le faisait que très rarement. Deux mois s'étaient écoulés depuis la surdose de Judith et le regret de ne pas l'avoir laissée mourir à ce moment-là se faisait de plus en plus violent. Pourquoi ? Patience. Vous comprendrez bien assez vite.

« Je suis là. »

Lorsque Patrick l'aperçut, Judith était nue – rien de nouveau sous le soleil, me direz-vous –, suait de partout, avait le souffle saccadé et tenait une seringue dans sa main droite. En la voyant, Patrick eut un mouvement de recul, comme s'il était en présence d'un cadavre ayant déjà commencé à se décomposer.

« Tu m'embrasses pas ?… » demanda Judith, sarcastique.

Ouf ! Judith était dans un état si épouvantable que même moi paqueté comme dix je ne lui aurais pas touché ! Sincèrement, qui aurait été prêt à embrasser, même du bout des lèvres, quelqu'un pouvant faire passer Maggie Flynn pour le sosie de Jayne Mansfield ?

« Veux-tu ben me dire où t'as pris l'argent pour t'acheter ta cochonnerie ? demanda Patrick, l'air dégoûté.

— Je suis une fille travaillante, répliqua Judith d'un ton laissant sous-entendre ce que personne, moi le premier, ne voulait savoir. Ça fait que je me suis finalement décidée à exploiter mes talents. »

Re-ouf !

Ici, je tiens absolument à m'excuser – même si je ne suis responsable de rien – pour cette vision à faire lever le cœur d'une femme ayant décidé de vendre ses charmes – hum ! – afin de se payer son héroïne. Et dites-vous bien que votre frustration est la mienne. Au cinéma, les prostituées ont toujours le visage de Shirley MacLaine ou de Catherine Deneuve. Est-ce que j'ai besoin de vous dire que Judith n'avait absolument rien ni de l'une ni de l'autre ? Non, mais !… C'est de la fausse représentation, à la fin ! Les producteurs n'ont pas le droit ! Ça mériterait des poursuites !

« Laisse-moi deviner, poursuivit Judith, le ton toujours sarcastique. Pendant que moi, je me tuais à la tâche, toi, tu continuais de faire de l'obstruction, un peu partout, dans les bureaux de vote ?

— Laisse faire. Parle-moi pas.

— Je passe mon temps à me demander si t'es une tête de cochon, ou si t'es tout simplement niaiseux. Honnêtement, je suis pas capable de me décider.

— Sacre-moi donc patience, Judith. »

L'effervescence de novembre 1976…, cette certitude des Québécois de l'époque de faire leur propre histoire…, Patrick ne les a pas vécues. Moi non plus, me direz-vous. C'est vrai. Mais là où je me drapais dans une totale indifférence à l'égard de tout ce qui se passait, Patrick, lui, se vidait à essayer d'arrêter le temps; à immobiliser les gens pour les empêcher d'aller là où ils le voulaient pour les rediriger vers lui. Pas par égocentrisme – vous connaissez Patrick… – mais plutôt par peur de reconnaître qu'il avait échoué; que le monde n'était toujours pas digne d'Agnès, que nous ne ressemblions en rien à l'idée qu'il se faisait d'une société idéale et qu'il en était le grand responsable.

En 1976, le Québec n'était intéressé que par le Québec. Alors, de voir arriver un air de bœuf de six pieds et quatre pouces, accompagné de sa greluche héroïnomane, qui s'époumonait à répéter que leur pays ne valait pas de la merde, n'était pas tout à fait ce que les gens avaient envie de voir ou d'entendre. Patrick ayant suffisamment fait suer tout le monde pendant longtemps avec ses fantaisies révolutionnaires, plus personne ne voulait lui prêter la moindre attention. Et le 15 novembre, alors qu'il cherchait à empêcher des électeurs d'aller voter, ceux-ci le regardaient en roulant les yeux et, quelquefois, allèrent même jusqu'à physiquement l'enlever du chemin tout en lui suggérant de se diriger vers l'hôpital psychiatrique le plus proche.

Plus personne ne voulait entendre parler de Patrick Flynn. Et Judith ne ratait jamais une occasion de le lui rappeler.

« T'es tellement stupide pis naïf !… Pas capable de voir la vérité, même quand elle te saute en pleine face. »

Des années plus tard, Patrick racontera qu'à cet instant précis, il eut la sensation d'entendre des voix; que Judith avait tellement l'air d'un cadavre que de l'écouter parler donnait l'impression d'être en présence de son fantôme. Un signe de plus donnant l'impression à Patrick d'avoir échoué. Lui et Judith étaient tombés de si haut que celle-ci, visiblement, ne se remettrait pas de sa chute.

« Tu le vois pas, Patrick, que tu fais rire de toi ? Qu'est-ce que tu penses qu'ils disent, les gens, quand t'essaies dc les empêcher d'aller voter ? Ils se disent pas que t'as raison… Ils se disent pas que t'es un grand homme… Ils se disent que t'as l'air d'un innocent, en se demandant pourquoi personne a pensć à appeler la police pour t'enlever de là. »

D'aussi loin que je me souvienne, je ne me suis jamais fait d'illusions sur le genre humain, et ce détachement vis-à-vis de la… noblesse de Patrick vient peut-être expliquer certains gestes posés au cours de ma vie. Bien franchement, je m'en fous comme de l'an quarante. Pour Patrick, c'était différent. Il pouvait bien nous traiter de pourris, d'égoïstes, de matérialistes finis et de tout ce que vous voudrez, ça prenait, quelque part, une extraordinaire confiance en l'humanité pour partir en croisade comme il l'a fait, en se disant qu'il arriverait à nous changer pour le mieux. Même si sa définition du mot « mieux » ne correspondait pas forcément à celle des autres. Et c'est pourquoi, à mon avis, il tomba de si haut. Oui, Patrick luttait avec cette impression d'avoir trahi la petite Agnès – comme si elle lui avait demandé quoi que ce soit –, mais il se retrouvait aussi aux prises, maintenant, avec cette toute nouvelle certitude que l'homme, bien souvent, ne s'élève jamais plus haut qu'un babouin. Pourtant, avec moi, il en avait toujours eu une preuve grandiose sous les yeux. Même chose avec le pied de céleri qui jouait le rôle de sa douce moitié.

« On n'est plus en 1968, ajouta Judith, cherchant son

souffle. Le monde veut pus être changé. T'as eu ta chance, mais t'as tout raté.

— ...

— Te rends-tu compte que les gens aiment mieux continuer à vivre dans un monde qui pue la merde à plein nez, plutôt que de te suivre dans le tien ? Les gens veulent pus penser à rien, Patrick. Pis ils veulent surtout plus penser à toi. Pourtant, Dieu sait qu'au Québec, on aime ça, les *losers* ! Faut-tu que tu sois pathétique pas à peu près pour que les gens veuillent rien savoir de toi ?

— Pense ce que tu veux. Je m'en sacre. Y'est temps que je parte d'ici. J'ai assez perdu de temps avec toi. »

Enfin ! Après six ans, Patrick comprenait que Judith ne voulait pas être sauvée, et qu'il était grand temps de sacrer le camp s'il ne voulait pas y laisser sa peau. Mais Judith, elle, ne voulut pas le laisser partir. Moins par amour – êtes-vous malades ?! – que parce qu'elle était désespérée de le ramener à son niveau à elle, imputant à Patrick l'entière responsabilité pour ce qu'elle était devenue. Si, au moins, Judith arrivait à l'humilier, à le faire souffrir comme elle souffrait, à manquer d'air comme elle en manquait, à supporter toujours plus mal le temps qui passe, alors Patrick pourrait peut-être comprendre comment elle s'est sentie le jour où il accepta d'échanger son destin contre une sortie de prison.

« Tu veux quitter notre royaume de la rue Ontario ?! Pour aller où, Seigneur ? T'es même pas capable de vivre dans le vrai monde, pauvre innocent !

— Vaut mieux vivre n'importe où sauf dans ton monde à toi. Ça, c'est certain.

— Te forces-tu pour être stupide, Patrick, ou si ça te vient tout seul ? Ma réalité à moi, c'est ça le vrai monde. Le tien existe pus depuis longtemps. Y'en a pus, de causes à défendre ! Y'en a pus, de monde à changer ! Les gens veulent pus penser à rien d'autre qu'à leur petit nombril. Tout ce qu'ils veulent, c'est d'avoir du *fun*. C'est trop forçant, pour eux autres, de faire autre chose.

— C'est trop forçant pour eux autres, ou c'est trop forçant pour toi ? »

À cet instant précis, Patrick marchait vers la porte de sortie, ayant mis dans un sac à poubelle le peu d'effets personnels qu'il possédait. Des disputes comme celle-ci, lui et sa biquette en avaient eu des centaines, au cours des dernières années. Mais Judith, voyant Patrick se diriger vers la porte en ne la regardant même pas, sentait que cette dispute serait la dernière. Si elle voulait écraser Patrick pour de bon, si elle voulait le ramener à son niveau, un grand coup devait être porté. Un coup énorme. Et Judith se montra, malheureusement, à la hauteur des attentes.

« Essaie pas de me blâmer pour tes erreurs, Patrick. C'est toujours ben pas de ma faute si t'as jamais été capable de voir que le monde a changé. Même ta sacro-sainte Agnès, si elle vivait encore aujourd'hui, serait prête à vendre son petit cul de négresse pour un gramme de coke. »

Oui, Judith a réussi. Pas à peu près. Et jamais Patrick ne descendit plus bas, jamais ne fut-il autant son égal que lorsqu'il s'approcha d'elle et se mit à la rouer de coups. Une claque au visage… Un coup de poing au ventre… Un coup de poing au menton… Un coup de genou aux côtes… Et des hurlements, terribles, de part et d'autre : Judith criant de douleur. Et Patrick qui jurait la détester plus qu'il n'avait jamais détesté personne dans sa vie.

« Tu veux mourir ?! cria-t-il en lui assénant un dernier coup. C'est ça que tu veux ?! Accroche-toi, parce que ça s'en vient ! »

Patrick ne l'a pas tuée. Heureusement. Mais il laissa Judith inconsciente, le sang pissant de sa bouche, avec quelques côtes fêlées et un bras cassé.

Il ne la revit jamais. Pas vivante, en tout cas.

Au fil des années, je me suis souvent fait regarder de travers pour avoir souvent dit ce que je m'apprête à dire mais malgré l'aspect offensif de mes propos, je persiste et je signe: ce jour-là, Patrick s'est bêtement fait piéger et Judith, victorieuse, eut exactement ce qu'elle recherchait.

Je me souviens très bien de cette première fois où je me suis permis de dire tout haut ce que je pensais depuis longtemps à propos de cet incident. Lili m'avait fusillé du regard, tandis que maman Muriel avait mis la main sur son cœur en s'écriant que j'allais la faire mourir. Adrien, pour sa part, m'avait regardé sans rien dire, en secouant la tête. Pas parce qu'il était en désaccord avec moi mais plutôt parce que j'avais osé admettre, devant Lili et maman Muriel, qu'une femme impliquée dans un cas de violence conjugale n'était peut-être pas aussi innocente qu'elle voulait le laisser croire.

Comprenez-moi bien: je ne prône la violence d'aucune façon. Et si je suis le premier à me réjouir d'un uppercut judicieusement placé au cours d'un combat de boxe ou d'un film de Charles Bronson, je ne suis pas particulièrement friand de la violence dans la vie de tous les jours. Encore moins entre un homme et une femme. Mais si un juge ou jury peut acquitter une personne accusée de meurtre en raison de circonstances atténuantes, alors pourquoi ne pourrais-je pas accorder le même bénéfice du doute à Patrick?

En invoquant le nom d'Agnès, en lui donnant les traits de la prostituée héroïnomane qu'elle-même était devenue et que Patrick détestait, Judith s'attaquait aux fondements mêmes de ce qu'il était, de la raison lui ayant permis de survivre aux douleurs du Cameroun et à sa lâcheté, au départ, de ne pas avoir protesté lorsqu'il y fut catapulté. De plus, la manière presque indécente de Judith à utiliser le souvenir d'Agnès pour nourrir la révolte de Patrick et le pousser vers ses sommets à elle devenait rien de moins que révoltante alors qu'elle s'en servait maintenant pour l'écraser. Encore aujourd'hui, je n'arrive pas à croire que je suis le seul suffisamment lucide pour le comprendre.

Judith voulait voir Patrick crever comme lui-même l'avait fait mourir et elle savait que la meilleure façon d'y arriver était de briser le souvenir d'Agnès. C'est exactement ce qu'elle a fait. Et en poussant Patrick à la frapper, Judith réussit le tour de force de le faire tomber à son niveau à elle, de le diminuer, de le rendre petit et tordu. En gros, la vraie victime ne fut pas celle qui reçut les coups. De ça, je resterai convaincu jusqu'au jour de ma mort.

Ces propos me valurent, une fois de plus, d'être regardé par Lili et maman Muriel comme si j'étais tout d'un coup devenu un danger public.

« Je peux pas croire, me reprocha Lili, que tu juges correct de frapper une femme ! »

À cela, j'ai répliqué que ce n'était pas du tout le cas ; que Judith Léger, à ce moment-ci de sa vie et malgré la présence d'un vagin entre ses deux jambes, n'était plus une femme depuis longtemps. Qu'elle n'était plus rien d'autre qu'un cadavre en attente, espérant avec impatience la dose d'héroïne, ou de cocaïne, qui lui ferait enfin lever les pattes. Ni plus ni moins. Et à cette époque-là, personne n'était mieux placé que moi pour bien le comprendre.

Ce n'est pas une femme que Patrick frappa, ce jour-là, dans son trou à rats de la rue Ontario. Ce n'était rien du tout. Que du vide dopé à l'héroïne et qui s'offrait au premier venu pour être en mesure de se payer sa prochaine dose.

À ça, vous n'avez pas besoin d'ajouter que j'ai l'air de vouloir justifier Patrick ; donner un sens à ses gestes. Je sais très bien que c'est ça que je fais. Que je fais depuis trente ans, en fait. Mais mettez-vous à ma place, trente secondes. N'importe qui aurait fait la même chose. Parce que je ne pouvais me résoudre à croire que le Patrick que j'avais connu, le fils à maman de Marie-Yvette Flynn et l'ami d'enfance de la rue de la Visitation ait été capable d'envoyer une femme à l'hôpital sans y avoir d'abord été poussé.

Oui, il avait changé depuis son retour du Cameroun. Mais pas à ce point-là. Je ne le crois pas. Je ne le croirai jamais. Et pensez ce que vous voulez.

6
Paul-Émile... à propos d'Adrien

Bon. Je n'étonnerai personne en disant que le 15 novembre 1976 ne fut pas le soir le plus mémorable de ma vie. C'est peu dire que d'affirmer que je ne fus pas enchanté par la victoire du Parti québécois. Cela étant dit, je savais tout de même ce qui s'en venait depuis longtemps. J'avais les chiffres sous la main, je sentais la vague venir et je rageais. Alors qu'Adrien ait manifesté la moindre marque de surprise devant les résultats de l'élection du 15 novembre m'apparut d'un ridicule consommé. Étant le stratège principal de la campagne du PQ, c'était impossible qu'il n'ait pas accès aux informations que je détenais, et qu'il se soit mis à trembler comme une feuille lorsqu'il apprit que René Lévesque était maintenant premier ministre ne fut rien de moins que risible. Il savait ce qui était sur le point de se produire. Il savait que le PQ allait former le prochain gouvernement. Alors pourquoi avoir réagi comme un enfant de huit ans apprenant qu'il s'en va passer une journée à La Ronde? Qu'avait-il prévu, exactement? Une défaite de dernière minute? Un ruban de participation? Quand on prend part à une compétition, ce n'est pas pour viser la médaille de bronze. On n'a pas cinq ans. L'important, ce n'était pas de participer. Surtout en politique.

Pourtant, à mesure que la campagne avançait, j'observais Adrien – de loin, évidemment – et je ne pouvais qu'admirer le travail accompli. Il aurait eu la grosse tête et personne ne l'aurait blâmé. La somme de travail qu'il accomplit fut colossale. Et très bien exécutée, aussi. Pourtant, il réagit à l'élection de son parti comme s'il s'était fait mettre une boîte à surprise sous le nez.

Si l'histoire avec un grand H aura retenu le discours de René Lévesque et les célébrations au Centre Paul-Sauvé, l'histoire personnelle d'Adrien, ce soir-là, fut marquée par ses retrouvailles avec Alice. Retrouvailles momentanées, dois-je préciser. Pour être franc, je n'ai pas très envie d'en parler – les histoires de couchette, moi… – mais je ne crois pas avoir le choix. Comment faire autrement ? Il m'est toujours apparu bizarre que mon ami ait consacré l'entièreté de sa carrière à donner tous les pouvoirs à ses concitoyens, alors que lui-même faisait preuve d'une scandaleuse impuissance dans sa vie personnelle.

Mais, bon…

Au fil des années, Alice et Adrien n'ont jamais réussi à couper complètement les ponts. Alice put donc regarder Adrien s'enfoncer avec Denise, tandis que lui devait supporter les copains occasionnels qu'il voyait poindre aux bureaux de la permanence. Le menton lui tomba particulièrement bas, d'ailleurs, le jour où il aperçut Alice au bras d'un chanteur très connu à l'époque – non, je ne le nommerai pas – et dont la grosseur des biceps avait autant de notoriété que sa voix feutrée. C'était une chose de voir la femme qu'il aimait au bras de cavaliers lui ressemblant comme à un jumeau. C'en était une autre, par contre, de la voir avec un homme qui participa à quelques reprises au gala des plus beaux hommes du Québec organisé par Lise Payette. De toute façon, avec les burgers qui s'empilaient dans le bas de son ventre et le pourcentage croissant des cheveux gris qu'il avait sur la tête, nul besoin de dire qu'Adrien était loin de se sentir comme le sosie de Richard Garneau ou de Léo Ilial. Autres « réguliers » du même gala, pour ceux ignorant de qui il s'agit.

De toute façon, Adrien se rongea les ongles pour rien

parce que cette relation-là, comme toutes les autres, ne dura pas. Pour le plus grand malheur d'Alice, le chanteur aux gros biceps n'était pas Adrien. Dans le cœur de celle-ci, il avait pris toute la place. Elle le lui prouva amplement, d'ailleurs, le soir des élections, alors que quelques verres de champagne aidèrent à faire sortir la vapeur et que tous les deux se retrouvèrent dans une chambre d'hôtel.

Beaucoup de bruit pour rien.

Dès le lendemain, tout fut terminé. L'amour entre les deux était toujours là. La complicité aussi. Mais Claire et Daniel également. Rien n'avait changé. Surtout pas Adrien, dans sa logique inexplicable, qui croyait dur comme fer devoir gagner son ciel pour l'amour de ses enfants.

Au bout du compte, les retrouvailles d'Alice et d'Adrien firent plus de mal que de bien. Le cœur devint plus lourd et la souffrance, plus vive. De cette aventure, Adrien sortit le dos plus courbé qu'il ne l'était déjà.

Je me suis souvent demandé comment Adrien s'y prenait pour avoir un regard lucide dans toute son incohérence. Il m'est difficile de croire qu'il y soit jamais parvenu. Mais quand on se met en tête de croire quelque chose… Pourtant, Claire et Daniel, au bout du compte, allaient sortir aussi marqués par la cacophonie guerrière de leurs parents qu'Adrien le fut lui-même par le silence de monsieur Mousseau. Et si je me suis souvent fait reprocher d'avoir renié mes racines, je préfère mes choix, de beaucoup, à ceux d'un petit garçon forcé de vivre perpétuellement en réaction à ceux-ci pour être en mesure d'avancer et de se convaincre qu'il n'était pas une copie de son père.

De cette passade avec Alice, Adrien se releva en plongeant, encore une fois, dans le travail. Honnêtement, le moment n'aurait pu mieux tomber. Le PQ venait d'être élu et Adrien dut prendre le chemin de Québec pour travailler aux côtés de monsieur Lévesque. Sur ce point, j'étais bien placé pour savoir qu'avec le boulot qui s'annonçait, il n'aurait même pas le temps de se souvenir de la couleur des cheveux d'Alice. Quelques jours plus tard, il entreposa, effectivement, quelques vêtements dans sa voiture avant d'embrasser femme et enfants et de rouler sur l'autoroute 40, en direction est, pour aider à mettre sur pied le premier cabinet péquiste de son histoire.

Bon. D'accord. Il embrassa seulement les enfants.

7
Adrien... à propos de Paul-Émile

Ça me fait sourire que Paul-Émile se permette des commentaires sur la manière dont je gérais ma vie personnelle. Pas que ces commentaires ne fussent pas mérités. Au contraire. Toutefois, c'est la personne les ayant émis qui me cause problème. Parce qu'en ce qui concerne des vies personnelles plus ou moins bien réussies, Paul-Émile jouissait d'un portfolio assez bien fourni, merci. Je lui en fais souvent la remarque mais il se contente toujours de me regarder en haussant les épaules. Et je tiens à préciser que ces remarques ne sont jamais faites dans un esprit revanchard, ou dans le but de démontrer qu'il n'était pas, contrairement à ce qu'il croyait, meilleur que moi. Le retour de Paul-Émile parmi nous – qui n'aura lieu que dix ans plus tard, si l'on se situe par rapport à l'histoire – me rendit trop heureux pour que je me permette de dire quelque chose qui aurait pu l'éloigner. Et comme il fut toujours suffisamment fort pour accepter de se faire dire ses quatre vérités sans péter les plombs...

Aussi, nul besoin d'un cours universitaire de niveau supérieur pour comprendre que ledit résumé de Paul-Émile, en matière de relations interpersonnelles, était surtout truffé de références à son comportement envers Suzanne. Même si Mireille ne fut pas en reste, personne n'expérimenta davantage l'intransigeance de Paul-Émile que sa maîtresse des quinze dernières années. Suzanne habitait maintenant avec Guy Drouin, fortement pressée par sa famille et ses amis de franchir l'étape du mariage et des enfants.

« Veux-tu ben me dire ce que t'attends pour faire des petits ? lui avait demandé sa mère, madame Desrosiers. Ça fait deux ans que j'achète des pyjamas pis des bavettes! Viens quand même pas me dire que j'ai tout acheté ça pour rien!»

À sa très grande surprise, Suzanne se démenait pour ne pas changer les choses. Elle qui était allée jusqu'à risquer sa relation avec Paul-Émile pour la liberté de se donner la vie de famille dont elle rêvait, réalisait maintenant qu'elle ne voulait du mariage et des enfants que si c'était lui qui les lui donnait. En ce sens, elle admettait que Guy Drouin, qui était pourtant prêt à lui donner tout ce qu'elle désirait, n'était rien de plus qu'un extraordinaire bouche-trou en attente de son quatre pour cent le jour où Paul-Émile se déciderait enfin à agir intelligemment.

Le comportement de Suzanne envers Guy Drouin était d'un égoïsme fini – son amie Rolande le lui faisait souvent remarquer –, mais elle en était venue à trop détester sa solitude pour agir autrement.

«Pourquoi tu te fais pas faire un petit par Paul-Émile pis que tu l'élèves pas avec Guy?

— Franchement, Rolande! Tu trouves pas que la situation est déjà assez compliquée comme ça?!

— Ben, quoi?... Tout le monde serait content.

— Guy pis moi, on a tous les deux les yeux bleus. Si le petit a les yeux bruns, je fais quoi, moi, pour expliquer ça?

— Guy s'apercevrait peut-être de rien.

— ...

— Pourquoi tu le laisses pas partir, Suzanne? Pauvre lui! Je le regarde jouer avec ma plus jeune, quand vous venez chez nous, pis y'en fait quasiment pitié tellement c'est clair qu'il veut des enfants! Guy, c'est un homme bon pis il mérite pas de se faire jouer dans le dos comme tu le fais.

— Je le sais, Rolande, répliqua doucement Suzanne. Je le sais...

— Pis pourquoi tu préfères Dracula à quelqu'un de bon comme Guy, je le saurai jamais ! »

Paul-Émile réagit très mal en apprenant que Guy avait emménagé chez Suzanne. Je n'ai jamais eu la confirmation de ce que j'avance mais je le soupçonne fortement d'être à l'origine des deux pneus crevés du camion de déménagement, ce jour-là. Paul-Émile n'a jamais voulu l'avouer, mais sans rien démentir non plus. Pour moi, ça veut tout dire.

Forcément, les rencontres entre Suzanne et Paul-Émile s'espacèrent. Paul-Émile travaillait toujours autant et la présence de Guy sur la rue Étienne-Bouchard rendait les voyages de Suzanne à Ottawa plus difficiles à expliquer. Bien malgré elle, Rolande servit d'alibi à deux ou trois reprises, avant de faire savoir à son amie – de manière plutôt expéditive, d'ailleurs – que non seulement elle ne mentirait pas pour cacher ses infidélités, mais que des mammouths allaient tomber du ciel le jour où elle accepterait d'aider Paul-Émile de quelque manière que ce soit.

Paul-Émile, fidèle à lui-même, ne se forçait pas pour arranger les choses. Depuis quelque temps, Suzanne lui interdisait formellement de se pointer chez elle lorsque Guy était ailleurs – après la fermeture de son affreux restaurant, celui-ci ouvrit un bar qui connut un immense succès – parce que tout, dans ses agissements, laissait paraître une volonté évidente de saboter le ménage Drouin-Desrosiers. La rutilante Jaguar que Paul-Émile stationnait dans l'entrée de garage… Sa porte d'auto, qu'il refermait avec toute la force d'un lanceur de poids… Sa manière de demeurer immobile, pendant de longues secondes, en jouant avec ses boutons de manchette et en regardant autour de lui, histoire de s'assurer que tout le monde le verrait entrer dans l'immeuble… Tout, chez lui, semblait chorégraphié pour prouver à tous qu'il était le véritable maître des lieux, ce qui venait lui donner, comiquement, l'air d'un rottweiler levant allègrement la patte pour bien délimiter son territoire.

Suzanne, furieuse et inquiète à l'idée que Guy ne découvre ce qui se passait dans son dos – et devant, en plus, supporter les regards accusateurs de ses voisins –, réagit aux enfantillages de Paul-Émile en lui interdisant formellement de se pointer sur la rue Étienne-Bouchard. Ce qu'il fit, d'ailleurs, en affichant la moue d'un enfant contrarié de s'être fait confisquer son Slinky.

Mais à la fin de 1976, Paul-Émile commit une gaffe monumentale.

Peu de temps avant Noël, après s'être assuré que Guy était ailleurs et qu'il y resterait pour les prochaines heures, Paul-Émile se pointa chez Suzanne sans s'annoncer, lui disant qu'il voulait lui montrer quelque chose.

«Je t'ai déjà dit, Paul-Émile, que je voulais pas que tu viennes ici!

— Bof… Une fois est pas coutume. Dépêche-toi. Je veux t'emmener quelque part.»

Il arrivait quelquefois à Suzanne, malgré tout l'amour qu'elle lui portait, de vouloir catapulter Paul-Émile à Outremont, tout en lui hurlant l'ordre de ne plus en revenir. La manie de celui-ci d'ignorer carrément ses volontés et de n'en faire qu'à sa tête la rendait folle et elle devait souvent se retenir – quoique pas toujours – pour ne pas lui balancer les pires injures par la tête.

«On va où, Ô grand vizir? lui demanda-t-elle sarcastique.

— Je te le dis pas. C'est une surprise.»

Une demi-heure plus tard, la voiture de Paul-Émile s'immobilisa devant une jolie petite maison de la rue Côte-

Sainte-Catherine. Confuse, Suzanne regardait Paul-Émile, cherchant à comprendre ce que tous les deux faisaient là.

« C'est quoi, cette maison-là ?

— C'est chez nous. »

Sur le coup, Suzanne se contenta de soupirer d'impatience. Tant de fois, Paul-Émile et elle s'étaient disputé en raison de son désir à lui de vouloir l'entretenir qu'elle regardait cette maison et n'y voyait rien d'autre que le thème principal de leur prochaine chamaille.

« Pis ? demanda Paul-Émile. Comment tu la trouves ?

— Inutile. Est-ce que tu pourrais me ramener chez moi, s'il te plaît ?

— C'est tout ce que tu trouves à dire ?

— Oui. Pis compte-toi chanceux. J'ai trop mal à la tête pour t'engueuler.

— Je t'annonce que je viens d'acheter une maison où on va vivre tous les deux pis tu veux m'engueuler ?

— Comment ça, "tous les deux" ? »

En seulement quelques secondes, le mal de tête disparut, cédant sa place à un état d'incertitude dont Suzanne ne voulait pas sortir. Valait mieux rester confuse, j'imagine, plutôt que de réaliser qu'elle avait mal compris. Mais ce n'était pas le cas.

« C'est fini avec Mireille, expliqua Paul-Émile. Elle est déménagée la semaine passée. »

C'est vrai qu'avec le recul, c'est facile à dire mais à la place de Suzanne, j'aurais posé des questions, demandé des explications. Qui avait pris l'initiative de la séparation ? Qu'allait-il devenir de la résidence de la rue Pratt ? Et madame Marchand ?… Comment allait-elle réagir en voyant poindre à l'horizon sa toute nouvelle bru ? Était-elle même au courant des fréquentations de Paul-Émile et Suzanne ?

Malheureusement, Suzanne n'a rien demandé, trop occupée à essayer de demeurer consciente. Après quinze ans passés à aimer Paul-Émile dans l'obscurité, le soleil venait, tout à coup, de faire son apparition. Guy Drouin n'existait plus; n'avait jamais existé, en fait. Pas plus que la douleur associée aux longues soirées vécues toute seule. À cet instant précis, Suzanne avait encore vingt ans et Paul-Émile la choisissait, elle. Seulement elle. Et ils avaient l'avenir devant eux.

« Paul-Émile, je… Mon Dieu! Je sais pas quoi dire! T'aurais pas pu me faire de plus beau cadeau!

— C'était le but. »

Suzanne riait, sautait sur place comme une enfant, regardait autour d'elle et serrait Paul-Émile dans ses bras. Rare moment de pure béatitude entre un homme et une femme habitués à s'aimer en se disputant, la plupart du temps.

Perdant la retenue dont elle faisait preuve depuis son arrivée, Suzanne sortit de la voiture, entra dans la maison et la visita de fond en comble. La cuisine, les chambres à coucher, les trois salles de bains… Elle alla même jusqu'à inspecter la boîte électrique et la plomberie. En l'espace de quelques minutes, cette maison, qu'elle avait au départ refusé de regarder, était maintenant la sienne. Celle où Paul-Émile et elle s'enracineraient. Celle où ils pourraient voir leurs enfants grandir.

« C'est tellement grand! C'est tellement beau! Je regarde les pièces pis il me semble que tout est déjà meublé. Que tout est à sa place.

— T'es contente?

— Pour pouvoir t'aimer sans avoir à me cacher, Paul-Émile, je me serais contentée d'une cabane à moineau. Ça fait que pour moi, cette maison-là est rien de moins qu'un château!

— Je suis content que tu l'aimes.

— Fie-toi sur moi : je vais en faire la plus belle maison en ville !

— Budget illimité.

— Ça va être chaleureux, chez nous. Accueillant. Il faut bien, de toute façon, avec des enfants.

— Des enfants ?…

— …

— De quoi tu parles ? »

Dring. La fin de la récréation venait de sonner sans point d'exclamation. Et le retour à la normale allait s'avérer plutôt brutal.

« Tes enfants, Paul-Émile. Aux dernières nouvelles, t'en avais trois. Pis étant donné qu'ils vont passer du temps ici, c'est important, pour moi, qu'ils se sentent les bienvenus.

— Suzanne… Mes enfants viendront pas vivre avec nous. »

Cet épisode-là, dans la vie de Suzanne, me fait toujours penser à un château de sable démoli, attaqué par la marée haute, presque au ralenti alors que l'on ne peut rien faire d'autre que de le regarder disparaître.

« Comment ?… Je comprends pas.

— Mireille pis moi, on a fait un arrangement : les petits vont vivre une semaine avec moi, pis une semaine avec elle. On va alterner. Quand les enfants vont être avec moi, on va vivre dans la maison de la rue Pratt, histoire qu'ils soient pas trop dépaysés.

— Pis cette maison-là ? demanda Suzanne, en pointant les murs de la maison. Elle va servir à quoi ?

— Ça va être notre maison à nous deux. Celle où je vais vivre quand les enfants seront pas avec moi. »

Que Paul-Émile ait cru que Suzanne allait accepter

un arrangement pareil, bien docilement, relevait presque du vaudeville. Comment aurait-elle pu, après s'être contentée de restants pendant si longtemps ? Mireille n'étant plus dans le portrait, la situation n'était plus la même et le *statu quo*, forcément, devenait inacceptable. Et alors que Paul-Émile attendait que Suzanne réplique quelque chose, celle-ci, nageant dans le bonheur quelques minutes plus tôt, luttait contre cette certitude s'imposant rapidement en elle et qui cherchait à lui faire comprendre que mon vieil ami entendait se servir de sa séparation d'avec Mireille pour tasser Drouin et délimiter son territoire.

La pression de Suzanne montait inexorablement mais elle essayait néanmoins de se calmer. Il devait y avoir une explication, se dit-elle. Une autre que celle qui s'imposait et que Suzanne ne voulait pas reconnaître.

« OK, inspira-t-elle profondément. Je veux bien attendre encore un peu en attendant que tes enfants digèrent ta séparation.

— …

— Mais pourquoi, d'abord, acheter une deuxième maison ? Je peux très bien continuer à vivre dans mon logement, moi, en attendant. Je pourrais renouveler mon bail, le temps que tes enfants s'habituent à moi, pis emménager avec vous autres au bout d'un an. J'ai attendu tout ce temps-là. Je peux encore attendre une couple de mois. »

Paul-Émile prit quelques secondes à répondre. S'il avait été trop stupide, au départ, pour comprendre que Suzanne n'accepterait plus de se cacher maintenant qu'il était séparé, il fut, par contre, extrêmement rapide à saisir qu'elle cherchait à l'emmener en terrain glissant, histoire qu'il confirme ce qu'elle était en train de comprendre. Stoïque, Paul-Émile ne chercha pas à se défiler.

« Ma mère aussi vit dans cette maison-là, Suzanne. Elle va dire quoi si elle te voit arriver ? »

Et voilà ! Sans vouloir être cliché, le chat venait de sortir du sac. La honte de Paul-Émile vis-à-vis de ses origines, de ce qu'il était et qu'il n'avait jamais voulu devenir faisait, maintenant, un retentissant retour en force.

Honnêtement, Paul-Émile avait tellement bien répondu aux attentes que sa mère avait mises en lui, avait de façon si grandiose ramené 1929 au centre de sa vie que celle-ci n'aurait probablement même pas remarqué la présence de Suzanne chez elle. Au fond, la mère de Paul-Émile ne lui servait que de prétexte pour nc pas avoir à réunir les deux pôles de sa vie venant définir tout ce qu'il était et ce qu'il faisait : ce qu'il voulait devenir – madame Marchand – et ce qu'il ne voulait pas reconnaître chez lui – Suzanne. Ayant passé sa vie à brûler temps et énergie pour garder ces pôles aux antipodes l'un de l'autre, faire demi-tour, à ce moment-ci, signifierait qu'une erreur avait été commise au départ ; que tous ses efforts ne représentaient rien du tout. Ce constat, Paul-Émile fut incapable de le faire. Pas pour l'instant. Et Suzanne perçut cette incapacité comme une claque en plein visage.

« Tu me proposes quoi de différent, au juste, Paul-Émile ? Une semaine sur deux, tu vas être avec tes enfants pis ta mère. L'autre semaine, tu vas probablement la passer à Ottawa, à travailler seize heures par jour. Pis moi, je vais encore passer après tout le monde, sans que jamais personne entende parler de moi. Pis faudrait surtout pas ! Qu'est-ce que maman s'imaginerait ? !

— Les semaines où je suis à Ottawa, tu pourrais venir avec moi.

— Pour faire quoi, Paul-Émile ? Me limer les ongles en

regardant mes histoires à'télé ? Laisse donc faire. Pis en passant, ç'a l'air de te passer cent pieds par-dessus la tête, mais j'ai une job, moi. Je peux pas m'absenter aux deux semaines pour aller me jouer dans le nez à Ottawa. Je vais me faire mettre dehors.

— T'as juste à la lâcher, ta job. Je suis là. T'as pus besoin de travailler.

— Je suis pas une putain, Paul-Émile ! J'ai refusé de l'être pendant quinze ans, je commencerai certainement pas aujourd'hui.

— Veux-tu ben me lâcher avec le féminisme, trente secondes ? Le jour, toi, où t'as commencé à lire Kate Millett...

— Pour ce que ça me donne ! Ça fait quinze ans que je gâche ma vie à coucher avec un homme marié ! Parle-moi d'un six piasses jeté par la fenêtre !

— Simonac, Suzanne... Je te demande pas de me faire à manger, de laver mon linge pis de me donner mon bain ! Je te demande juste de me laisser prendre soin de toi, un peu.

— Pis après quinze ans, il faut que je te dise comment faire ? !

— Mais t'as pas besoin de me dire comment faire ! Je t'offre de passer plus de temps ensemble. Je t'offre une belle maison avec tout ce que tu veux ! Y'est où, le problème ? !

— Choisis, Paul-Émile : soit que t'es un crétin fini ; soit que tu me prends pour la dernière des innocentes ! »

Encore une fois, Paul-Émile et Suzanne s'aimaient et communiquaient en se disputant. Comme ils l'avaient toujours fait et comme ils le feraient jusqu'au bout. Et si Suzanne en souffrait, je crois que Paul-Émile, pour sa part, en avait profondément besoin. Comme si aimer Suzanne à ce point, sans le moindre obstacle, lui aurait imposé cette partie de lui-même qu'il cherchait à renier. Et comme si grâce à ces disputes, Paul-Émile réussissait à se convaincre que cet amour, tout comme le faubourg à mélasse, ne lui venait pas naturellement; qu'il devait se battre pour l'obtenir et qu'il ne lui était surtout pas inné.

Comment Suzanne put vivre humiliée de la sorte pendant des années, je ne l'ai jamais su. Comment tous deux pouvaient avoir autant besoin l'un de l'autre, en dépit des engueulades, je ne le sus pas davantage. Denise et moi avons passé vingt ans constamment sur le pied de guerre et, à la fin, je grinçais des dents à la seule pensée de la savoir à moins d'un kilomètre de moi.

« Suzanne…

— Penses-tu que je suis trop nouille pour comprendre ce que t'essaies de faire, Paul-Émile ? En achetant cette maison-là – que tu peux revendre, soit dit en passant –, tu faisais une pierre, deux coups : tu gardais un œil sur moi, pis tu te débarrassais de Guy en même temps.

— Pourrais-tu, s'il te plaît, ne pas me parler de Art-Ross'57 ?

— Pourquoi je m'en empêcherais ? Lui, au moins, se comporte pas avec moi comme si j'étais une guidoune de la Main ! »

Paul-Émile, qui ne s'était jamais défilé devant une bonne bataille, que ce soit contre Suzanne, contre nous, contre le Parti conservateur ou contre les souverainistes, parut tout d'un coup vidé, complètement épuisé. Comme s'il n'avait soudainement voulu rien d'autre que de laisser Suzanne derrière lui, après quinze ans passés à se battre mais que l'arbitre, faisant fi de sa fatigue, lui ordonnait de poursuivre le combat. Alors Paul-Émile demeura immobile. Malsaine ou non, sa relation avec Suzanne lui était trop nécessaire, trop vitale pour qu'il vive autrement.

« C'est une chose, Paul-Émile, de vivre cachée pendant quinze ans parce que tu voulais te bâtir une vie ailleurs. Mais c'en est une autre, par exemple, de continuer à t'aimer en sachant que t'as honte de moi. »

Pauvre Suzanne...

« Veux-tu que j'aille te reconduire chez toi ? lui demanda Paul-Émile, penaud.

— Non. Je vais prendre l'autobus.

— Voyons, Suzanne... Ça va te prendre une heure et demie pour retourner chez vous... On gèle, dehors.

— Je veux pas te voir, Paul-Émile. Pas maintenant. »

Le lendemain, Paul-Émile téléphona à Suzanne. Celle-ci lui demanda, calmement, de ne plus la contacter, avant de lui raccrocher carrément la ligne au nez. Paul-Émile fut complètement démoli. Pas par les propos de Suzanne – c'était loin d'être la première fois que celle-ci lui jurait ne plus vouloir de lui –, mais plutôt par le ton employé ; par cette assurance tranquille, cette irrévocable stabilité dans la voix faisant clairement savoir à Paul-Émile qu'elle était sérieuse, cette fois-ci. Comme je l'ai déjà dit, Suzanne et lui n'arrivaient, la plupart du temps, qu'à communiquer en se disputant ; à avancer en défonçant des portes. Alors d'entendre Suzanne lui dire qu'elle déposait les armes pour de bon eut, sur Paul-Émile, un effet dévastateur.

Évidemment, il n'en a rien dit à personne. Et pour les prochains mois, sa vie n'allait tourner qu'autour du travail et de ses enfants.

Malgré ce que certains seraient portés à croire, je ne me suis jamais réjoui des déboires de Paul-Émile. Avec le recul que procurent les années, je ne peux que déplorer l'incapacité chronique d'un homme à être heureux et en paix avec l'essence même de ce qu'il était. Ayant toujours su à quel

point Paul-Émile était un homme aux habiletés exception-
nelles – là-dessus, j'étais cent pour cent d'accord avec
madame Marchand –, je suis convaincu qu'il aurait abouti là
où il est aujourd'hui, professionnellement, sans avoir eu à
sacrifier ses racines pour redonner à sa mère une vie qui
n'existait plus. Malheureusement, madame Marchand
réussit au-delà de toute espérance à faire croire à Paul-Émile
qu'il était meilleur que nous; qu'il devait nous répudier
pour mieux se rebâtir ailleurs même si, à plusieurs reprises,
les circonstances lui montrèrent que sa place était à nos
côtés. Aux côtés de Suzanne, aussi. Mais trop endoctriné par
sa mère, il a toujours tout fait pour lui prouver à quel point
il la vénérait en se persuadant, entre autres, que chacune des
fibres lui rappelant notre présence n'était rien d'autre que de
la chimère. Et malgré Mireille, malgré ses enfants, malgré
Jean, Patrick et moi, personne ne paya de prix plus élevé,
pour cette dénégation chronique, que celle qui demeurera
toujours le grand amour de sa vie.

8
Patrick... à propos de Jean

« À Verchères, le 14 novembre 1976, est décédé de corps monsieur Yoland Taillon, fils de feu Jean Taillon, après que son âme se soit envolée le 14 mars 1910. Monsieur Taillon laisse dans le deuil son épouse bien-aimée, Lucille, ses filles, Gisèle (Charles Lapalme), Pierrette (Réjean Laberge) et Blanche (Dr Laurent Renoir), ainsi que de nombreux petits-enfants, parents et amis. »

Non, ce n'est pas une blague. Je le jure sur tout ce que je suis et tout ce que je possède. Jamais je ne me permettrais de blaguer sur une situation aussi triste et absurde. Et si personne ne me croit en dépit de mes serments, je suis prêt à fournir l'avis nécrologique paru dans la *Presse* du 16 novembre 1976. Cet avis m'apparaissant comme la cause la plus probante de tous les maux ayant affligé mon ami Jean au cours de sa vie, je n'ai jamais voulu m'en départir.

Personne, vraiment, ne sut comment se comporter avec Jean, à la suite de l'annonce du décès de son père. Son mutisme tout imbibé de brandy, toutefois, n'était absolument d'aucune aide à tous s'étant portés volontaires pour l'aider à traverser cette épreuve. Mais, en dépit de son silence – ou, peut-être, à cause de lui –, Adrien et madame Bouchard prirent instinctivement la décision d'être avec Jean, le jour des funérailles de son père. Histoire, évidemment, de s'assurer que sa douleur ne fut pas engourdie par des quantités supérieures de vodka et de brandy à celles qu'il avalait habituellement.

À leur arrivée chez Jean, non seulement celui-ci n'était-il pas ivre mais Adrien et madame Bouchard le trouvèrent vêtu de son plus beau complet, et coiffé comme s'il sortait tout droit de chez le barbier. Aucun verre de brandy vide ne traînait dans l'appartement. Aucune inconnue ne gisait nue, dans son lit, avec Jean la regardant comme s'il semblait vouloir lui demander pourquoi elle y était encore.

« Doux Jésus ! s'exclama madame Bouchard. Veux-tu ben me dire où tu t'en vas, habillé de même ? Même quand tu vas plaider, t'es pas beau comme ça. »

Adrien se tourna vers madame Bouchard, l'air perplexe. Pourquoi s'était-elle permis un commentaire aussi creux alors qu'elle savait très bien que Jean s'apprêtait à prendre le chemin de Verchères ?

« J'ai téléphoné au bureau, répondit Jean en nouant son nœud de cravate. J'ai annulé mes rendez-vous pour la journée. »

Rendez-vous fort peu nombreux, au demeurant. Les problèmes d'alcool de Jean avaient, comme je l'ai si souvent répété, pris une telle ampleur avec les années que sa réputation professionnelle s'en trouvait sérieusement entachée. Un vieux juge de la Cour d'appel – un monsieur Ross, si ma mémoire est bonne – ayant toujours eu beaucoup d'affection pour mon ami avait d'ailleurs affirmé à madame Bouchard qu'il lui était devenu trop difficile d'assister à sa déchéance et qu'il vaudrait peut-être mieux, pour Jean, de réorienter sa carrière. Lorsqu'il fut mis au courant des propos du juge, Jean partit se réfugier dans sa voiture et sanglota pendant de longues minutes, avant de prendre le chemin d'une quelconque taverne d'où il ressortit à quatre pattes.

S'il peut sembler répétitif d'affirmer que je cherchais désespérément, à cette époque, un sens à ma vie, cela l'est presque tout autant d'avancer que Jean s'était perdu depuis longtemps et qu'il tentait d'oublier son indifférence, toujours plus tenace, à l'égard de sa propre existence en regardant autour de lui à travers l'embrouillement de ses verres de brandy vides. Alors qu'est-ce qui aurait bien pu expliquer ce désir soudain de Jean à vouloir saluer un homme qui était allé jusqu'à le renier dans son avis nécrologique ? Malheureusement, je n'ai jamais su trouver de réponse satisfaisante à cette question. Mais bien avant tout le monde, Adrien avait compris que cette visite au salon funéraire se voulait moins, pour Jean, une ultime tentative de faire la paix avec sa famille qu'un ardent désir de recevoir une claque de plus en plein visage ; d'exprimer encore ce profond besoin de souffrir afin de payer de sa vie le mal causé à d'autres. Des excuses en bonne et due forme, dans sa logique malade, n'auraient pas suffi alors que Jean se croyait devoir descendre encore plus bas que Lili, mademoiselle Robert et tous les autres. Et en ce sens, ses retrouvailles avec la famille Taillon s'avérèrent être une idée de génie dont la réussite s'étendit bien au-delà de la mienne lorsque je m'étais pointé aux funérailles de mon propre père, afin de pouvoir renier ma famille sans avoir à faire la sale besogne, m'assurant que mes frères et sœurs ne voudraient jamais plus rien savoir de moi.

Bien évidemment, tous les yeux se tournèrent vers Jean lorsqu'il fit son entrée au salon funéraire. Pas de manière estomaquée, comme l'on aurait été en droit de s'attendre, mais plutôt comme si tous les gens présents s'étaient attendus à cet ultime coup bas d'une pourriture comme mon ami envers cette personnification de la vertu qu'avait toujours représenté monsieur Taillon. Comme si ce dernier, maintenant qu'il n'était plus, devenait tout à coup l'égal de Jean Ier. Et en dignes défenseurs de leurs morts, tous les Taillon se sont regroupés, ameutés, comme s'ils avaient voulu donner encore plus de force à leur haine face à un Jean sans défense – Adrien étant demeuré dans la voiture – qui arrivait à peine à se tenir debout devant eux.

Cette haine, comme l'avait craint Adrien alors qu'il roulait sur la route 132, ne fut rien de moins que foudroyante et Jean n'eut pas à attendre longtemps le prolongement de l'excommunication qu'il était venu chercher. En fait, il n'eut même pas la chance d'accorder un dernier regard à la dépouille de son père. Madame Taillon – je refuse de parler d'elle comme de sa mère – alla tout de suite à sa rencontre et ne lui en laissa jamais l'occasion.

« Bonjour, salua-t-elle Jean, sa voix frôlant le point de congélation.

— Bonjour.

— Vous connaissiez mon mari ? »

Le rejet se fit de manière si sournoise, si inattendue et fut si catégorique que Jean, muet comme une taupe, se mit à trembler de tout son être. Et madame Taillon – la vieille chipie ! – regarda mon ami s'écrouler sans manifester la moindre trace de compassion ; sans jamais chercher à lui porter secours. Tout ça sous les yeux débordant de haine et de mépris des autres membres de la famille.

« C'est drôle, ajouta-t-elle. Votre visage me dit rien du tout. J'étais pourtant au courant de toutes les connaissances de mon mari. C'est quoi, déjà, votre nom ? »

Pour Jean, l'humiliation fut terrible et profonde, laissant des cicatrices qui, à mon avis, s'avérèrent encore plus douloureuses que ne l'avait été le rejet de son père. Personne ne l'insulta, personne ne lui proféra d'injures mais sa mère l'observait d'un sourire si doux qu'il en frôlait presque la méchanceté, accompagnée de tous les autres qui ne se gênèrent pas pour exprimer une hostilité si forte que Jean, déjà fragile, n'eut pas la force de demeurer debout. En cela, il venait d'obtenir très exactement ce qu'il était venu chercher: une souffrance infinie. Et les Taillon, dans toute leur folie, se firent une joie de la lui accorder.

À l'époque de notre jeunesse, dans les rues du faubourg à mélasse, les Taillon avaient la réputation d'être de bons catholiques, mais sans plus. Présents tous les dimanches à l'église Saint-Pierre-Apôtre, ils donnaient à la quête un montant d'argent jugé acceptable, tout en écoutant d'une attention polie le curé débiter son sermon. Cela étant dit, jamais personne n'aurait cru voir en eux une famille d'intégristes religieux, prêts à se martyriser pour prouver leur foi et étaler leurs croyances. Jamais personne ne les aurait imaginés se rendre à l'église trois fois par jour, tout en faisant cinq pas dans la rue en levant les yeux vers le ciel pour demander à Dieu si ces pas furent faits correctement. Seulement, les Taillon étaient bel et bien une joyeuse meute d'intégristes. Aucun doute là-dessus. Toutefois, leur dieu à eux n'était pas le même que le nôtre. Et lorsqu'il fut clair que Jean était incapable de vivre sa vie selon les règles fixées par sa famille, qu'il ne se résoudrait jamais à mettre en pratique le droit canon de Jean Ier, il fut tout bonnement et irréversiblement excommunié. Et d'une manière si mesquine, si détestable que ma propre mère, qui ne fut pourtant jamais reconnue pour sa douceur et sa compassion, en ressortait grandie.

Quelquefois, il m'arrivait de me dire que Jean Ier devait regarder sa descendance avec un air franchement découragé. Tout comme le Bon Dieu, s'il existe, doit sûrement le faire avec nous, la plupart du temps.

«Je pense que vous vous êtes trompé de salle, Monsieur», ajouta madame Taillon

Malgré la froideur de sa voix, le sourire de madame Taillon était profondément doux, maternel, comme s'il cherchait à rappeler à Jean la chaleur perdue que celle-ci croyait lui avoir un jour donnée, tout en venant souligner à gros traits le vide de son existence actuelle. Mais Jean – qui sut trouver chez madame Bouchard ce que sa mère, peu importe ce qu'elle croyait, ne lui donna jamais – ne sut retenir de ce sourire que le vide, l'insignifiance qui, effectivement, le démolissait sans qu'il lève le petit doigt en guise de protestation. Tout en sachant parfaitement qu'il serait mort étouffé, probablement à trente-quatre ans, s'il s'était plié à l'intégrisme de sa famille.

Le cercle vicieux était parfait. Aucune issue n'existait. Et Jean, dans toute sa détresse et sa solitude, allait devoir trouver en lui-même la force de se bâtir une porte de sortie.

Une demi-heure plus tard, Adrien fit son entrée à l'intérieur du salon funéraire, inquiet de ne pas voir Jean revenir et fut perplexe de constater que celui-ci ne s'y trouvait pas. Blanche, la fille cadette des Taillon qu'Adrien ne reconnut pas du tout, s'approcha doucement de lui et l'entraîna à l'écart, loin du regard de sa mère, de ses sœurs et du reste de la famille.

« Jean est déjà parti, apprit Blanche à Adrien.

— Depuis combien de temps ?

— Depuis longtemps. Y'est resté cinq minutes, peut-être. Pas plus. Et que ma mère ait permis cinq minutes, c'est déjà beau »

Adrien, se retenant de tout son être pour ne pas dire à Blanche que sa famille n'était rien de plus qu'une bande d'abrutis profonds, se contenta de hocher la tête avant de se retourner pour quitter les lieux. Étonnamment, Blanche chercha à le retenir.

« Jean était pas bien quand il est parti. »

Adrien, perplexe, ne sut que faire de l'inquiétude exprimée par la sœur de Jean. Et cette fois, il ne chercha aucunement à censurer ses propos.

« Ça fait des années qu'il est pas bien, Blanche. Viens-tu juste de t'en rendre compte ?

— J'ai entendu dire qu'il buvait beaucoup…

— À cause de qui, tu penses ? Ce que tes parents ont fait à Jean, c'est rien de moins que criminel. Pis dire que je pensais que mon père, à moi, était malade !…

— Je veux pas que tu penses que j'aime pas mon frère, Adrien. Y'a pas une journée où je pense pas à lui. Mais y'a fait tellement mal à mon père !…

— Pourquoi ? Pour avoir voulu vivre sa vie ?! Pour pas être la copie carbone d'un grand-père qu'il a jamais connu ?!

— Est-ce que tu penses qu'il est mieux, maintenant ?

— Non. Mais il serait probablement jamais devenu ce qu'il est devenu si ton père s'était pas obstiné à vouloir en faire un squelette. »

Impatient, Adrien rejeta du revers de la main les inquiétudes pour le moins déplacées de Blanche. Elle, comme tous les autres, s'était tenue debout près du cercueil de monsieur Taillon en pulvérisant son frère du regard avec toute l'hostilité dont elle était capable. Et Adrien, pour sa part, n'eut pas la patience, et encore moins la volonté, de séparer l'hypocrisie de la lâcheté d'une pauvre femme incapable de tenir tête à sa famille. Notre ami se trouvant dans un état lamentable dont il ne semblait pas vouloir se sortir, Adrien ne fut que trop heureux de faire comprendre à la famille Taillon, ne serait-ce qu'à travers ce qu'il dit à Blanche, sa très grande part de responsabilité dans les misères du fils renié.

Laissant derrière lui une Blanche paralysée et au bord des

larmes, Adrien quitta le salon funéraire pour partir à la recherche de Jean. Parti à pied, celui-ci ne pouvait sans doute être bien loin. Et il ne l'était effectivement pas. Une heure plus tard, Adrien le retrouva enfin, inconscient et une bouteille de vodka vide à ses côtés, près d'un mur de pierres, très exactement à l'endroit où Jean Ier était décédé dans une mare d'urine, soixante-six ans auparavant.

Alerté, un passant s'approcha pour porter secours à Jean alors qu'Adrien, complètement dépassé, s'assit sur le sol, enfouissant sa tête entre ses mains.

« Qu'est-ce qui se passe ? » demanda le passant, grimaçant devant les fortes odeurs d'alcool émanant du corps de Jean.

Adrien, poussant un très long soupir, mit plusieurs secondes à répondre, comme s'il cherchait les mots exacts pour bien résumer cette impuissance qui l'animait, lui, mais qui venait également tous nous caractériser, Jean, Paul-Émile et moi, comme jamais ce ne fut le cas jusqu'à ce moment.

Dans la splendide ignorance de notre jeunesse, lorsque nous avions quinze ou seize ans, nous avions tous l'habitude de regarder vers l'avant, souriant presque avec arrogance, convaincus que les désagréments de notre présent ne parviendraient jamais plus à se rendre jusqu'à nous. Paul-Émile aurait laissé derrière lui la rue Wolfe pour de bon ; je ne laisserais plus jamais ma mère avoir une quelconque mainmise sur ma vie ; le silence du père Mousseau serait devenu sourd aux oreilles d'Adrien et Jean, enfin, allait sortir de l'ombre d'un mort que sa famille s'acharnait à faire revivre.

Tout cela serait derrière, nous en étions convaincus. Comme nous étions également convaincus que la quarantaine serait douce, bonne, ayant exactement les airs que nous lui aurions donnés.

Alors comment en étions-nous arrivés là ? Cette impuissance était-elle le fruit des décisions prises au cours de notre vie ? Cette vision de la quarantaine était-elle, effectivement, celle que nous avions nous-mêmes bâtie, ou plutôt un triste cliché, vécu par quatre hommes incertains d'avoir emprunté le bon chemin et qu'aucun d'entre nous n'a su ou voulu voir venir ?

« Qu'est-ce qui se passe ? » répéta le passant, regardant cette fois-ci Adrien directement dans les yeux. Comme si, sans le savoir, il l'obligeait à répondre à ma propre question sur la trajectoire tortueuse que nos vies avaient prise.

« Je sais pas, répondit Adrien, épuisé. Je sais plus. »

9
Adrien... à propos de Paul-Émile

Avec les années, les relations entre Rolande et Paul-Émile furent loin de s'améliorer. Au grand dam de Suzanne, d'ailleurs. Rolande considérait l'amant de son amie comme un «moron fini, avec l'égoïsme directement proportionnel à la grosseur de sa bedaine», alors que Paul-Émile, pour sa part, voyait en Rolande une Attila le Hun[8] en jupon, à la différence que le chef médiéval, lui, n'embêtait personne avec ses histoires de varices.

Pourtant, au fil des années, jamais Paul-Émile n'exigea de Suzanne qu'elle mette fin à son amitié avec Rolande. Pas par esprit de générosité, dois-je le souligner. Mais plutôt parce que, quelque part, Paul-Émile comprenait que Rolande, malgré les insultes à son endroit et sa fâcheuse manie à inciter Suzanne à le passer à la guillotine, lui était plus utile que n'importe qui d'autre. Étant la seule personne au courant de la relation entre Paul-Émile et Suzanne, c'était chez Rolande, inévitablement, que celle-ci allait se réfugier pour passer ses moments de solitude. C'était chez Rolande que Suzanne allait pleurer son incompréhension de voir Paul-Émile choisir Mireille plutôt que de faire preuve de bon sens et de revenir vers elle pour de bon. Comme c'était chez Rolande, surtout, que Suzanne allait engourdir sa peur de gaspiller sa vie en aimant un homme qui la traitait – comme il nous traitait tous – de la même manière que si elle lui avait refilé une chaude-pisse. Bref, Rolande était la soupape de Suzanne; la seule lui permettant de passer ses frustrations

---

8   Roi des Huns de l'an 434 à l'an 453 ; l'histoire lui donna la réputation d'être
     sanguinaire, cruel et rusé.

tout en en connaissant véritablement les causes. De manière très rusée, Paul-Émile comprenait que sans Rolande, Suzanne l'aurait effectivement guillotiné depuis longtemps. Alors il passait outre les insultes et les moqueries occasionnelles – Rolande et Paul-Émile devant tout de même se côtoyer quelquefois; lors de l'anniversaire de Suzanne, par exemple – afin de pouvoir continuer à mal aimer une femme qui représentait, bien malgré lui, une énorme partie de ce qu'il était. Et quelque part, je crois que Rolande l'avait compris depuis longtemps. Ce qui, bien sûr, ne faisait que nourrir une haine pour Paul-Émile déjà assez bien portante, merci.

Alors nul besoin de dire que Rolande eut des airs de Mohammed Ali après un KO passé à Joe Frazier lorsque Suzanne lui apprit, à la fin de l'année 1976, qu'elle ne voulait plus rien savoir de Paul-Émile.

«YYYEEEAAAHHH! Enfin, Jésus, Marie! ENFIN!!!»

Et pour bien s'assurer que Suzanne interpréterait correctement sa petite danse de la victoire, Rolande choisit de mettre sur pied une chorégraphie complète en invitant tous leurs amis à une grosse soirée dont le but officiel était de célébrer l'arrivée prochaine de 1977.

«Tu sais, Rolande… T'es vraiment pas obligée de faire tout ça…

— Enlève-moi pas mon *fun*, OK, Suzanne? Ça fait quinze ans que j'attends que tu te réveilles pis que tu te débarrasses de ton gorille. C'est long, quinze ans. Tu penses pas que je mérite une récompense pour ce que j'ai enduré pendant tout ce temps-là?»

Suzanne ne se donna pas la peine de répliquer quoi que ce soit. Son visage fermé disait parfaitement tout ce qu'il y avait à dire.

« Je m'excuse. C'était pas la chose la plus sensible à dire. Mais je suis juste contente que tu te sois enfin décidé à penser à toi. Honnêtement. »

Et honnêtement, je ne suis pas certain que c'est précisément ce que Suzanne faisait. Tout, dans ses moindres gestes, trahissait un besoin profond de se convaincre qu'elle avait pris la bonne décision, qu'elle était parfaitement capable de vivre sans Paul-Émile et qu'elle n'aurait aucune difficulté à se remettre de la fin d'une relation vieille de quinze ans. Dans sa façon de gérer sa rupture, de se remettre de sa peine, Suzanne s'appliquait minutieusement à faire comme si Paul-Émile n'existait tout simplement pas, le rendant ainsi, par le fait même, encore plus présent qu'il ne l'avait jamais été. Même Rolande, dans toute sa joie juvénile, ne pouvait faire autrement que de s'en rendre compte.

Le soir du 30 décembre 1976, en revenant de la soirée plutôt bien arrosée donnée par Rolande, Suzanne annonça à un Guy Drouin saoul comme une botte qu'elle était enfin prête, après des années passées à l'avoir fait poireauter, à fonder une famille avec lui.

« Es-tu… Hic ! Es-tu sérieuse ?

— Oui, Guy. Je suis sérieuse.

— Ah ! Ben !… Hic ! Ah ! Ben ! Batèche ! Depuis le… Depuis le temps que j'attends ça ! Tu peux… Hic ! Tu peux pas savoir comment tu… Comment tu me fais plaisir ! »

Pour la petite histoire, retenons ici que Guy Drouin, le soir du 30 décembre, s'envoya un lot impressionnant de verres de bière derrière la cravate mais pas au point de ne plus se souvenir de rien puisque dès le lendemain matin, il sauta sur Suzanne en lui annonçant son intention de repeupler le Québec. Et un mois plus tard, son ambitieux projet fut d'ailleurs rendu public, alors que lui et Suzanne annoncèrent aux Desrosiers la venue prochaine de leur premier enfant. Monsieur Desrosiers, de manière aussi comique que très peu subtile, ne se fit pas prier pour crier sur tous les toits qu'il allait devenir, dans huit mois, le grand-père d'un enfant dont le père était membre en règle du Temple de la renommée du hockey. Ses voisins, qui s'étaient fait une joie presque maline, plus de quinze ans auparavant, d'envoyer promener madame Marchand lorsqu'elle s'était vantée d'avoir ses entrées dans la famille Doucet, furent les premiers à féliciter le père de Suzanne pour l'arrivée prochaine de celui qui, bien évidemment, ne serait rien d'autre que joueur de hockey dans la LNH. Comme quoi tout est dans la manière de dire les choses.

Et parlant des Marchand, la nouvelle de la grossesse de Suzanne finit par se rendre jusque sur la rue Pratt. S'étant rendu à Outremont avec madame Rudel pour l'anniversaire de son petit-fils Louis-Philippe, monsieur Marchand apprit à tous ceux présents, entre deux bouchées de gâteau au chocolat, que la plus jeune des filles Desrosiers attendait son premier enfant.

« Mirande doit être aux anges, sourit la mère de Paul-Émile. Depuis le temps qu'elle l'espérait…

— Je te le fais pas dire.

— Et qui est l'heureux papa ?

— Guy Drouin, évidemment. Qui d'autre ? »

À ces mots, madame Rudel administra sous la table un coup de pied à son mari afin de lui signifier qu'il devait changer de sujet. Paul-Émile, assis face à son père à la table de la salle manger, réagit à la nouvelle comme s'il venait tout juste de recevoir un coup de poing à l'estomac.

Dans mon livre à moi, monsieur Marchand demeurera toujours l'un des hommes les plus gentils et aimables qu'il m'ait été donné de rencontrer. Mais personne n'étant parfait, je demeurerai convaincu, jusqu'au jour de ma mort, que l'annonce de la grossesse de Suzanne, ce jour-là, fut faite par monsieur Marchand dans le but avoué de blesser Paul-Émile. L'avenir me donnera d'ailleurs raison à ce sujet et j'y reviendrai plus tard. Par contre, le coup de pied sous la table donné par madame Rudel fit aussitôt regretter à monsieur Marchand d'avoir ainsi piégé son fils. Peu importe la vie que Paul-Émile avait voulu se bâtir en tentant de se faire croire que ses vingt-cinq premières années n'avaient jamais existé, celui-ci, de toute évidence, n'était pas un homme heureux. Et monsieur Marchand, l'espace de quelques secondes, se culpabilisa d'avoir délibérément empiré les choses pour son fils. Paul-Émile, par sa vie personnelle, y arrivait très bien tout seul.

Madame Marchand, quant à elle, s'approcha de son fils, l'air inquiet, en lui conseillant d'appeler au plus tôt un médecin pour soigner ses problèmes d'ulcères. Comme quoi qu'en matière de leurre, personne n'y trouvait mieux son compte que la mère de Paul-Émile.

Jean, un jour, m'avoua, l'air presque coupable, qu'il aurait probablement ri à en mourir en voyant la réaction de Paul-Émile, ce jour-là. Pour ma part, je ne l'ai jamais cru. Si Jean riait volontiers devant un homme fonçant sur un poteau, ou en voyant une femme rougir après avoir laissé échapper un pet bien malgré elle, il était cependant celui d'entre nous avec la plus grande capacité de compassion et de compréhension devant la douleur provoquée par nos propres erreurs. Sa façon de raconter les misères de Patrick vient d'ailleurs en témoigner de la plus belle manière. Paul-Émile, d'accord, souffrait par sa propre faute. Mais si l'annonce de la grossesse de Suzanne ne fut pas suffisante pour provoquer, chez lui, un sérieux examen de conscience – qui viendra quelques années plus tard – elle fut, néanmoins, une source de souffrance assez grande pour que Paul-Émile comprenne enfin qu'il avait perdu la seule et unique femme qu'il eût vraiment aimée. Cela, en soi, était suffisant pour enlever l'envie de rire à qui que ce soit.

Suzanne, pour sa part, s'accrocha à ce bébé à venir comme je m'étais moi-même accroché à mon fils lorsque sa venue m'imposa sa mère sur une base permanente : en se persuadant que cet enfant n'était rien de moins que sa raison de vivre, sa ligne conductrice qui saurait lui dicter que sa place n'était pas auprès de Paul-Émile. Ce sentiment d'illusion, par contre, ne dura pas très longtemps.

Le 1er avril – entre toutes les dates, il fallait que ça tombe sur celle-là –, alors qu'elle magasinait aux Galeries d'Anjou avec sa belle-sœur Mary, Suzanne dut être transportée d'urgence à l'hôpital, où un médecin lui apprit qu'elle venait de faire une fausse couche. Poisson d'avril ! Mais la pauvre Suzanne, en larmes, crut plutôt que c'était sa propre vie qui n'était rien d'autre qu'une mauvaise blague.

Au grand désespoir de sa famille, de Rolande et du pauvre Guy, qui la regardait dépérir sans pouvoir faire quoi que ce soit, Suzanne maigrissait à vue d'œil et pleurait sans arrêt. Refusant catégoriquement de quitter son appartement, ne se levant de son lit qu'en de très rares occasions, elle ne s'alimentait qu'en avalant un petit bol de soupe aux légumes, une fois par jour.

« Elle qui a jamais été pressée d'avoir des enfants, confia madame Desrosiers à son époux, j'aurais jamais pensé qu'elle réagirait comme ça à une fausse couche.

— Qu'est-ce qu'on fait, maintenant ?

— Je le sais pas. J'ai tout essayé. Guy a tout essayé. Y'a

rien qui marche. Je suis à court d'idées. Elle va pas bien, Roger. »

Au bout du compte, ce fut Rolande – la seule, encore une fois, à connaître la cause réelle de la détresse de Suzanne – qui dut se résoudre à prendre les choses en mains. Sa meilleure amie allait trop mal et l'heure n'était pas, comme elle le comprenait très bien, aux batailles inutiles et aux insultes juvéniles.

« J'ai jamais été capable de te sentir, Paul-Émile. Tu le sais. Mais elle a besoin de toi. »

Suzanne attendait impatiemment l'arrivée de son bébé pour que celui-ci lui permette de ne pas faire face; pour que cet enfant l'empêche de se regarder, à l'âge où elle était rendue, tout en se disant qu'elle était à des années-lumière d'où elle aurait voulu se trouver. Toutefois, Suzanne craignait comme la peste que cet enfant ne soit pas suffisant, que Paul-Émile ne lui laisserait jamais de paix et qu'elle n'aurait d'autre choix que de passer sa vie à se noyer dans les regrets. Et sa fausse couche, en l'espace de quelques minutes, vint tout lui enlever d'un seul coup : l'espoir, même futile, d'arriver à se bâtir une vie à elle, loin de Paul-Émile; la force de croire, à travers la réalité qu'elle voulait se bâtir, qu'elle viendrait à bout de ses regrets. Dorénavant, alors qu'elle refusait de sortir de sa chambre à coucher, il ne restait plus à Suzanne que la cuisante impression, même dans la négation, que sa vie n'avait tourné et ne tournerait toujours qu'autour de Paul-Émile. À trente-huit ans, elle faisait du surplace et ce constat, pour elle, était infiniment pire que de reculer. Au moins, en faisant un pas en arrière, elle aurait pu prendre son élan pour mieux bondir en avant. Mais ce n'était jamais le cas. Même lorsqu'elle essayait d'avancer.

Paul-Émile, pour sa part, ne se questionna absolument

pas sur la nécessité d'avancer ou de reculer. Lorsqu'il s'agissait de Suzanne, il n'avait jamais su – ou si peu – rationaliser ses émotions comme il arrivait à le faire dans tous les autres aspects de sa vie. Près de six mois s'étaient écoulés depuis le fiasco de la maison achetée sur la rue Côte-Sainte-Catherine et en dehors du travail et des enfants, Paul-Émile fut incapable de se bâtir un semblant de vie à lui. Et une heure après le coup de téléphone de Rolande, il stationnait une Mercury de location sur la rue Étienne-Bouchard, avant de mettre le doigt sur la sonnette, de grimper au deuxième étage et d'attendre que Rolande lui ouvre la porte. Celle-ci, d'ailleurs, le fit entrer sans dire un seul mot. La situation allait bien au-delà de leurs puérils combats de coqs et tous les deux, dans un rarissime moment d'harmonie, le savaient très bien.

Lorsqu'elle aperçut Paul-Émile dans l'embrasure de la porte de sa chambre à coucher, Suzanne, amaigrie et cernée, lui sourit tristement. Comme si elle l'avait attendu, une fois de plus, et qu'il venait enfin d'arriver. Paul-Émile, fortement remué, réussit à lui rendre son sourire et partit s'allonger auprès d'elle, la serrant dans ses bras. En guise de seule réplique, Suzanne poussa un long soupir, comme si, après six mois d'absence, elle était enfin à la maison. Pas celle de la rue Côte-Sainte-Catherine. Pas celle de Rockliff et surtout pas celle de la rue Pratt. Plutôt celle que tous les deux s'étaient bâtie au fil des années et qu'ils étaient les seuls à pouvoir y entrer.

À ce moment précis, pour la première fois depuis ce jour où elle était revenue de Québec, Paul-Émile et Suzanne communiquaient et, surtout, s'aimaient autrement qu'en se disputant. Librement.

Je me souviens avoir lu, il n'y a pas très longtemps, un article de journal portant sur les années soixante-dix où l'auteur, dès le premier paragraphe, écrivait qu'à l'époque, la plupart des nouvelles étaient de mauvaises nouvelles. En analysant les années ayant précédé les années soixante-dix et celles qui les ont suivies, je ne suis pas d'avis, personnellement, que cette décennie fut pire que les autres. Je crois plutôt qu'une très grande majorité de baby-boomers étant devenue adulte à ce moment-là et, surtout, en prenant conscience que le monde ne serait jamais comme cette majorité l'avait rêvé, les années soixante-dix nous sont apparues pires parce que, comme n'importe quel enfant prenant conscience que la vie n'est pas forcément un film de Walt Disney, nous y avons laissé une grande partie de nous-mêmes. Que si nos parents ont eu à faire ce constat dans les années trente, notre tour, à nous, est venu une quarantaine d'années plus tard. Et comme nous fûmes nombreux à nous plaindre, la douleur parut, peut-être, plus grande qu'elle ne l'était en réalité.

Pour Paul-Émile – comme pour Patrick et Jean, aussi –, la douleur est arrivée par un profond sentiment d'impuissance; par une perception, implacable dans son intransigeance, que personne n'était aussi libre que certains d'entre nous avaient bien voulu croire. Ce sentiment d'impuissance, pour mon vieil ami, ressemblait en tous points au visage de Suzanne.

Si Jean et Patrick, à leur façon, réussirent à se relever de ce constat d'impuissance et à le briser, aussi, en quelque sorte, je ne crois pas que ce fut jamais le cas de Paul-Émile, bien étrangement.

À moins qu'il n'ait lui-même pris la décision de ne rien faire et de se laisser porter par le courant. Peut-être bien. Après avoir passé sa vie à la modeler comme lui-même l'entendait et en l'entendant rager, encore maintenant, sur mon supposé complexe du petit pain, je ne peux me résoudre à croire qu'il s'est écrasé sans la moindre résistance.

Le jour des retrouvailles de Suzanne et Paul-Émile, Rolande, en retrait, les observa pendant plusieurs secondes. Malgré son mépris toujours aussi virulent pour mon copain, elle savait avoir fait la bonne chose en lui demandant de revenir vers Suzanne. Sa meilleure amie était en train de sombrer et il fallait agir vite pour être en mesure de la ramener. Rolande, ce jour-là, donna également à Suzanne une preuve d'amitié absolument phénoménale, devinant que les prochaines années, pour elle, seraient encore passées à tendre la main, à fournir des mouchoirs et à offrir une épaule pour pleurer et se défouler. Seulement, à ce moment-là, Rolande ignorait encore que la personne qu'elle aurait éventuellement à consoler dans les pires moments de sa vie ne serait pas Suzanne, mais bien Paul-Émile.

Le retour

Remerciements

À Jean-René, encore et toujours. Quelqu'un a déjà dit – et ceux qui connaissent mes goûts en matière de séries télé sauront de qui je parle : « Entourez-vous de gens brillants qui vous poussent toujours à être meilleur ». Tu es certainement la personne la plus brillante – et la plus drôle – que j'ai jamais connue. J'espère être en mesure de m'élever là où tu me vois déjà. Je t'aime.

À Guillaume et Dominic, mes deux merveilleux enfants. J'espère de tout mon cœur pouvoir vous donner envie de vous élever là où vous êtes capables d'aller. Vous êtes exceptionnels. Ne l'oubliez jamais.

À mon père, Antoine. Un très gros merci pour les souvenirs ayant donné vie à cette histoire et à ceux, encore plus importants, que nous amassons en tant que père et fille. Puissions-nous continuer d'en amasser en faisant le tour des stades de baseball d'Amérique du Nord.

À ma mère, Francine. Il n'y a pas de mots pour décrire le lien qui nous unit depuis toujours. Peu importe la provenance de mes souvenirs, tu en fais toujours partie. Merci pour les mots d'encouragement, les rires, les parties de cartes et le divan lorsque je dois dormir à Montréal. Puisses-tu un jour te regarder avec mes yeux.

À Andrée et René Couture : avec les années, votre

demeure est devenue pour moi un havre de paix, un refuge nécessaire à mon bon fonctionnement. Merci de m'y faire sentir la bienvenue. Je vous aime beaucoup.

À ma famille, biologique et par alliance. Merci pour votre présence, appréciée plus que j'arriverai jamais à l'exprimer. Et plus particulièrement, un gros merci à Daniel Noël, Doris Noël et Hélène Théroux. Lorsque je veux savoir qui être pour mes filleuls, c'est vers vous que je regarde.

Tout le monde chez GolemLabs. Merci de m'avoir fait une petite place. Vous êtes mon illusion de normalité – dans la mesure où Golem peut être normal; il y a quand même un bébé chèvre dans le bureau au moment où j'écris ces lignes –, en plus d'être ma source inépuisable d'inspiration comique. Je vous en suis très, très reconnaissante.

Huge thanks to the Garritano family. This book was written, in part, in front of the ocean in South Carolina and I will never forget that you made this possible for me. And Maria, thanks for sending me to Coconut Joe's.

Salutations à mon amie Michelle. Presque vingt ans d'amitié! Il y aura toujours un bol de poutine pour toi chez nous.

Merci infiniment à toute l'équipe chez Guy Saint-Jean Éditeur. Je suis arrivée chez vous avec mon histoire et ma vieille photo, et vous m'avez tous accueillie comme si nous nous connaissions depuis toujours. Et quiconque ayant le front de prétendre que plus personne ne prend la peine, de nos jours, d'éditer des manuscrits ne te connaît certaine- ment pas, Sara. Merci pour ton temps et ton énergie.

Aux correctrices ayant travaillé sur Racines de faubourg *qui, au-delà de corriger mes fautes parfois dignes d'une élève de troisième année, me poussent à devenir meilleure.*

À madame Nicole Durand : où que vous soyez, merci pour tout.

Encore une fois, ce livre est dédié à mes merveilleuses grands-mères, Marie-Louise Painchaud et Simonne Noël. Ma nostalgie n'est jamais nourrie par un passé disparu, mais plutôt par un profond besoin de vous savoir encore avec nous. Je vous aime.

La vie est faite de misère, de solitude et de souffrance.
Et elle se termine beaucoup trop tôt.

Woody Allen

Prologue

Qui a déjà dit que vieillir, au fond, n'est pas autre chose que de n'avoir plus peur de son passé ? Les regards échangés, alors que Patrick Flynn, Paul-Émile Marchand, Adrien Mousseau et Jean Taillon continuent de parler, de raconter, prouvent leur compréhension toute nouvelle de cette maxime. Leurs sourires, presque intimidés, au début, devant la tâche considérable de raconter l'histoire pour ce qu'elle fut vraiment, se détendent à mesure que les années s'inclinent devant ce qu'ils sont devenus; devant un présent qui n'appartient qu'à eux et qu'ils savent reconnaître pour ce qu'il est; pas un passé qu'ils auraient maquillé, modifié pour ne pas avoir à y faire face.

Rendus à mi-chemin de leur existence, tous les quatre réalisaient que celle-ci n'était pas plus facile qu'à l'époque de leurs jeunes années. Souvent par leur propre faute, qu'ils l'aient voulu ou non. Et ce constat était suivi, inévitablement, par des remises en question.

Pourquoi continuer un mariage empoisonné qui n'aurait jamais dû être célébré au départ ?

Pourquoi s'entêter à changer un monde que l'on ne connaît pas, si ce n'est que pour lui donner des airs d'une enfant disparue il y a longtemps et qui ne le connaissait pas davantage ?

Pourquoi renier, encore et toujours, des racines qui n'ont jamais su – ou voulu – mourir et qui continuent de grandir dans les yeux d'une femme que l'on n'a jamais pu oublier ?

Pourquoi continuer de vouloir oublier un passé en buvant au point de mettre en jeu sa propre vie ?

Sauront-ils, tous les quatre, répondre à ces questions ? Pourront-ils regarder derrière et voir autre chose que ce qu'ils étaient et qu'ils ne sont plus ? Pourront-ils distinguer ce qu'ils auraient voulu être de ce qu'ils ne sont jamais devenus ? Sauront-ils emprunter d'autres chemins que ceux les ayant emportés loin de leurs racines ? Le temps est venu, pour eux, d'accepter les faits et de prouver que le passé, tout comme le présent, ne leur fait plus peur. Qu'ils sauront à leur tour s'incliner devant toute une vie bâtie par eux-mêmes. Quelquefois ensemble. Souvent séparément.

Quatre hommes au regard vieilli, au visage ridé et au dos courbé continuent de raconter. Pour ne pas oublier. Pour ne pas être effacés par le temps. Pour prétendre, ne serait-ce que quelques instants, qu'ils vivront éternellement dans la mémoire de rues disparues depuis longtemps.

Chapitre I
1980

1
Jean... à propos de Patrick

Avec le temps, je me suis mis à voir l'année 1980 comme un gros son de cloche. Un *dring!* de cour d'école faisant savoir à tout le monde que la récréation était finie. Même si ce n'était pas forcément le cas à l'époque – en tout cas, pas pour moi –, les années soixante-dix sont devenues, avec assez de recul pour que l'on s'en ennuie, une caricature de gens soit sur le *party*, soit occupés à manifester. Et lorsque 1980 est arrivée, c'est comme si tout le monde, tout d'un coup, avait été pris de fatigue. Je sais que c'est stupide et complètement illogique, mais lorsque j'entendais, à la radio, les premières notes de la chanson *Do That To Me One More Time*[9], je me sentais comme si c'était l'heure d'aller me coucher. Après dix ans d'un quotidien ressemblant un peu trop à une toune des Sex Pistols – oui, je connais les Sex Pistols; je les aimais bien, comme j'aime bien tous les fauteurs de merde en général –, les gens avaient envie de s'arrêter un peu et de souffler. D'oublier. De passer à autre chose.

Pour être honnête, Paul-Émile, Patrick, Adrien et moi, dans ce récit, aurions très bien pu passer outre 1980, et nous rendre directement à la fin de l'histoire. Mais, bien franchement, il aurait manqué un petit quelque chose. Il aurait manqué ce moment charnière souvent inconnu des autres et insignifiant en apparence, mais qui vient tout faire basculer.

---

9   Chanson popularisée par le duo Captain and Tennille en février 1980.

Qui nous fait tourner à droite plutôt qu'à gauche, comme l'a déjà dit Patrick en racontant une partie de ma vie dont je n'aime pas trop me souvenir[10]. Pour nous, 1980 fut effectivement chargée de banalités. Le genre de banalités dont on arrive à saisir l'importance seulement après que les années nous ont permis de prendre du recul.

Le reste des années soixante-dix, vous vous en doutez bien, fut extrêmement difficile pour Patrick. En fait, son événement insignifiant mais déterminant n'eut pas seulement lieu en 1980. Il fut 1980. Le 1er janvier, à minuit tapant, Patrick, étendu dans un lit de la Mission Old Brewery[11], décida qu'il était temps, enfin, d'abandonner.

En fait, je ne crois pas que *abandonner* soit le terme exact. Malgré toutes ses difficultés, jamais Patrick ne put se résoudre à laisser tomber le souvenir d'Agnès[12], pas plus qu'il ne voulait oublier sa volonté de rendre son monde à lui digne de l'amour qu'il lui portait. Mais après douze ans d'échecs et d'humiliations, de culs-de-sac et d'arrestations, Patrick n'avait pas le choix de reconnaître qu'il était, peut-être, aux prises avec un léger problème avec son département de communications. Vers la fin des années soixante-dix, non seulement son message ne passait toujours pas, mais les gens en étaient rendus à ne plus être capables de le voir en peinture. Au Québec, Patrick était marqué au fer rouge, mis à l'index à une époque où tout était toléré. Je me rappelle qu'Adrien avait dit, un jour, qu'il était devenu un *has been*.

---

10 Jean fait référence à la tentative de meurtre dont il fut victime dans le premier tome.

11 Centre d'hébergement pour sans-abris.

12 L'enfant que Patrick rencontra lors de son arrivée au Cameroun, et qui mourut dans ses bras (voir *Racines de faubourg*, tome 1).

En fait, c'était pire que ça. Un *has been* est agréable à revoir, une fois de temps en temps, que ce soit pour le plaisir de la nostalgie – allô, Mimi Hétu[13] ! – ou pour rire des travers d'une époque révolue. À ce stade-ci de l'histoire, les gens voulaient surtout oublier le *party* des dernières années ayant mal tourné, et Patrick, de par sa seule présence, ne savait que le leur rappeler. Alors, comment s'ouvrir la bouche pour chanter la révolution lorsque le vœu de toute une population était de fermer les yeux et d'avoir la sainte paix ? Et soyons logiques, voulez-vous ? Si le message n'était pas passé en 68, ses chances de réussite, en 1980, étaient d'une risible utopie.

Ceci étant dit, comment accepter un échec lorsqu'il signifie la défaite d'un grand pan de sa vie ? Patrick ne le savait pas et il l'ignorerait encore longtemps. Mais au moins, il pouvait considérer l'étape de la prise de conscience comme étant franchie. Avec amertume. Avec colère, aussi, comme vous pourrez le constater par la suite. Mais au moins, c'était déjà ça de gagné.

Alors que faire, maintenant ? Où aller ? Et comment s'y rendre, surtout ? À quarante-cinq ans, il sentait, comme nous tous, le temps lui échapper, l'incitant à lui courir après pour rattraper les années perdues, tout en sachant très bien qu'il ne réussira jamais. Et donc, pour la première fois de sa vie, en ce début d'année 1980, Patrick se sentit vieux et fatigué.

Peu après minuit, Patrick prit la décision de me téléphoner. Occupé à célébrer la nouvelle année avec maman Muriel, Lili et Yves, j'avais l'esprit un peu trop embrouillé par le brandy et la dinde pour encaisser le choc de ce premier

---

13 Chanteuse québécoise populaire dans les années soixante-dix.

contact en neuf ans avec mon ami d'enfance; pour bien comprendre, surtout, la cause première de ce coup de téléphone. J'avais aussi le cerveau un peu trop en compote pour me souvenir qu'Adrien et moi avions fait la promesse, en 1971, de laisser notre vieux chum sécher lorsqu'il allait se souvenir de notre existence parce qu'il avait besoin d'aide. Bref, j'avais des airs de fond de tonneau lorsque Yves me déposa, une heure plus tard, à la porte de la Mission pour que je passe y chercher Patrick.

Lorsqu'il me vit arriver, le corps amaigri, le teint blême et le *brandy nose* bien en évidence, Patrick ne put camoufler le choc que mon apparence physique, à des années-lumière de ce à quoi je ressemblais la dernière fois où nous nous étions vus, lui causa. Et si je ne tiens pas forcément à décrire en détail le laideron que j'étais à l'époque, disons seulement, en terminant, que si Patrick en était rendu, à cette période de sa vie, à vouloir arrêter le temps, j'avais, pour ma part, réussi à le devancer de façon spectaculaire.

2
Patrick... à propos de Jean

Contrairement à ce qu'il peut affirmer, Jean, à cette époque, n'avait pas l'air vieux. Pas dans le sens de vieillard, du moins. Il semblait usé, d'accord. Et il l'était très certainement. Mais il ressemblait surtout à un homme épuisé et brisé par la vie, justement; à quelqu'un qui en avait trop vu. Pas à un homme ayant dix ans de plus que ce qu'il avait, en réalité. Mais Jean, pour sa part, ne semblait pas se formaliser de cette nuance. En fait, il ne semblait plus se formaliser de quoi que ce soit. Tout l'indifférait, à commencer par son état de santé de plus en plus alarmant, qui venait donner de sérieux maux de tête à madame Bouchard, Adrien et Lili. Celle-ci, d'ailleurs, réussit le tour de force, rien de moins que miraculeux, de traîner Jean au cabinet de son époux médecin.

«Tu me fais chier, Lili, lui avait d'ailleurs dit Jean, alors que tous les deux se trouvaient dans la salle d'attente.

— Ben au moins, on sait maintenant que c'est pas aux intestins que t'as un problème. Je suis contente. Une bonne chose de faite.»

Pendant des années, Jean avait tout mis en œuvre, tout orchestré pour se rendre, intact, jusqu'à ses trente-quatre ans. Malheureusement pour lui, il ne songea jamais à se planifier une vie après que cette étape eut été franchie, ce qui vint aussi contribuer au vide de son existence, au même titre que sa famille, que ses choix douteux qu'il n'arrivait pas à assumer et, surtout, au même titre que la tentative de meurtre survenue en 1968 dont il ne s'était pas encore remis.

«Écoute, Jean..., dit le docteur Lajoie, lors de son entretien avec notre ami. J'ai eu le résultat de tes tests...»

Ne manifestant pas le moindre intérêt pour lesdits résultats, ses yeux fixant du haut du huitième étage des voitures en marche sur le boulevard Saint-Joseph, pas trop loin de la rue Boyer où j'avais autrefois habité, Jean refusait obstinément de se sortir de ce brouillard, de cet état de confusion quasi permanent où il s'enfermait pour ne pas avoir à affronter le désespoir qui le hantait constamment, sans relâche, depuis des années.

Mais le docteur Lajoie, fort des résultats d'examen qu'il avait sous les yeux, décida brusquement que Jean n'avait plus le loisir de s'enfermer dans sa bulle. Il tira les rideaux accrochés à la fenêtre et se mit à fixer Jean dans les yeux, à deux pouces très exactement de son visage.

« Aïe ! Je te parle ! T'as le cœur malade ! Tes artères sont bouchées à quatre-vingt-dix pour cent ! Va falloir t'opérer. Le plus tôt possible. »

Jean, encore une fois, se terra dans le silence, attendant le moment où il pourrait s'enfuir du cabinet du docteur Lajoie pour aller se réfugier à son bureau, y faire semblant de travailler et avaler, au passage, quelques verres de brandy.

« Écoute, Jean… Ton foie, non plus, est pas en bon état. Je le sais que c'est pas facile, mais il va falloir que tu te décides à *slaquer* sur la bouteille. Ça t'aide pas, ça. »

Le regard lointain, sentant l'impatience le gagner parce qu'il n'était même plus en mesure de fuir en se barricadant dans ses pensées, Jean ne disait toujours rien. Alors, le docteur Lajoie poursuivit son monologue.

« Si j'étais toi, je considérerais sérieusement un séjour en centre de désintoxication. »

À ces mots, Jean sortit enfin de sa torpeur, regardant le docteur Lajoie d'un air interrogateur, comme s'il venait de se faire raconter une blague qu'il n'avait pas encore saisie, avant d'éclater, enfin, d'un rire fort et gras, identique à tous ceux ayant meublé notre enfance. Ce rire magnifique eut pour effet, pendant quelques instants, de faire disparaître l'être désabusé que Jean était devenu avec le temps. Ce ton de voix, le docteur Lajoie ne l'avait encore jamais entendu. Seulement, l'état de santé de mon ami n'avait absolument rien de burlesque, et l'éclat de rire, au bout du compte, ne se révéla rien de moins que déprimant.

« Es-tu sérieux ? ! demanda Jean au docteur Lajoie. Qu'est-ce que tu veux que j'aille faire dans un centre de désintoxication ?

— Rester vivant. Si tu fais rien, Jean, je te donne pas un an. »

Je voudrais préciser, ici, que cet entretien entre Jean et le docteur Lajoie eut lieu au mois de février 1980, peu de temps après que mon ami eut l'incommensurable bonté de venir me chercher à la Mission Old Brewery. Entre-temps, je pus rapidement me rendre compte que les problèmes physiques de Jean ne se limitaient pas seulement à une question d'apparence. Celui-ci était aux prises avec de sérieuses crises d'angine, des douleurs chroniques à la poitrine, en plus de son foie qui devait payer pour des années de beuveries débridées. En fait, tous les gens autour de lui ne pouvaient que prendre conscience et déplorer le sort tout à fait effroyable que Jean réservait à son corps. Lui, par contre, refusait de se formaliser de quoi que ce soit. Il souffrait. Enfin.

« Si ça me tente pas, moi, d'aller en cure ? Tu vas faire quoi, Yves ? »

Pris au dépourvu par la stupidité infinie de cette question, le docteur Lajoie mit quelque temps à répondre. Pour ma

part, si la question m'avait été posée à moi, Jean aurait fort
probablement reçu l'un de mes légendaires *uppercuts* directement sur le menton. Lui qui n'avait su accepter la fatalité
du destin de son grand-père apposé au sien, qui avait refusé
le souhait de son père d'en devenir la copie conforme, comment pouvait-il ainsi rendre les armes et attendre de mourir ?
Comment, après tout ce temps, pouvait-il donner raison à
son père ? Le souvenir de ma douce Agnès m'empêcha toujours de comprendre. Je ne le pouvais pas. Je ne le voulais
pas, non plus.

« Je pense que tu m'as mal compris, Jean, répliqua finalement le docteur Lajoie. Tu vas crever si tu fais rien. Tu vas
mourir à quarante-cinq ans. Pis si t'es pas capable de penser
à toi, au moins, pense à ceux que tu risques de laisser
derrière. »

J'ignore à qui Jean songea à ce moment-là. Je ne sais
même pas s'il a pensé à qui que ce soit. En toute honnêteté,
j'espère que non. Parce que même si l'argument du docteur
Lajoie qui, essentiellement, visait à mettre madame
Bouchard, Lili et Adrien à l'avant-scène, pouvait se justifier
par l'urgence de la situation, il était toutefois d'une faiblesse
que le pauvre médecin ne pouvait soupçonner. Dans sa jeunesse, Jean avait eu la force de s'extirper de l'ombre de Jean
Ier en le rejetant totalement et en faisant preuve d'un égoïsme
parfois scandaleux. Plus tard, sa déchéance fut accélérée,
selon lui, par une implacable volonté d'intégrer les quelques
personnes qu'il aimait à cette existence qu'il n'acceptait de
changer pour quiconque. Et donc, avant tout, avant d'entreprendre quelque démarche que ce soit, Jean devait reconnaître le tort qu'il s'était fait d'abord à lui-même et à
personne d'autre. Sans culpabilité aucune, et sans les

remords de conscience l'ayant torturé pendant des années, il se devait d'être égoïste une toute dernière fois s'il voulait recommencer à vivre et de reconnaître que la douleur causée aux autres prendrait miraculeusement fin le jour où lui-même cesserait son entreprise d'autodestruction.

Ce qui sera fait, éventuellement. Parce que le petit événement insignifiant ayant eu lieu dans la vie de Jean, en 1980, ne le fut pas du tout.

Cette année-là, Jean cessa de boire complètement.

3
Adrien... à propos de Paul-Émile

Pour des raisons évidentes, je n'ai pas envie de discuter en long et en large du référendum de 1980. Moi qui suis plutôt prompt à expliquer le fonctionnement de la montre lorsque l'on me demande l'heure, je me contenterai d'être bref sur le sujet et de dire ceci : si ce n'avait été que de moi, le référendum aurait eu lieu tout de suite après les élections de 76. Notre position sur le thème de la souveraineté ayant toujours été très claire, la population savait dans quoi elle s'embarquait lorsqu'elle choisit d'élire le PQ. Et pas que je sois meilleur qu'un autre, mais si on m'avait écouté, nous aurions certainement évité les problèmes reliés à l'étapisme, et la question – l'infâme question – du 20 mai 1980 aurait été nettement plus concise. Bref, tout ça pour dire que nous aurions gagné et que le Québec serait un pays à l'heure où on se parle. Je serais prêt à gager ma dernière chemise là-dessus.

Paul-Émile, contrairement à ce que l'on serait en droit de s'attendre, n'aime pas parler du référendum et ce, malgré tout l'honneur qu'il en retira sur le plan professionnel. Pourquoi ? Parce qu'un événement tragique et complètement inattendu eut lieu exactement à la même période : la mort de sa mère.

Contrairement à la première moitié de la décennie, la fin des années soixante-dix fut une période relativement calme et heureuse pour Paul-Émile. Les libéraux étaient toujours au pouvoir à Ottawa – à l'exception du règne aussi éphémère que loufoque des conservateurs de Joe Clark[14] –, ses enfants,

---

14 Gouvernement conservateur élu le 22 mai 1979 et dissout presque neuf mois plus tard.

en général, allaient bien et ses rapports avec Mireille, son ex-femme, étaient cordiaux. Mais surtout, après une absence de six mois au début de 1977, Suzanne, son grand amour, était revenue dans sa vie. Au très grand chagrin de la meilleure amie de celle-ci, d'ailleurs, malgré le rôle de premier plan que Rolande joua dans ces retrouvailles.

Ces mêmes retrouvailles, en fait, n'eurent lieu qu'après une intense période de négociations qui aurait essoufflé n'importe quel chef syndical. Analogie douteuse, j'en conviens, mais qui vient tout de même donner une bonne image de la situation.

Tout d'abord, Suzanne accepta de mettre un terme à sa relation avec Guy Drouin, avec qui elle était depuis pas loin de dix ans. Chose qui, bien franchement, ne fut pas difficile à faire. Sa fausse couche, mêlée à l'incapacité chronique de Guy à lui remonter le moral, eut tôt fait de les éloigner l'un de l'autre, et ce fut en souriant tristement que monsieur Art-Ross 57, comme l'appelle Paul-Émile encore aujourd'hui, déménagea ses pénates de la rue Étienne-Bouchard. Pour ceux que ça intéresse, Guy Drouin rencontra peu de temps après une Torontoise du nom d'Ellie Seward, de qui il aura trois enfants. Aux dernières nouvelles, il vivait toujours avec son épouse, passant ses journées à s'élancer sur les différents terrains de golf de Fort Lauderdale.

Paul-Émile, pour sa part, accepta de ne plus garder Suzanne dans l'ombre, lui donnant ainsi le feu vert pour qu'elle annonce à sa famille sa relation vieille de vingt ans avec son ancien voisin. Le pauvre monsieur Desrosiers, à l'annonce de la nouvelle, s'étouffa dans sa tasse de Salada, tandis que sa douce moitié mit une bonne semaine avant de pouvoir répliquer quoi que ce soit à sa fille. De pas très joli, soit dit en passant.

« C'est ben ton grand-père Nolin qui avait raison, ma pauvre Suzanne : queue bien bandée a pas de parenté !

— Mimi, franchement ! s'était exclamé monsieur Desrosiers.

— Toi, Roger, mêle-toi de tes affaires !

— Suzanne est ma fille, aussi ! Qu'est-ce que tu penses que je fais ?

— Ta fille ? C'est drôle... Moi, j'ai pas pantoute l'impression qu'on parle de ma fille. Parce que MA fille, elle, aurait jamais joué aux fesses avec un homme marié ! MA fille, elle, aurait jamais joué dans le dos d'un homme prêt à se fendre en quatre pour faire ses quatre volontés ! MA fille, elle, aurait jamais menti à son père pis à sa mère en leur disant que le mariage l'intéressait pas, quand, en réalité, elle manigançait pour que son amant sacre femme et enfants pour s'en aller avec elle !

— Pourriez-vous, s'il vous plaît, arrêter de parler comme si j'étais pas là ? » trancha Suzanne.

Une fois de plus, ce fut Rolande qui vint éteindre le feu, venant expliquer aux parents de Suzanne l'amour profond qu'elle et Paul-Émile se vouaient, et les efforts titanesques faits par leur fille pour se bâtir un semblant de vie loin de lui. Rolande réussit à remplir sa mission, mais seulement jusqu'à un certain point. Parce qu'après avoir aimé Guy Drouin comme s'il avait été leur propre fils, les Desrosiers, en dépit des liens profonds les unissant à monsieur Marchand, ne furent jamais en mesure d'accepter complètement Paul-Émile. Et celui-ci, fidèle à lui-même, s'en balançait comme de l'an quarante ! Pris entre ses enfants et son travail à Ottawa, pas besoin de dire qu'il ne poussait jamais très fort pour que sa secrétaire inclue à son agenda quelques heures à passer avec sa belle-famille. Surtout que Paul-Émile refusait obstinément de mettre les pieds sur la rue Wolfe et que ses rares rencontres avec les Desrosiers n'avaient lieu que chez Suzanne, sur la rue Étienne-Bouchard…

Il est intéressant, ici, de souligner que Suzanne ne visita jamais la maison de la rue Pratt. Pas une seule fois. Et par choix, ce que je tiens à préciser. Il était clair, pour elle, que Paul-Émile demeurait franchement inconfortable à l'idée de l'inclure au quotidien de ses enfants – Marie-Pierre fut une adolescente assez turbulente, merci – et à celui de sa mère, en particulier, qui vivait toujours chez lui. Et si le fait de savoir que les enfants de Paul-Émile ne connaissaient à peu près rien d'elle l'affectait considérablement, Suzanne ne ressentait, toutefois, absolument pas la moindre insatisfaction à la pensée de ne pas revoir madame Marchand. N'ayant jamais oublié la conversation[15] entre celle-ci et son époux, peu de temps avant le mariage de Paul-Émile, elle refusait de risquer la possibilité d'une quelconque humiliation devant cette femme qui ne voulut jamais reconnaître l'importance qu'elle avait aux yeux de son fils. Et pourquoi l'aurait-elle fait, de toute façon?

«Ça fait vingt ans qu'elle vit à Outremont, pis elle a jamais voulu retourner dans le bas de la ville, dit Suzanne à Rolande. Si cette femme-là a changé le moindrement, si cette femme-là est plus une snob finie, mon nom est Nana Mouskouri.»

Trop heureux de ne pas avoir à réunir les deux pôles opposés de sa vie, Paul-Émile ne chercha jamais à convaincre Suzanne des vertus d'un déménagement à Outremont, leur

---

15 Voir *Racines de faubourg,* tome 1, p. 234 à 239.

vie à deux se déroulant chez elle lorsque les enfants n'étaient pas avec lui, ou à Ottawa lorsque Suzanne pouvait s'y rendre. Celle-ci, d'ailleurs, avait accepté d'y passer quelques jours peu de temps avant le référendum, Paul-Émile ne pouvant se libérer pour aller la rejoindre à Montréal.

« Tu devrais te reposer un peu, dit Suzanne en bâillant. Ton teint commence à grisonner.

— Je prendrai des vacances après le 20 mai, répliqua Paul-Émile. Pis tu viens avec moi. Dis-moi où, pis c'est là qu'on va aller. C'est moi qui paye. »

Suzanne eut envie de répondre que son logement à elle lui convenait parfaitement et, qu'en plus, il n'aurait même pas à quitter les lieux avant onze heures pour qu'une femme de ménage ait le temps de nettoyer la chambre, mais elle choisit de se taire. Elle avait compris depuis longtemps que Paul-Émile, dans toute l'étendue de son langage codé, n'arrivait à exprimer son affection qu'en ouvrant son portefeuille. Ressentant encore l'impression de se faire entretenir, même après toutes ses années, Suzanne s'occupait à polir son refus lorsque le téléphone sonna et que Marie-Louise, l'aînée des Marchand, apprit à Paul-Émile le décès de leur mère.

À tort ou à raison, j'ai toujours cru qu'un homme ou une femme, peu importe l'âge, ne sont jamais aussi enfants qu'à la mort de leurs parents. Que ce soit les beaux souvenirs qui refont surface, ou encore une longue amertume qui, sous le coup du choc, n'est plus refoulée, chacun d'entre nous prend peur, paralyse et voudrait que quelqu'un, qui que ce soit, prenne notre main en nous disant ce qu'il faut faire. Qui peut nier que la mort de mon père me donna des airs d'ado-lescent attardé, bien décidé à se rebeller contre tout ce qu'il avait toujours représenté ? Qui peut contester que le décès de monsieur Taillon transforma Jean en petit garçon à culotte courte, prêt à faire pénitence, à genoux, dans le coin?

Pour Paul-Émile, la situation ne fut pas différente. L'annonce du décès de sa mère l'inonda de souvenirs de celle-ci, faisant ainsi remonter à la surface des odeurs de son enfance, des sons, des regards et des sourires ayant marqué sa jeunesse. Alors, forcément, ce ne fut pas Outremont qui prit Paul-Émile au cœur et à la gorge, mais bien le faubourg à mélasse. Malgré tout ce qu'elle avait pu lui dire, malgré tout ce qu'elle avait pu lui enseigner, malgré tout ce qu'elle avait voulu qu'il soit et qu'il était certainement devenu, Paul-Émile n'arrivait à voir rien d'autre que sa mère du temps où il était petit, alors que sa taille à lui venait donner à madame Marchand des airs de déesse qu'elle demeurera, aux yeux de son fils, jusqu'au jour de sa mort.

Cette année-là, l'homme de quarante-cinq ans qu'était devenu Paul-Émile fut forcé de s'arrêter à cet enfant qu'il avait un jour été et qui ressentait désespérément le besoin de se souvenir de cette femme qu'il venait de perdre dans tout ce qu'elle fut de parfait, de grandiose et d'extraordinaire. Ce souvenir, Paul-Émile ne pouvait le vivre qu'à travers des yeux dont le regard innocent n'était pas encore abîmé par le temps, et à un âge où son besoin d'elle prédominait sur tout le reste.

Ironiquement, ce fut le souvenir de madame Marchand qui allait pousser Paul-Émile à baisser les bras dans ce combat qui l'opposait à lui-même, et qui se déroulait depuis plus de trente ans sur la rue Wolfe. S'il se refusait toujours à reconnaître sa défaite – pour l'instant, du moins –, son mépris à l'égard du quartier nous ayant vus grandir encaissa un sérieux coup à la disparition de madame Marchand, parce qu'à partir de ce moment, Paul-Émile n'arrivait plus à se souvenir du faubourg à mélasse sans que l'enfant en lui ressente un besoin pressant de se rappeler les belles années qu'il y a vécues avec sa mère.

Soudainement, mépriser la rue Wolfe aurait signifié que Paul-Émile méprisait aussi le souvenir de madame Marchand. Et jamais, jamais n'aurait-il pu s'y résoudre.

Toutefois, l'histoire ne s'arrête pas ici.

4
Paul-Émile... à propos d'Adrien

Non, l'histoire ne s'arrête pas ici. En effet. Mais l'histoire, sans s'immobiliser, peut prendre une forme différente, d'une personne à l'autre. Elle peut être collective, bien souvent. Ou confidentielle, comme elle le fut pour nous quatre à cette période de notre vie.

Plus j'avance dans l'histoire et plus il m'est facile de raconter celle d'Adrien. L'envie de le secouer est moins prenante. Celle de sourire en coin également. Et s'il est clair que j'aurais rejeté l'existence qu'il a menée, celle-ci, au tournant des années quatre-vingt, m'apparaît moins comme une risible perte de temps.

Je n'ai jamais compris pourquoi Adrien refuse de parler du référendum. En fait, oui, je comprends. Évidemment. Mais la défaite du camp du «Oui» fut, pour lui, un tremplin incroyable; un virage qui l'amena à remettre sa vie en question. Et ça, seulement ça, devrait pousser Adrien à s'attarder à cette période de sa vie en se réjouissant. Pour le reste, il y a les livres d'histoire.

Parlant d'histoire, Adrien se jeta comme un perdu dans la campagne référendaire parce que c'était tout ce qu'il lui restait. Son mariage avec Denise, après des années d'affrontements, ressemblait aux plaines d'Abraham après la bataille des troupes de Wolfe contre celles de Montcalm. Leur relation était si mauvaise qu'ils en étaient rendus à s'éviter, à se planifier des absences pour que l'un et l'autre ne soient pas dans la maison en même temps. Pas parce que c'était plus facile comme ça, mais parce que c'était devenu moins dangereux. Et moins humiliant, surtout. Leurs scènes de ménage à la limite du burlesque s'étaient multipliées au fil des ans. À l'épicerie… À l'école, lors de réunions de parents… Et même à l'Assemblée nationale, une fois, devant un René Lévesque médusé, qui avait regardé Adrien et Denise s'engueuler comme s'ils avaient été deux fous furieux en cavale. Les années gaspillées à vivre ensemble provoquèrent une haine profonde entre les deux, et la peur de sentir le temps leur échapper, à quarante-cinq ans, venait leur enlever toute retenue. Pourtant, après vingt ans, leur mariage tenait encore le coup, offrant aux gens de leur entourage un témoignage extraordinaire sur la force des habitudes.

Autre relation n'étant pas au beau fixe : celle entre Adrien et ses enfants. Rien de comparable avec Denise, évidemment. Mais Adrien, avec le temps, n'arrivait toujours pas à comprendre que son besoin de Claire et Daniel ne compenserait jamais son manque de liens avec son propre père. Les enfants, de leur côté, incapables de comprendre pourquoi leur père monologuait sans arrêt, ne voulaient pas se joindre à lui et se sauvaient inévitablement lorsque Adrien voulait discuter avec eux de tous les sujets inimaginables, allant de leur vie sentimentale aux soirées dansantes du samedi soir. Mais quand on est un jeune homme renfermé de dix-neuf ans attiré par les hommes, veut-on vraiment discuter de ses amours avec son père ? Non. Daniel, en tout cas, ne le voulait pas. Et Adrien, dans sa logique verbeuse, ne comprenait pas pourquoi son fils ne lui parlait pas. Lui-même aurait tout donné, autrefois, pour avoir une oreille paternelle aussi attentive. Alors pourquoi pas Daniel ? Pourquoi pas Claire, qui agissait avec ses parents comme s'ils n'étaient rien d'autre que deux demeurés ? Dans son raisonnement simpliste, Adrien commettait l'erreur typique de superposer les manques de sa jeunesse aux besoins de ses enfants qui, eux, étaient très différents. Mais bon. N'étant pas parfait moi non plus, je veux bien admettre que mon cœur en forme de portefeuille n'était pas bien mieux.

Trois mois avant le référendum, Adrien dut également encaisser un coup qu'il ne vit pas venir : le mariage d'Alice, sa Suzanne à lui, à un professeur de droit de l'Université Laval. À l'époque, tout le monde s'entendait pour dire que ce mariage ne tiendrait pas. Et pour cause : le futur marié ressemblait, comme tous les soupirants l'ayant précédé, à s'y méprendre à Adrien. Mais la noce eut quand même lieu, et mon copain se contenta d'y assister par l'entremise d'un article dans les journaux.

« Félicitations », dit Adrien, platement, lorsqu'il tomba sur Alice peu après son mariage, dans les couloirs de l'Assemblée nationale.

Alice le remercia en évitant de le regarder dans les yeux. Elle avait eu vent des paris lancés sur la durée de son mariage, et de se retrouver devant la personne étant à la source de la fragilité annoncée de son union fut difficile pour elle. Toutefois, malgré ses sentiments toujours présents pour Adrien, elle choisit d'aller de l'avant. Le poids des années, j'imagine, était devenu trop lourd pour qu'elle n'essaie pas de l'alléger en se disant qu'elle avait encore la vie devant elle. Adrien l'avait compris. Et malgré la peine éprouvée, il lui sourit tristement en lui souhaitant tout le bonheur du monde.

« Je le pense sincèrement, lui dit-il.

— C'est drôle, dit Alice, après quelques secondes de silence. Depuis le temps que c'est fini entre toi et moi, j'aurais quand même aimé ça que tu me souhaites pas d'être heureuse. »

C'était sa manière à elle de lui dire qu'elle ne l'avait pas oublié; que le lien, malgré le temps passé, n'était pas rompu. Depuis ce jour de 1968 où Alice, les deux pieds sur son bureau en train de manger sa pizza, avait fait la connaissance de mon ami, tous les deux n'ont jamais réussi à s'oublier. Malgré le retour de Denise dans le décor... Malgré des retrouvailles éphémères lors des élections de 1976... Tout seul dans un coin, Adrien en a pleuré un bon moment.

Le soir du 20 mai 1980, Adrien fut l'un des rares, malgré sa déception, à se pointer au centre Paul-Sauvé pour appuyer son chef. Si l'on regarde attentivement les vidéos d'archives, on peut l'apercevoir, à quelques mètres de Lise Payette, essayant de chanter *Gens du Pays*. Il n'y arriva pas. À peine quelques minutes plus tard, il quitta les lieux pour aller s'engourdir les neurones dans l'alcool, finissant par réapparaître chez lui, pas encore tout à fait sobre, le lendemain matin. Quoique la voix de Denise, à son arrivée, eut tôt fait de le dessoûler.

« T'étais où ? »

En vingt ans de mariage, Adrien avait découché plus d'une fois, et jamais Denise ne s'était embarrassée à lui demander des explications. Si elle tolérait de peine et de misère le père de ses enfants, elle n'avait rien à cirer de son époux et regrettait ce jour de 1970 où elle avait accepté son retour à la maison. Alors, forcément, Adrien fut décontenancé lorsque Denise voulut savoir où il avait passé la nuit.

« Est-ce que les enfants dorment encore ? demanda-t-il.

— Claire est encore couchée. Daniel a appelé pour dire qu'il allait dormir chez un ami.

— Encore le même ?

— Oui.

— Coudonc! Y'est tout le temps rendu là! Est-ce qu'il lui paie une pension, au moins?

— Daniel a dix-neuf ans, Adrien. C'est normal qu'il passe le plus clair de son temps ailleurs.

— …

— T'as pas répondu à ma question, tantôt. T'étais où?

— Je sais pas. Je me suis réveillé dans mon char, à matin. C'est tout ce que je me souviens.

— En boisson… C'est brillant, ça.

— Veux-tu ben te mêler de tes affaires?

— Tu peux ben te paqueter la face tant que tu veux, Adrien. Je m'en balance. Mais il serait arrivé quoi si tu t'étais fait arrêter par la police?

— Je me serais pas fait arrêter, Denise.

— Ben oui… Venant d'un gars qui se souvient même pas où il a passé la nuit. Tout un argument, ça, Adrien. Bravo.

— On peut-tu arrêter la guerre avant qu'elle commence? J'ai mal à'tête… On serait pas à forces égales…

— T'as raison, répliqua Denise, le regard faussement triste. Pis tu devrais aller te coucher. Autant d'énergie pour en arriver à ça… Mais inquiète-toi pas, Adrien. Les gens oublient vite. Dans dix ans, ils vont se souvenir du référendum perdu. Mais ils se souviendront pus c'était à cause de qui. »

Encore aujourd'hui, je reste pantois devant cette affirmation. Malgré l'apparente empathie, la phrase contenait une méchanceté évidente qui ne visait qu'Adrien. Comme si la campagne référendaire avait commencé par lui, qu'elle s'était terminée par lui et qu'il était le seul responsable de son échec. Et si je ne doute pas de la sollicitude dont Denise pouvait faire preuve avec les autres, le désir de blesser, chez elle comme chez Adrien, n'était jamais loin. Alors cette phrase, insignifiante en apparence, fut assez pour mettre le feu aux poudres.

« Je pense que je vais aller me coucher, répliqua Adrien. J'ai mal au cœur, tout d'un coup.

— Quoi ? répliqua Denise, faussement mielleuse. Qu'est-ce que j'ai dit ?

— Rien. Bonne nuit.

— Ça m'apprendra, moi, à faire preuve de compassion.

— De compassion ? ! Quand est-ce qu'on fait preuve de compassion l'un envers l'autre, Denise ? Toi pis moi, on s'engueule. On s'attaque. On s'écoeure. Simonac, on va probablement finir par se tuer ! Mais on n'a pas de compassion. Jamais. Ça fait que viens pas me faire chier à me faire croire que t'as de la peine pour moi quand ton haleine pue encore le champagne *cheap* à plein nez !

— Je suis pas une hypocrite, moi, Adrien. T'as toujours su de quel côté de la clôture je me trouvais.

— Pour le savoir, je le sais ! Tout le monde le sait ! C'est pour ça que c'est loin d'être nécessaire pour toi de faire semblant de t'inquiéter pour mes états d'âme, merci bien !

— Je vais te dire une chose, Adrien : oui, je suis contente. Parce que le bon côté a gagné. Pis tu veux savoir comment je sais ça ? Parce que t'en fais pas partie. T'es un *loser*, Adrien. Un perdant de la pire espèce. C'est pas mêlant, je pense que si tu m'avais annoncé que t'étais devenu fédéraliste, je me serais mise à militer pour le « Oui » ! Parce que tout ce que tu fais, tout ce que tu touches, finit tout le temps par échouer ! Pis surtout, surtout, parce que t'es pas foutu d'avoir un minimum de colonne vertébrale ! T'as passé ta vie, Adrien, à parler contre ton père, pis à dire que tu voulais pas être comme lui. Ben laisse-moi te dire une chose, mon homme : ton père, dans tout ce qu'il était de plus laid, avait plus de colonne que t'en auras jamais. Tu subis, toi, Adrien. Tu réagis. Tu te fais marcher dessus ! Mais t'es jamais fichu de mettre ton pied à terre quand il faudrait que tu le fasses. Ton maudit référendum en est le plus bel exemple. Ta gang aurait gagné si elle t'avait écouté, Adrien. S'ils avaient fait comme tu voulais qu'ils fassent, pis que le référendum ait lieu tout de suite après les élections. Mais comme d'habitude, tu t'es fait marcher dessus ! Tu parlais mais personne voulait t'écouter ! Pis moi, je te regardais aller en riant. En sachant que c'est moi qui allais gagner parce que le plus grand *loser* de tous les temps était dans le camp adverse. Non, je suis pas une hypocrite, Adrien. Je ferai certainement pas semblant d'avoir de la peine parce que t'as perdu, pis que c'est MOI qui ai gagné. Au contraire ! Je m'en réjouis ! Pis ta face d'enterrement me nourrit plus que tu le sauras jamais ! »

La réduction d'un événement historique comme le référendum de 1980 à un simple affrontement entre un mari et une femme vint montrer dans toute sa splendeur, à mon avis, la profondeur de la haine que se vouaient Adrien et Denise. D'affirmer qu'Adrien avait perdu la bataille à lui seul était d'une simplicité ridicule. Tout comme l'était cette affirmation visant à en faire un perdant fini. Mes collègues et moi avons passé trop de temps à sacrer après lui et à le craindre, jusqu'à un certain point, pour que je me permette de le voir comme un échec complet. Et personne ne pourra jamais remettre en doute le boulot colossal qu'il a accompli lors des élections de novembre 76. Mais l'animosité entre lui et Denise en était rendue à un point tel que le besoin de blesser refusait de s'encombrer d'un détail insignifiant comme la vérité.

Pourtant, malgré la dureté qui en découlait, un aspect important ressortit des propos de Denise, ce jour-là : Adrien, malgré ses quarante-cinq ans, n'a jamais cessé d'être le fils de monsieur Mousseau. Malgré la réussite de sa vie professionnelle, il était toujours dans la bulle de silence où son père l'avait enfermé et ne semblait pas pouvoir en sortir. Même s'il détenait la clé entre ses mains. Il pouvait bien parler de moi et ma mère…

Si la jeunesse a le jugement facile, l'expérience nous donne une compréhension des faits pour accompagner ce jugement qui, sans disparaître, devient moins brutal avec le temps. Je n'ai jamais pu me résoudre à l'immobilisme dont Adrien fit preuve. Encore moins à son fatalisme. J'aurais probablement fini interné si j'avais eu à vivre une vie comme la sienne. Mais la suite des choses allait donner à Adrien la chance non seulement de repartir de zéro, mais aussi de se reconstruire en cet homme qu'il aurait été dès le départ si son père le lui avait permis. S'il l'avait appuyé de la même manière que ma mère l'a fait avec moi, malgré les griefs qu'Adrien pouvait avoir envers elle.

Le matin du 21 mai 1980, Adrien encaissa, accusa et subit pour la dernière fois. Deux jours plus tard, il donna sa démission à l'exécutif du PQ pour ensuite quitter la maison de la rue Robert.

Où est-il allé ? Loin. Très loin.

Quelque part, au milieu, lui et moi allions nous retrouver. Mais pas tout de suite.

5
Adrien... à propos de Paul-Émile

Malgré la foi indéfectible de ma mère, je me suis souvent questionné, tout au long de mon existence, sur la possibilité d'une quelconque forme de vie après la mort. Malheureusement, mes questionnements ne m'ont jamais fait cadeau d'une certitude absolue. J'aurais bien voulu, pourtant. Encore aujourd'hui, je serais prêt à donner gros pour ne plus jamais douter. Enfin... Je donnerais bien pour rien parce que me voilà aujourd'hui, à soixante et onze ans, cherchant encore des bribes d'information pouvant éclairer mes doutes. J'en ai acheté, des livres, là-dessus. Assez pour me bâtir une bibliothèque complète sur le sujet. Mais, ces livres ayant été écrits par des mortels, alors que je cherchais justement des preuves sur ce qui ne l'était pas, je n'ai jamais été en mesure de croire sans l'ombre d'un seul doute. Ce n'est pas que je ne veuille pas croire, en fait. Sans doute qu'à une certaine période de ma vie, ça m'aurait grandement facilité les choses. Comme ça me les faciliterait maintenant. Malheureusement, je n'y suis jamais arrivé.

Paul-Émile, pour sa part, ne douta jamais. Pas même une seule seconde. Ce n'est pas qu'il était particulièrement croyant. Au contraire ! Mais lorsque madame Marchand est décédée, la perte de sa mère vint donner à Paul-Émile un profond besoin de croire qu'elle était toujours là, même s'il ne pouvait plus la voir. Et ce besoin, qui ne fera que s'approfondir avec le temps, prit racine dans deux événements ayant eu lieu aux funérailles, et qui le troublèrent énormément. Sans, évidemment, qu'il n'en fasse jamais la moindre démonstration.

Je parle de Paul-Émile, après tout.

J'ignore si j'en ai fait mention, mais madame Marchand mourut dans son sommeil d'un arrêt cardiaque. La mort rêvée, selon moi. Encore mieux que mon père, qui passa l'arme à gauche assis dans son fauteuil. Mourir les yeux fermés, en rêvant, alors que l'on est déjà ailleurs. Sans peur, sans choc et sans aucune appréhension. Tout en douceur. Personne ne peut demander mieux. Et puisqu'on doit tous y passer… Mais aux yeux de Simonne, la sœur de Paul-Émile, celui-ci n'aurait pu être plus responsable de la mort de leur mère que s'il l'avait lui-même poussée en bas du dixième étage de la place Ville-Marie. Elle qui a longtemps réprimé sa colère devant le mépris que son frère affichait à l'égard du reste de la famille n'avait tout simplement plus l'énergie de le faire à la suite du choc causé par la mort de leur mère. Le presto, d'ailleurs, sauta à moins de dix mètres du cercueil de madame Marchand, au salon funéraire.

«Laisser une petite vieille toute seule dans une grande maison comme ça, à'semaine longue! s'exclama Simonne. Franchement, Paul-Émile! Laisse-moi te dire que t'as déjà eu l'air plus brillant!

— Comment tu voulais que je sache, moi, que maman était malade? C'est pas comme si elle se promenait le ventre ouvert, avec ses tripes à l'air! Pis en passant, t'as rien vu, toi non plus.

— Je vivais pas avec elle, moi. Elle vivait dans TA maison, Paul-Émile.

— Ça fait des mois que je suis à Ottawa, une semaine sur deux! Au cas où tu serais pas au courant, Simonne, mon travail est important.

— Mon cœur saigne pour toi, Paul-Émile. Pis laisse-moi

te dire que de te voir t'abaisser à côtoyer du monde insignifiant comme nous autres, ça me fait brailler. Si tu permets, j'aurais une question à te poser : quand tu te promènes dans les couloirs du Parlement, est-ce que tu traînes une sonde avec toi ? Parce que Dieu sait ce qui va se passer si t'as le malheur de t'absenter trente secondes pour aller pisser ! Pour l'amour du ciel, le pays va ben s'écrouler ! »

Sur ce, monsieur Marchand crut bon de s'interposer entre son fils et sa fille.

« Pourriez-vous, s'il vous plaît, avoir un peu de respect pour votre mère ? Vous pourriez au moins attendre que la tombe soit refermée pour commencer à vous prendre aux cheveux ! »

Paul-Émile baissa les yeux, mais Simonne, en colère, se permit de décocher une dernière flèche à l'endroit de son frère.

« T'auras beau te mettre la tête dans le sable autant que tu voudras. Pis tu peux ben te dire mille fois que c'est pas de ta faute. Mais la réalité, mon petit Paul-Émile, c'est que tu t'occupais pas de maman. Elle vivait avec toi dans la mesure où ça te dérangeait pas. Si t'avais su qu'elle était malade, je serais prête à te gager cent piastres que tu l'aurais envoyée à l'hôpital en leur disant de la garder. »

Ce fut l'une des dernières fois que Simonne adressa la parole à son frère. Pour ma part, j'ai toujours cru que ses propos étaient d'une injustice inqualifiable et reflétaient bien plus sa rancœur pour le traitement que Paul-Émile lui avait réservé à elle, à Marie-Louise et à monsieur Marchand – la suite des choses viendra d'ailleurs me donner raison – que le portrait véritable dépeignant les liens entre Paul-Émile et sa mère. Malgré tous ses défauts, malgré l'égoïsme indécrottable dont il était atteint depuis sa naissance, Paul-Émile adorait madame Marchand et s'était occupé d'elle de manières bien plus variées qu'en lui ouvrant son portefeuille. Sa vie entière en fut la plus belle preuve et, en temps normal, Paul-Émile l'aurait rappelé à Simonne d'une voix méprisante comme lui seul savait le faire. Mais le petit homme en culotte courte qu'il était redevenu depuis le décès de sa mère s'attendait à revoir la sœur douce et rieuse qui le traitait comme s'il avait été son ours en peluche. Au lieu de cela, Paul-Émile se retrouvait face à face avec une femme en colère qu'il ne connaissait pas et qui l'accusait d'un méfait dont il était incapable d'assumer la portée. Quel enfant de huit ans supporterait l'idée d'avoir tué sa propre mère ?

Paul-Émile ne sut rien répliquer aux accusations de Simonne, se mettant plutôt à trembler et à faire appel à une foi dont il s'était désintéressé il y a longtemps, pour se conforter dans son besoin de croire que madame Marchand était toujours là, peu importe cette absence de preuves qui m'empêcha toujours d'être pleinement convaincu qu'il y avait bien une vie après la mort.

Le deuxième événement ayant profondément marqué Paul-Émile, ce jour-là, fut la lecture du testament de sa mère, assis dans son salon, à Outremont.

« Paul-Émile, dit monsieur Marchand à son fils. Je suis fatigué. On pourrait pas faire ça une autre fois ?

— Le référendum est dans quelques heures. Si je fais pas ça maintenant, j'aurai pas le temps après. Faudrait reporter ça, pis ben franchement, j'aimerais mieux que tout soit réglé le plus tôt possible.

— O.K. Mais tu penses pas que tes sœurs devraient être ici, avec nous autres ? »

En fait, monsieur Marchand aurait plutôt dû rediriger sa question vers lui-même. Qu'est-ce qui pouvait bien justifier sa présence à la lecture du testament de son ex-femme ? Tous deux étaient divorcés depuis des années et ne s'étaient pas vus depuis si longtemps que le père de Paul-Émile s'était étonné d'avoir eu recours à des photos pour se rappeler à quoi ressemblait celle qui fut son épouse pendant quarante ans.

« Tu sais que j'en reviens pas que ta mère ait fait un testament ? Dans le temps, elle m'engueulait comme du poisson pourri quand je lui disais qu'il faudrait qu'elle en fasse un.

— Ça m'a pris un bout de temps pour la convaincre, mais elle a fini par changer d'idée.

— C'est bien. C'est une bonne chose. »

Paul-Émile tendit alors une enveloppe à monsieur Marchand qui, lui, fixa son fils en silence pendant quelques secondes, estomaqué.

« Qu'est-ce que c'est, ça ?! demanda-t-il à Paul-Émile.

— Aucune idée, répondit celui-ci. Tout ce que je sais, c'est que j'ai eu ordre de vous remettre cette enveloppe-là en mains propres. »

Ce fut en tremblant que monsieur Marchand ouvrit l'enveloppe, plusieurs secondes après l'avoir reçue.

Le dimanche 14 mai 1978
Moi, Florence Beauregard-Marchand, saine de corps
et d'esprit, je lègue tous mes biens à mon époux,
Gérard Marchand.

L'écriture, visiblement, était celle d'une dame âgée, la main instable et tremblante, offrant à Paul-Émile une vision n'ayant absolument rien à voir avec l'image de la jeune mère à laquelle il se raccrochait depuis son décès, et pour la première fois de sa vie, il comprit que sa mère avait vieilli. Que lui-même ne s'était jamais donné le temps de la voir vieillir. Et le sentiment de culpabilité, pour mon vieil ami, fut foudroyant.

Au bout du compte, le testament de madame Marchand ne contenait aucune trace non seulement de ses années passées sur la rue Wolfe – le contraire aurait été étonnant – mais également de son retour sur la rue Pratt. Henri Monette, son petit ami des dernières années, n'était nommé nulle part. Pas plus, bien tristement, que ne l'étaient ses enfants et ses petits-enfants. Sur le coup, Paul-Émile interpréta le testament de sa mère comme l'expression d'un long regret vis-à-vis de son ancien mari, accompagné d'une espèce de déclaration d'amour posthume à l'endroit de celui-ci. Mais quelques secondes plus tard, lorsque monsieur Marchand sortit une vieille photo de l'enveloppe, Paul-Émile comprit que son interprétation des dernières volontés de sa mère n'était pas complète, qu'il y manquait quelque chose et que cette image allait l'éclairer. La photo en question, datée de septembre 1929 – quelques semaines à peine avant le krach boursier – montrait monsieur et madame Marchand dans la vingtaine, souriants et amoureux, assis dans leur jardin à Outremont.

Les gens du faubourg à mélasse ont souvent ri de madame Marchand. Et Dieu sait qu'elle fut, pour eux, une source intarissable de dilatation de la rate ! Mais aujourd'hui, quand j'y repense, je me demande souvent quelle aurait été leur réaction s'ils avaient pu, eux aussi, être témoins de la lecture de son testament. Est-ce que l'aversion, trop solidement ancrée, aurait persisté ? Ou alors auraient-ils plutôt fait preuve de compassion envers une femme ayant gaspillé sa vie à rattraper le temps perdu ? Personne ne le saura jamais, parce que monsieur Marchand, lui, n'en parla à personne, même pas aux Desrosiers, se contentant de diviser les biens de son ex-épouse en parts égales avant d'en faire cadeau à ses petits-enfants, ne conservant que la photo, qu'il rangea au fond d'un tiroir. Malgré son divorce, malgré madame Rudel, il ne put jamais se résoudre à s'en débarrasser; et, à la mort de son père, neuf ans plus tard, Paul-Émile fut touché plus qu'il ne fut en mesure de l'exprimer lorsqu'il retrouva cette vieille image de ses parents parmi les effets personnels de son père. Tout comme il fut troublé par la lecture différente qu'ils faisaient de leur propre histoire. Celle-ci les avait liés pendant si longtemps qu'il apparaissait d'une nullité presque irréaliste qu'elle ait été, également, à la source de leur séparation.

Plus tard, dans un très rare moment d'expression émotive, Paul-Émile dira que sa mère, vers la fin de sa vie, avait enfin reconnu que 1929 ne reviendrait jamais; que la rue Wolfe avait bel et bien existé, qu'elle y avait laissé sa trace, d'une certaine manière, et que, si son désir de retourner à Outremont était en soi légitime, sa manière d'y retourner en levant le nez sur trente ans de sa vie, par contre, avait fini par lui coûter très cher. Toutefois, la reconnaissance ne rend pas toujours l'acceptation plus facile et, dans le cas de madame Marchand, elle n'eut malheureusement jamais lieu. Car au lieu de revenir sur terre et de se rebâtir un présent rassemblant toutes les périodes de sa vie, incluant cette partie d'elle-même ayant été forgée par ses années passées sur la rue Wolfe, si minuscule soit-elle, la mère de Paul-Émile avait plutôt choisi de replonger encore plus loin dans le passé; de se raccrocher au fil conducteur, au seul souvenir ayant résisté à l'usure du temps et qui faisait le lien entre chacune des étapes de sa vie: son ex-mari. Monsieur Marchand, pour sa part, en fut atterré, presque choqué, se terrant dans un silence que n'aurait pas renié mon propre père.

Je me souviens avoir déjà demandé à Paul-Émile si son père fut touché par cette marque d'amour, ou s'il ne déplora pas plutôt l'entêtement ridicule d'une femme ayant gâché sa vie et, indirectement, celle de monsieur Marchand, à rattraper le temps perdu. Paul-Émile ne m'a jamais répondu.

La réponse n'est pas venue de lui, de toute façon.

Ce que j'en suis venu à savoir, par contre, est que ce jour-là, Paul-Émile réalisa pour la toute première fois que l'univers qu'il avait voulu bâtir et pour lequel il avait tout sacrifié n'était pas le sien. Oui, il aimait Outremont. Oui, il se serait inévitablement senti à l'étroit dans les limites, trop petites pour lui, du faubourg à mélasse. Mais la mort de madame Marchand lui fit enfin comprendre que la manière dont il nous laissa derrière fut loin de l'élever au rang supérieur dont il se croyait issu depuis sa naissance. Paul-Émile venait enfin de comprendre qu'il avait rejeté un présent pour aller se réfugier dans un futur qui, au bout du compte, n'était rien d'autre qu'une triste copie de 1929. Paul-Émile venait enfin de comprendre que ce n'est pas son avenir à lui qu'il s'était bâti; qu'il avait fait d'immenses sacrifices – Suzanne étant le tout premier – pour avancer dans un passé qui, au fond, ne fut jamais rien d'autre que celui de sa mère.

Une fatigue énorme et envahissante s'empara alors de lui.

Pour ma part – je sais, je sais; je devrais me contenter de raconter l'histoire au lieu de bavasser sur mes états d'âme –, j'ai toujours cru que l'histoire de Paul-Émile était d'une tristesse absolument inqualifiable, parce que je suis convaincu qu'il se serait rendu là où il est sans avoir eu à se renier lui-même; qu'il n'avait pas besoin de couper ses racines à la base et de s'en donner d'autres qui n'étaient pas les siennes. Déjà, à l'époque des matchs de hockey au parc Berri, tous reconnaissaient que Paul-Émile était brillant, plus que la plupart d'entre nous, et qu'il finirait assurément par atterrir ailleurs, loin de la rue Wolfe, là où nous savions ne jamais pouvoir aller. Et nous l'aurions regardé partir en applaudissant, fiers de lui, si seulement il nous avait laissé faire. Malheureusement, il ne l'a jamais fait, choisissant plutôt de se construire une vie en 1929, là où il allait brutalement réaliser, des années plus tard, qu'il n'y avait jamais eu sa place.

Fidèle à lui-même, Paul-Émile ne se permit aucun regret. De toute façon, l'amour qu'il éprouve pour ses enfants l'en empêchera toujours. Mais le constat imposé par la mort de madame Marchand et, ensuite, par la lecture de son testament, lui fit reconnaître un état de fait qu'il avait toujours balayé sous le tapis : ses sœurs et son père lui manquaient. Le faubourg à mélasse aussi, même s'il n'était pas prêt à l'admettre encore.

Mais il se faisait tard. Très tard.

6
Jean... à propos de Patrick

Quand nous étions jeunes – et cons, je ne le répéterai jamais assez –, il y avait un couple habitant sur la rue Panet, les Rioux, qui vécut pratiquement les deux tiers de son existence assis sur son balcon. Si la température indiquait plus de quinze degrés, beau temps mauvais temps, vous pouviez être certains que le bonhomme Rioux – ou Big Bang Bob, comme nous l'avons plus tard surnommé en raison de son poids – était assis dehors, une bouteille de Molson entre les mains, occupé à dévisager les passants qui marchaient devant chez lui. Étrangement, moi qui ai la mémoire d'un éléphant mort en décomposition, je me souviens parfaitement de la première fois où je les ai aperçus, lui et sa femme, alors que je m'en allais chez Deslauriers avec ma mère. Tous les deux étaient assis sur des chaises de cuisine, maigres comme des piquets de clôture, saluant ma mère d'un signe de la tête pendant que Big Bang Bob avalait une gorgée de bière. Cette scène-là, avec le temps, s'est répétée je ne sais plus combien de fois, à la différence que le tour de taille des Rioux semblait prendre de l'expansion à chaque signe de tête et que vers la fin, au moment où je déménageai mes bébelles du faubourg à mélasse, Bob et Lucette Rioux ne ressemblaient plus tant à des piquets de clôture qu'à la Grande Muraille de Chine. Et nous, enfants du quartier, crétins comme seule l'étendue de notre talent pouvait nous le permettre, avons ri à satiété du bonhomme et de sa bonne femme, devant eux la plupart du temps. En fait, nous avons ri jusqu'au jour où l'un d'entre nous – il me semble que c'était Paul-Émile… – eut le malheur de rire des bourrelets de Big Bang Bob devant la truculente Marie-Yvette.

« Grand niaiseux ! envoya-t-elle à Paul-Émile en lui donnant une volée derrière la tête. Pis vous autres, maudits innocents, vous êtes pas mieux que lui ! Voir si ç'a de l'allure... Rire d'un homme malade !

— Un homme malade..., répliquai-je avec un air franchement fendant. Depuis quand que de passer ses journées à roter sa bière en se démoussant le nombril est une maladie ? »

Je fus le seul à rire de ma blague plate, les trois autres ayant bien trop peur de Marie-Yvette pour lui tenir tête de quelque façon que ce soit. Ce qui n'a jamais été mon cas, dois-je vous le rappeler. J'avais beau avoir quatorze ans à l'époque, je me comportais depuis la naissance comme si j'avais été le dernier des baveux.

« Te forces-tu, Jean, pour faire le zouave, ou si ça te vient naturellement ?

— Ça me vient naturellement, mais je me dis qu'il y a toujours de la place pour l'amélioration. »

Marie-Yvette m'envoya un de ces coups de rouleau à pâte, mesdames et messieurs, que j'en ai vu des étoiles pendant plusieurs secondes. Vous m'auriez demandé mon nom, et je vous aurais probablement répondu que je m'appelais Lucille Dumont[16].

« Bob Rioux est malade ! Ben malade ! Y'a travaillé au port avec ton père pendant huit ans, Paul-Émile, avant d'être forcé à arrêter de travailler à cause d'une maladie au cerveau. Vous pensez qu'ils aiment ça, lui pis sa femme, passer leurs journées à foirer sur leur balcon ?! C'est parce que Bob peut rien faire d'autre ! Jouer une *game* de cartes lui demande tout son petit change ! »

---

16 Chanteuse et animatrice québécoise connue depuis les années trente.

Si Marie-Yvette avait voulu provoquer, chez nous, une quelconque crise de remords, la pauvre rata complètement son coup. D'ailleurs, est-ce que quatre petits démons de quatorze ans ont la maturité nécessaire pour vraiment comprendre ce qu'est le remords ? Pour ma part, je peux vous garantir que nous ne l'avions pas et que si Adrien, Paul-Émile, Patrick et moi avons cessé de nous moquer de Bob et Lucette, c'est surtout en raison de la peur de recevoir un autre coup de rouleau à pâte sur le coco.

Avec le temps, Big Bang Bob m'est sorti de la tête. Mort dans mes souvenirs comme dans la réalité. Et puis, un jour, je me suis mis à penser à lui. Je regardais Patrick, assis presque en permanence devant la fenêtre de mon salon, fixant la rue Sherbrooke comme s'il avait voulu plonger dedans, mais c'était Bob Rioux que je voyais. Un homme perdu, inutile, attendant que le temps passe, simplement parce que c'est tout ce qu'il sait faire de sa vie.

C'est dans des moments comme celui-là que je me dis que la mémoire n'est peut-être pas si importante, ou intéressante que ça, finalement. Voir la ressemblance frappante entre Big Bang Bob et Patrick me fit presque regretter nos souvenirs d'enfance, la différence entre ce qu'il avait déjà été et ce qu'il était devenu étant trop inconcevable.

« T'as pas peur qu'il finisse par sauter, à un moment donné ? » m'a demandé Adrien.

À ça, je n'ai rien répondu. Bien franchement, je ne savais pas quoi dire. Malgré la misère évidente de Patrick, mes propres problèmes m'apparaissaient tellement plus grands que nature que, si l'un de nous devait crever en se jetant en bas de ma fenêtre, j'aurais été prêt à gager une de mes bouteilles de brandy que c'aurait été moi. De nous quatre, je me considérais comme le plus misérable, le plus souffrant, et je m'assurais de le rester depuis le jour où Lili s'était retrouvée brochée à un fauteuil roulant. Alors d'entendre Adrien s'inquiéter des possibles tendances suicidaires de Patrick m'apparut presque comme une insulte à ma cirrhose du foie en devenir. Par contre, je n'étais quand même pas assez égoïste pour ne pas gratter un nombril autre que le mien. Surtout que mon nombril commençait à être à vif pas à peu près...

« Qu'est-ce que tu veux qu'on fasse ? demandai-je à Adrien. Qu'on ferme les rideaux ? »

Adrien me regarda, avec raison, comme si j'étais le dernier des crétins. Moi qui m'étais démené pendant si longtemps pour garder la tête de Patrick hors de l'eau, j'avais maintenant l'air de me foutre de lui complètement.

« Au moins, ajoutai-je, il pourra plus voir la rue Sherbrooke. »

Au risque de me répéter, je jure que je ne me foutais pas de lui. Je ne suis pas certain qu'Adrien me croyait, par contre, et il crut bon de suggérer une autre solution.

« Mon grand-père Bissonnette, qui a vécu jusqu'à quatre-vingt-dix-sept ans, disait souvent qu'il n'y a rien de pire pour un homme que de rester les bras croisés, à rien faire.

— Tu veux qu'on lui trouve une *job* ?

— Ben... Au moins, ça l'obligerait à se lever pis à faire autre chose que de regarder la rue Sherbrooke à longueur de journée.

— Bonne chance si tu veux le faire engager quelque part. Je sais que ça fait longtemps, mais les gens ont la mémoire longue. Patrick a pas la meilleure des réputations.

— On parle de Patrick Flynn. Pas de Richard Blass[17]. Faudrait quand même pas exagérer ! »

Tout de même ! Si Patrick avait l'avantage non négligeable de n'avoir tué personne – et à peine; souvenez-vous de la volée administrée à la sexy Judith – c'était bien la seule chose, aux yeux de toute la population du Québec, qui le rendait un peu plus aimable. Et je ne sais pas si c'est à cause de la rancune tenace dont ma famille a toujours fait preuve à mon endroit, mais je n'ai jamais, jamais cru que les gens avaient la mémoire courte. On s'efforce d'essayer, on veut oublier, mais on y arrive rarement. Et justement parce qu'on y arrive rarement, on ne supporte pas facilement les souvenirs qui viennent nous rappeler qu'on a échoué.

Fiez-vous à moi: personne, à l'époque, ne voulait se rappeler Patrick. Et c'est justement en me disant ça que j'eus la brillante idée de donner un coup de fil à Archibald Leach, mon propriétaire. Celui-ci vivant à Toronto depuis le milieu des années soixante, les chances qu'il ait déjà entendu parler du Lénine de Montréal étaient à peu près nulles. D'ailleurs, Archie fut plus qu'heureux de m'aider lorsque je lui ai parlé de mon vieux chum qui se cherchait un emploi.

Le temps d'un simple coup de téléphone, Patrick était devenu concierge de l'immeuble où j'habitais.

Au bout du compte, j'aurais bien voulu, si j'avais pu, dire au bonhomme Bissonnette que si le travail empêche un homme de mourir, ledit travail ne rend pas toujours l'homme en question bien plus vivant. Et si de regarder Patrick fixer la chaussée de la rue Sherbrooke à longueur de journée m'apparaissait pénible, je n'avais encore rien vu.

---

17 Criminel montréalais abattu par la police en 1975.

Parce que même si je restais un indécrottable égocentrique, j'étais quand même capable de voir que mon ami était à deux doigts de la corde, pendu au souvenir d'Agnès et de sa certitude de l'avoir laissé tomber; pendu à cette vision d'une Judith presque morte d'un mélange d'héroïne et de la volée colossale qu'il lui avait administrée; pendu à cette image de perdant que lui renvoyait ce monde qu'il avait désespérément voulu changer sans même être passé près d'y arriver. Mais, alors, qu'est-ce qui empêchait Patrick de se mettre la corde autour du cou et de se jeter dans le vide? Qu'est-ce qui expliquait que mon vieil ami respirait encore, même s'il ne vivait plus depuis un bon moment? À ma très grande surprise, la réponse est venue de Marie-Yvette. Pas parce qu'il s'en ennuyait – HA! – mais parce que, pour arriver à faire face à ses échecs sans y laisser sa peau, il s'était remémoré comment elle-même avait réussi à faire la même chose tout au long de sa vie: en rejetant le blâme sur tous les autres. De cette manière, Patrick réussit à survivre en développant un mépris crasse envers la populace, trop ignorante pour comprendre que, dans toute sa bonté, il avait voulu l'élever à son niveau.

Contre toute attente, c'est le souvenir de Marie-Yvette qui sauva son fils d'une mort lente et douloureuse, semblable à celle de monsieur Mousseau. Mais en sauvant Patrick, le souvenir de sa mère nous imposa également le retour, à travers son fils, de quelqu'un nous ayant fait le même effet que du poil à gratter pendant des années. Alors, comment célébrer le retour de Patrick, qui faisait maintenant autre chose de sa vie que de regarder la rue Sherbrooke, quand chacun de ses regards et chacun des mots sortant de sa bouche suintaient l'amertume et l'hostilité de Marie-Yvette? Comment célébrer, alors qu'il en était rendu à se complaire lui aussi dans le blâme pour ne pas avouer sa part de responsabilité dans l'échec qu'était devenue sa vie?

Adrien et moi nous sommes souvent posé la question. Et comme aucune réponse ne nous satisfaisait, nous poursuivions la recherche tout en espérant que la réponse se manifeste au plus sacrant.

À l'époque, je me demandais souvent, aussi, pourquoi Patrick m'avait appelé dans la nuit du 1er janvier. Pourquoi moi? Sans vouloir me taper avec lui des conversations qui nous auraient à coup sûr mis mal à l'aise, je n'arrivais pas à comprendre ce qu'il faisait dans mon salon. Avant que je ne lui dégote son emploi de concierge, Patrick pouvait passer des heures en silence, évaché sur une chaise en se jouant dans le nez, à fixer la rue Sherbrooke comme s'il était hypnotisé. Ce qu'il faisait chez nous, il aurait très bien pu le faire ailleurs. Chez Adrien, par exemple. Ou encore à la Mission Old Brewery. Ou sur un banc de parc du carré Saint-Louis. Et puis, tranquillement, le hamster s'est mis à courir, et j'ai fini par comprendre. Patrick, pour être en mesure de se lever le matin, avait besoin de savoir qu'il existait pire que lui; que, sur ce point, au moins, il ne deviendrait jamais aussi médiocre que moi je l'étais. Il était descendu au même niveau que Marie-Yvette et Judith, d'accord, mais je demeurais la personne qu'il pouvait continuer à regarder de haut tout en sachant que mes beuveries me garderaient toujours à un niveau inférieur à lui. Patrick ne se considérait peut-être pas digne de ses idéaux et du fantôme qu'il pourchassait mais, moi, avec mon pif rouge et ce besoin pressant de m'engourdir constamment les neurones, je l'étais encore moins que lui. Mon incapacité à me regarder dans le miroir pour ce que j'étais, alors que Patrick avait passé les douze dernières années de sa vie à forcer les gens à renifler leur propre merde, me rendait, à ses yeux, encore plus minable que lui ne le serait jamais. Et ça lui donnait la force de rester debout.

En passant, je tiens à dire que je ne me suis jamais formalisé – pas une seule seconde – du besoin de mon copain de m'enfoncer pour mieux pouvoir se relever. Le soûlon dévoué que j'étais encore en 1980 n'était que trop heureux de pouvoir prouver à Patrick l'étendue de son amitié sans avoir à lever le petit doigt. Sauf pour lever mon verre, évidemment. Et après tout ce qu'Adrien et moi avons fait pour le sortir du trou au plus fort de sa phase léniniste, j'assumais ma paresse la conscience tranquille, avec toute la bonne volonté dont j'étais capable.

Seulement, contre toute attente – la mienne, en tout cas – le retour de Patrick coïncida presque avec ma décision de reprendre ma vie en main. Mon pif allait dérougir et mes neurones fonctionneraient enfin à froid. Alors, aux yeux de Patrick, je ne serais plus le dernier des *twits* trop heureux de se traîner à quatre pattes dès 10 heures le matin, simplement pour lui faire croire qu'il existait plus bas que lui dans les fonds de poubelles.

À quarante-cinq ans, Patrick n'avait plus le choix de reconnaître que sa vie se trouvait dans un cul-de-sac, faisant le même constat qu'Adrien, Paul-Émile et moi avons eu à faire. Seulement, un long moment allait s'écouler avant qu'il ne se décide à faire marche arrière, qu'il cesse de se complaire dans cette misère que ma sobriété le forcerait à assumer et que Marie-Yvette disparaisse de nos vies pour la deuxième fois.

Et moi qui venais de le faire engager comme concierge dans l'immeuble où j'habitais… Vieux crétin !

7
Patrick... à propos de Jean

Cela peut paraître épouvantable d'affirmer ceci, mais voilà: jamais je ne m'étais rendu compte de la toute nouvelle sobriété de Jean. À l'époque, j'étais bien trop préoccupé par mes misères pour être conscient de quoi que ce soit ne me touchant pas de près ou de loin. Et tout comme j'ai long-temps regretté de ne pas être intervenu lorsque je me suis aperçu que Jean avait un problème d'alcool, je m'en veux tout autant de ne pas avoir été là pour lui lorsqu'il s'est enfin décidé à arrêter de boire. Avec le temps, je regarde en arrière en me disant que j'étais fort probablement dans un état de dépression avancée. Là-dessus, je n'ai absolument aucun doute. Parce que si j'avais été dans mon état normal, je jure que j'aurais été le premier à applaudir la décision de Jean de tirer un trait final sur l'alcool. Mon pauvre père, ma sœur Maggie et mes frères m'infligèrent un traumatisme trop profond pour que je me permette de traiter la sobriété des autres avec nonchalance.

Autant le dire immédiatement: Jean ne toucha jamais plus à une goutte d'alcool de sa vie. Tout comme il ne se permit jamais de se voir à nouveau dans un miroir en acceptant moins que ce qui s'y trouvait. Le bon comme le mauvais. Pour ça, l'admiration que j'ai pour lui ne verra jamais de fin, parce que si je connais l'ampleur des dégâts que lui causa sa famille, je connais aussi l'ampleur des dégâts que lui-même causa à autrui avant d'être en mesure d'échapper à sa dou-leur. Et lorsqu'il cessa de boire, Jean trouva enfin la force d'assumer complètement ce qu'avait été sa vie jusqu'à maintenant.

Je ne crois malheureusement pas avoir jamais eu ce courage.

Peu de temps après son opération aux artères ordonnée par le docteur Lajoie, Jean demanda à Adrien de venir le reconduire à la Maison Ivry-sur-le-Lac, où il souhaitait entreprendre une cure de désintoxication. Adrien de manière très peu caractéristique, ne sut pas quoi dire, se contentant de serrer la main de Jean pendant de longues secondes. Ému par cette marque d'affection, Jean n'en fut pas moins quelque peu mal à l'aise. S'il ne douta jamais de l'affection et de la loyauté qu'Adrien lui portait, Jean s'était habitué, avec les années, à la déchiffrer par sa seule présence lorsqu'il devait se remettre de l'une de ses cuites mémorables. Paul-Émile n'était plus là depuis si longtemps, et force est d'admettre que je ne l'étais pas davantage, malgré ma présence constante dans son salon. De notre jeunesse, de tout ce que nous avions un jour espéré être, de cette partie de nous lui ayant donné la force d'aller à l'encontre de ce que les Taillon attendaient de lui, Adrien était tout ce qui restait à Jean. Adrien était tout ce qu'il lui restait de nous. De ce que nous avions déjà été, du moins.

Au printemps 1980, Jean n'avait encore aucune idée de l'identité de la personne lui ayant tiré dessus douze ans plus tôt. L'enquête piétinait, ou encore allait dans de mauvaises directions. À l'été 78, une dame âgée était sortie de nulle part pour affirmer que Christine Robert[18], disparue depuis longtemps du paysage, était l'unique responsable de la tentative d'assassinat. Jean, blanc comme neige, ne sut rien dire d'intelligent tandis que Lili, clouée à son fauteuil roulant depuis

18 Voir *Racines de faubourg*, tome 1.

cette soirée de septembre 1968, jura de se venger.

« La maudite vache ! Ça y tente, de jouer du fusil ? ! Ben je vais y en faire un fusil, moi ! Je vais viser sa face de rat, pis je vais la laisser se vider de son sang comme une truie qu'on vient d'égorger ! »

L'expression, disons… zoologique de la colère de Lili s'avéra, au bout du compte, tout à fait inutile. Très rapidement, les enquêteurs chargés du dossier apprirent que la dame en question n'était qu'une vieille voisine détestable de mademoiselle Robert ayant voulu se venger pour une histoire de chihuahua aux cordes vocales un peu trop vigoureuses. La rumeur veut que l'inspecteur sur place engueulât la voisine de manière tout à fait grandiose, et que celle-ci lui répliquât qu'il ne connaissait rien aux animaux ; que son Césaire – le chihuahua – valait cent fois mieux que mademoiselle Robert qui, elle, n'était rien de plus qu'une vulgaire chipie oubliée de tout le monde.

Plus tard, les enquêteurs s'excusèrent auprès de Jean en lui disant qu'il s'agissait d'une fausse piste dont rien d'important n'avait émergé. Erreur. De cette fausse piste Jean apprit que mademoiselle Robert vivait à Pierrefonds avec sa mère et, surtout, qu'elle avait donné naissance à une fille maintenant âgée de dix-sept ans. En entendant cela, Jean ne manifesta pas la moindre émotion, choisissant plutôt de garder pour lui pendant encore quelques années les informations obtenues sur sa fille. Tout comme il continua d'enfouir au fond d'un verre de brandy son angoisse devant la possibilité de ne jamais connaître l'identité de la personne lui ayant tiré dessus.

Des années plus tard, Adrien avouera qu'il était persuadé, à l'époque, que Jean ne tiendrait pas plus de quinze minutes en cure de désintoxication. À l'instant même où il y mit les pieds, un violent mal de tête s'empara de lui et il fut franchement méprisant avec tout le monde. Du préposé chargé de l'accueillir jusqu'au psychologue, qu'il dut rencontrer un peu trop souvent à son goût pendant toute la durée de son séjour.

« Ça va pas ? demanda le psychologue à Jean, lors de leur première rencontre.

— Non. Non, ça va pas. Vous auriez pas des aspirines, par hasard ? Mon mal de bloc est vraiment insupportable.

— Peut-être voudriez-vous revenir un peu plus tard ? Quand vous irez mieux…

— Pour ce que ça va changer… J'ai l'impression que la tête va me sauter depuis la seconde où j'ai mis les pieds ici ! »

L'air pensif, le pauvre psychologue observa Jean pendant quelques instants. Ce qu'il eut d'ailleurs à faire souvent lors de leurs rencontres subséquentes, mon pauvre ami étant réticent à raconter ses états d'âme devant un parfait inconnu, aussi qualifié soit-il.

« J'ai quelque chose qui me trotte dans la tête depuis la première fois qu'on s'est vus…, dit le psychologue.

— …

— Est-ce que je peux vous poser une question ?

— Envoyez donc, répondit Jean, grimaçant de douleur. Ça va faire passer le temps.

— Avez-vous pris vous-même la décision de venir ici ?

— Dans votre bureau ?

— Non. Au centre de désintoxication. Avez-vous pris la décision de venir ici tout seul, ou si c'est quelqu'un de votre entourage qui vous a imposé cette décision ? »

Oubliant son mal pendant quelques instants, Jean offrit

son plus beau sourire de vendeur de voitures d'occasion avant de répondre à la question du psychologue.

« Écoutez… Je suis pas un grand expert en psychologie comme vous, évidemment, mais j'en sais quand même assez pour savoir que je peux pas répondre à cette question-là.

— Pourquoi ?

— Parce que si j'ai le malheur de vous dire que c'est pas moi qui ai pris la décision de venir ici, d'appeler pour avoir des renseignements, pis de faire ma valise tout seul, comme un grand, vous allez me retourner chez nous en me disant que je suis pas prêt. Que je veux pas vraiment arrêter de boire.

— Voulez-vous arrêter de boire ?

— La question, Sigmund, est pas de savoir si je veux continuer de boire ou pas. La question est de savoir si je veux continuer à respirer, ou pas. Si j'arrête pas de boire, mon médecin m'a dit que c'était une question de mois avant que je me retrouve entre quatre planches. Mettons que ça pousse à réfléchir.

— Mais si vous aviez l'assurance de ne pas mourir, est-ce que vous continueriez de boire ? »

Sans trop savoir pourquoi, le sourire sarcastique de Jean disparut, laissant plutôt toute la place à une immense fatigue qui le submergea complètement, et ce fut de peine et de misère qu'il retourna à sa chambre à la fin de cette séance avec le psychologue. À ce moment précis, je crois qu'il venait de comprendre toute l'étendue de son besoin d'oublier et que l'alcool, au fond, n'était qu'accessoire. Son besoin profond de se geler les neurones, comme il se plaisait à le dire, aurait parfaitement pu se traduire par une dépendance aux drogues, ou encore par des accès de violence incontrôlables. Mais l'alcool arriva si tôt dans sa vie, remplissant son devoir au-delà de tout ce qu'il pouvait espérer, que Jean ne vit jamais l'utilité de trouver un autre exutoire à sa douleur. Avec un verre rempli de brandy, ou de vodka, les Taillon n'existaient plus, et Lili pouvait encore se tenir debout. Jamais son père ne lui avait enfoncé le fantôme du grand-père au fond de la gorge, pas plus que sa grande amie ne s'était vue clouée à un fauteuil roulant simplement parce qu'elle avait eu le malheur de se trouver avec lui, un soir d'été.

Toutefois, l'alcool était maintenant disparu, et Jean devait apprendre à vivre, à ressentir, à accepter ce qu'il ne pouvait changer et, surtout, ce qui n'avait jamais existé. L'apprentissage, d'ailleurs, était atroce, épuisant, et ce fut presque à plat ventre, complètement épuisé psychologiquement et physiquement par une douleur qu'il n'arrivait plus à engourdir, que Jean se pointa, la semaine suivante, pour une nouvelle séance avec le psychologue.

« Vous pouvez pas savoir ce que je donnerais, en ce moment, pour une goutte de gin ! s'exclama Jean. Juste une goutte. Je me contenterais même de lécher le fond d'un verre…

— Dites-moi, Jean… Que serait-il arrivé, d'après vous, si vous aviez laissé votre père agir à sa guise ? »

Irrité, Jean se mit à regarder le psychologue avec mépris, trop épuisé pour reprendre son sourire suintant le sarcasme.

« S'il vous plaît ! Voulez-vous ben me sacrer patience avec vos méthodes de courrier du cœur ?! Vous êtes pas Solange Harvey[19] pis je suis certainement pas une pauvre bonne

---

19 Courriériste au *Journal de Montréal* et au *Journal de Québec* de 1975 à 2000.

femme de Chomedey qui culpabilise à fantasmer sur son facteur !

— Pourriez-vous répondre à ma question, Jean ? »

Le psychologue, remarquablement, ne se laissa jamais démonter par Jean, affichant plutôt une patience et une douceur qui eurent tôt fait de déstabiliser mon vieil ami.

« Pourquoi je répondrais à votre question ? Qu'est-ce que ça va m'apporter, à moi ? Vous, vous allez pouvoir m'utiliser comme cobaye pour mettre en pratique vos niaiseries d'université, mais moi, après ça, je vais encore avoir le goût de me lancer en bas du pont Jacques-Cartier !

— Jean...

— À quoi ça me sert de répondre à votre maudite question ? ! Vous, vous allez pouvoir faire le paon en vous disant que vous êtes ben bon, mais moi, je vais quand même avoir le goût d'aller boire comme un trou en sortant d'ici !

— Vous boirez tant que vous voudrez, mais répondez quand même à ma question : que vous serait-il arrivé, Jean, si vous aviez laissé votre père agir à sa guise ?

— JE SERAIS MORT ! ÊTES-VOUS CONTENT, LÀ ? ! JE SERAIS MORT ! »

Jean détourna alors les yeux, incapable de soutenir plus longtemps le regard du psychologue, comme s'il s'en voulait de se laisser tenter de chercher une justification quelconque aux choix qu'il fit pendant toute sa vie. Comme s'il voulait nier ce qu'il savait pourtant déjà depuis longtemps : que tout avait commencé par ce père n'ayant jamais su accepter qu'il n'était plus l'enfant de quelqu'un. Comme s'il se refusait de comprendre ce qu'il avait pourtant saisi depuis un bon moment, c'est-à-dire qu'à vouloir échapper au délire de monsieur Taillon, qui voulait à tout prix retrouver son père en lui, il était allé jusqu'à sombrer dans sa propre folie, marquée par la liberté effrénée et l'oubli total.

« Vous seriez mort, Jean, ajouta doucement le psychologue. Très jeune, vous avez fait le choix de survivre. Assumez ce choix, même s'il vous faut en changer la méthode. »

Je ne suis pas certain que Jean voulait survivre. Pas jusqu'à ce moment, en tout cas, alors qu'il avait passé des années à se punir pour avoir réussi à dépasser le stade de ses trente-quatre ans. Mais sa vie se transforma de fond en comble le jour où il comprit qu'il pouvait survivre autrement; qu'il pouvait prendre la responsabilité de ses actes manqués et qu'il pouvait, surtout, vivre différemment qu'en fonction de Jean Ier, que ce soit pour être comme lui ou son contraire. Toutefois, cette compréhension ne se fit pas sans heurts.

« Vous devrez apprendre à vous concentrer sur vous-même, Jean. »

Sa liberté, Jean l'avait toujours vécue en rébellion face à quelque chose, ou à quelqu'un. Tout au long de sa vie, ses énergies furent canalisées presque en totalité sur ce besoin compulsif de se différencier de sa famille. Et à travers la phrase que venait de lui dire le psychologue, Jean se faisait balancer au visage que libre, il ne l'avait jamais vraiment été. Son obsession à être tout le contraire de Jean Ier l'avait rendu tout aussi prisonnier des Taillon que s'il s'était conformé à ce qu'ils exigeaient de lui. En quelques secondes, mon ami venait de saisir que sa définition de la liberté n'était que du vent et qu'il avait, somme toute, gaspillé quarante-cinq ans de sa vie à exister selon une règle qui n'avait pas sa raison d'être.

Évidemment, Jean n'accepta pas facilement ce constat.

« Pardon ? ! Je paye pour me faire dire de me concentrer

sur moi ?! Es-tu sérieux ?! Veux-tu ben me dire à quoi ça me sert d'être ici ?!

À ce stade-ci, le mépris de Jean n'était plus filtré par son sourire de vendeur de voitures d'occasion. Il n'en avait tout simplement plus la force.

« C'est pas vrai que je me suis fait suer à pus boire une seule goutte d'alcool pis à perdre mon temps en venant ici pour apprendre à être un trou de cul fini en toute sobriété !

— Vous avez passé votre vie, Jean, à tout faire pour ne pas être quelqu'un d'autre. Qu'est-ce que vous diriez de prendre enfin le temps d'être vous-même, pour une fois ? »

Jean, pendant quelques instants, regarda béatement le psychologue sans qu'un seul mot puisse sortir de sa bouche. Toute sa vie avait tant tourné autour de sa volonté à ne jamais être le double de son grand-père qu'il fut frappé de faire le constat suivant : comment être lui-même, Jean n'en avait aucune idée. Il savait comment ne pas être : ne pas être un Taillon ; ne pas être ce que son père attendait de lui ; ne pas mourir à trente-quatre ans ; ne pas être un père pour sa fille ; ne pas être un ami – pour un temps, du moins – pour Lili. Mais ce qu'il était réellement, complètement, authentiquement et sans aucune réserve, Jean l'ignorait. Adrien, lui, le savait. Tout comme madame Bouchard. Tout comme Lili. Et tout comme Paul-Émile et moi. Nous tous l'aimions pour ce qu'il était, contrairement à lui, qui ne semblait accorder d'importance qu'à ce qu'il n'était pas. Et libre était bien la dernière chose qu'il fut pendant toutes ces années. Il venait enfin de le comprendre.

En dépit de son aversion pour l'introspection telle qu'il l'a déjà décrite, Jean eut tout de même à analyser pourquoi il n'aimait pas le Cheez Whiz et pourquoi il aimait se retrouver au coin des rues Sherbrooke et Saint-Denis en pleine heure de pointe. Et malgré le succès incroyable ayant découlé de cette démarche, il se jura de ne jamais renouveler l'expérience.

« J'ai l'impression de m'être mis au monde moi-même, dira-t-il à plusieurs reprises à la suite de sa thérapie. Pis c'est pas parce que j'ai pas eu de contractions que ç'a pas fait mal. »

Mais comme n'importe quelle mère ayant souffert le martyre lors d'un accouchement le dira, tout était oublié cinq minutes après avoir tenu son bébé dans ses bras. Adrien, le sourire en coin, se moqua affectueusement de Jean en répétant cette phrase à quelques reprises.

Jean ne disait rien, regardant Adrien en riant.

Le bébé était en pleine santé.

8
Paul-Émile... à propos d'Adrien

La nouvelle du départ d'Adrien du gouvernement Lévesque s'est retrouvée dans les journaux. Pas à la une, tout de même. Faudrait pas exagérer. Adrien n'était quand même pas ministre de la Justice. Mais le départ du stratège en chef du Parti québécois tout de suite après le référendum fit assez de bruit pour que des éditorialistes voient ce départ comme un constat d'échec. Moi-même, je l'ai cru. Honnêtement, c'était facile de le croire. La démission d'Adrien fut annoncée une semaine après la victoire du «Non». Et comme, dans mon livre, 2 + 2 a toujours fait 4...

À l'époque, je ne me suis pas questionné longtemps sur la volonté d'Adrien de partir du gouvernement Lévesque. Le PQ venait de perdre le référendum, Adrien venait de comprendre que l'indépendance ne se ferait jamais et il décida de quitter un bateau en train de couler. Bravo. Il était plus que temps, après vingt-cinq ans passés à radoter sur la souveraineté... En fait, c'était plutôt moi qui n'avais pas compris. Moi et les éditorialistes qui croyions qu'Adrien avait renoncé à ses principes indépendantistes. Malheureusement, ce ne fut jamais le cas.

Il est très courant de se faire offrir un emploi lorsque l'on quitte la politique après des années de bons et loyaux services. Pour Adrien, les offres furent nombreuses et variées. Et il finit par en accepter une qui l'emmena très loin de Montréal: un poste à la Délégation générale du Québec à Paris.

Peu intéressé par cette offre au départ, Adrien, par contre, mit très peu de temps à comprendre pourquoi il devait l'accepter. Assis sur un banc du parc Lafontaine, passant un après-midi à essayer de se revoir, enfant, patiner sur l'étang, il en était venu à comprendre que tout ce qu'il avait connu, tout ce qui lui était familier, allait le tuer s'il ne fuyait pas; s'il ne faisait pas ce que, moi, je n'aurais jamais dû faire.

Lorsqu'il finit par se lever de son banc de parc, Adrien, les deux mains dans les poches, se mit à marcher lentement en direction de la rue Montcalm pour annoncer à sa mère qu'il partait pour Paris. Pourtant, lorsqu'il se retrouva devant elle une trentaine de minutes plus tard, ce n'est pas à elle qu'il eut l'impression de s'adresser, mais à monsieur Mousseau, bien installé dans le fauteuil où il était mort douze ans auparavant. Contrairement à 1968, où la peur de devenir comme son père lui fit faire des choix dictés strictement par la panique, Adrien, calmement, annonça qu'il coupait la part de ses racines le liant à l'homme qui, malgré lui, coulait toujours dans ses veines. Adrien ne voulait plus être le fils de son père depuis longtemps et trouvait, enfin, la force d'assumer la rupture. Madame Mousseau, malgré sa peine, le comprit rapidement et ne chercha pas à retenir Adrien. Tout comme ses enfants, d'ailleurs, qui se sont contentés de lui souhaiter bonne chance, les larmes aux yeux.

Le départ de mon ami pour la France coïncida avec la cure de désintoxication de Jean. Celle-là, Adrien ne l'avait pas prévue, et il culpabilisa beaucoup à l'idée de partir au moment où son ami avait besoin de lui. J'ignore si Patrick en a fait mention, mais en ce qui me concerne, Jean n'aura jamais été autant l'ami d'Adrien qu'à ce moment-là: en acceptant son départ au moment où il aurait eu le plus besoin de lui. Je ne sais pas pourquoi, mais ce geste m'a toujours ému. Peut-être parce que j'en aurais été incapable. Peut-être, aussi, parce que ce geste vint démontrer à quel point Jean et Adrien étaient unis, d'une manière dont nous ne l'avons jamais été. Nos choix respectifs ont fait de Patrick et moi les maillons faibles de notre amitié. Nous ne pouvions donc que lever notre chapeau à Jean parce qu'il avait su comprendre, à un moment de sa vie où personne ne l'aurait blâmé s'il ne l'avait pas fait, que c'était lorsque Adrien se permettait l'égoïsme de son père qu'il arrivait à s'en détacher.

Curieusement, ce fut Denise qui réagit le plus mal. Adrien n'avait pas voulu lui parler de vive voix, préférant lui écrire une lettre, histoire d'éviter un dernier accrochage.

Toi et moi, on n'a jamais été capables de se parler sans s'engueuler. Depuis le premier jour de notre mariage, il n'y a pas une seule insulte qu'on ne s'est pas balancée par la tête, et la dernière engueulade devait être comme toutes les autres. Tes insultes devaient blesser autant que celles d'avant. Mais je veux que tu saches une chose, Denise: après les enfants, les mots que tu as eus pour moi, le soir du référendum, auront été le plus beau cadeau que tu m'auras jamais donné. En voulant m'achever, tu m'auras plutôt forcé à me lever debout comme je ne l'ai jamais fait de ma vie.

Merci.

Sur le coup, Denise en avait presque pleuré de joie, relisant la lettre plusieurs fois, se promettant de vivre sa vie comme si Adrien n'était jamais revenu à la maison en 1970. Mais dix ans s'étaient écoulés depuis son retour. Dix ans pendant lesquels une routine faite de batailles, d'insultes et de ressentiment avait donné une nouvelle force aux habitudes perdues lors des deux années où mari et femme vécurent séparés. Fatiguée, à bout de souffle, le départ d'Adrien força Denise à se retrouver là où elle n'avait aucun repère. La quasi-totalité de sa vie d'adulte ayant tourné autour de ses disputes avec son mari, elle fut sidérée de constater que sa nouvelle liberté la déstabilisait; lui donnait l'impression d'être perdue. Seule dans sa maison, elle tournait en rond, frottait ses planchers, époussetait les meubles deux fois plutôt qu'une, offrait de laver les vêtements de Daniel, qui habitait pourtant ailleurs, seulement pour ne pas se retrouver seule avec elle-même et reconnaître son besoin de réapprendre à vivre autrement qu'en temps de guerre.

La réadaptation de Denise ne dura pas longtemps. Toutefois, elle fut assez difficile pour qu'elle se jure de ne plus jamais se retrouver dans une situation comme celle-là. Si, ultérieurement, elle allait fréquenter d'autres hommes, jamais n'allaient-ils l'atteindre au point d'en affecter l'essence même de ce qu'elle était. Elle a tenu parole.

Le jour du départ d'Adrien, Jean insista pour le reconduire à l'aéroport. Les sourires étaient forcés, les yeux embués, mais aucun des deux n'ouvrit la bouche. Ils se sont serré la main, donné l'accolade, mais sans plus. Sans rien de superflu, en fait. Plus tard, Jean dira que ce moment fut la seule occasion où sa sobriété fut vraiment en danger. Le seul pilier ayant été présent tout au long de sa vie sans jamais lui faire défaut venait de disparaître. Lili et Muriel Bouchard sont rapidement intervenues pour s'assurer qu'il ne perde pas l'équilibre.

Entre la tour Eiffel et les Champs Élysées, Adrien apprit à se bâtir une vie à l'abri du silence de son père qui l'avait pourchassé partout; à l'abri des regrets lui prenant à la gorge chaque fois qu'il croisait Alice par hasard; à l'abri, aussi, de cette ambivalence ayant malgré lui toujours teinté l'amour qu'il avait pour ses enfants. Cette étape de sa vie, toutefois, ne s'est pas franchie sans qu'il y ait de prix à payer. Ce n'est jamais le cas. Et pendant ses années passées à Paris, Adrien verra s'éloigner une partie importante de ce qui l'a long-temps maintenu en vie : son fils Daniel.

9
Adrien… à propos de Paul-Émile

Il ne restait plus grand-chose du faubourg à mélasse lorsque Paul-Émile y remit les pieds pour la première fois en presque vingt ans. Enfin… Il n'y restait plus grand-chose de ce que nous y avions connu. Le quartier n'avait plus le visage de nos souvenirs et, même si j'y retournais régulièrement pour voir ma mère, j'arrivais de plus en plus difficilement à substituer une réalité qui ne m'incluait pas à des souvenirs que je devais constamment nourrir pour ne pas les laisser disparaître. Et autant je ne voulais plus entendre le silence de mon père, autant le mutisme de gens que j'avais connus et aimés, mais qui n'étaient plus là, me déstabilisait de manière foudroyante.

Je déteste vieillir.

Mais, en dépit des années, en dépit de la transformation ahurissante du quartier, en dépit de ses morts et de ses déserteurs, le retour de Paul-Émile, du fils prodigue ayant passionnément levé le nez sur le faubourg à mélasse, provoqua une onde de choc chez les gens que nous avions connus et qui s'y trouvaient toujours.

«Jésus, Marie, Joseph! Ça se peut-tu?! Est-ce que c'est vraiment lui?!

— Y'a pas changé! Mon Dieu, y'a encore l'air du petit morveux qui faisait des coups pendables avec ses chums, y a quarante ans!

— En tout cas… Regarde le linge qu'il a sur le dos! Lui, il s'habille pas chez Woolworth, je t'en passe un papier!

— Ferme les rideaux! Ferme les rideaux! Il nous a vus!»

Le plus surpris des habitants du quartier, toutefois, fut monsieur Marchand lui-même, lorsqu'il ouvrit la porte et reconnut son fils. Tous les deux s'étaient vus aux funérailles de madame Marchand, mais le père de Paul-Émile ne s'attendait certainement pas à le revoir de sitôt et surtout pas à son logement de la rue Wolfe. Paul-Émile, pour sa part, souriait à son père, attendant d'entrer dans son ancienne demeure comme s'il était sur le point de mettre le pied dans une machine à remonter dans le temps.

« Doux Jésus ! s'exclama monsieur Marchand, en état de choc. Si je m'attendais à ça, moi, aujourd'hui !

— Gérard ! Veux-tu ben me dire ce qui se passe ? »

L'arrivée de madame Rudel dans le cadre de porte fut le premier morceau de réalité venant jurer avec l'idée que Paul-Émile voulait s'en faire. Ce n'était pas sa mère qui arriva en courant, mais une petite femme potelée à la voix rieuse, même lorsqu'elle était inquiète, arborant des lunettes rattachées aux oreilles par des chaînes dorées. Mon vieil ami choisit de ne pas s'en formaliser.

« Bonjour papa, dit-il, tout simplement, sonnant au passage comme un enfant de dix ans plutôt que comme un homme dans la mi-quarantaine.

— Y a personne de mort, j'espère ? »

Pourquoi, dans une situation de surprise comme celle-là, imagine-t-on toujours le pire ?

« Non, répondit Paul-Émile. Tout le monde va bien.

— Les enfants ?…

— Numéro un. Tout le monde est de bonne humeur.

— Qu'est-ce que tu fais ici, d'abord ? »

Qui aurait pu imaginer que Paul-Émile chercherait à vivre le deuil de sa mère en voulant se rapprocher de monsieur Marchand ? Mon ami avait quitté l'orbite de son père depuis vingt ans et n'avait toujours manifesté que du dédain à l'idée d'y retourner. Qui peut blâmer monsieur Marchand d'avoir été pour le moins confus? Qui peut le blâmer aussi de n'avoir vu, à ce moment-là, rien d'autre que l'être hautain et franchement fendant des vingt dernières années, plutôt que l'enfant que Paul-Émile voulait redevenir?

« Je rêve, ou vous avez pas l'air trop content de me voir? demanda-t-il, justement, à son père.

— Non, non. C'est pas ça. Mais mettons que ça fait un bon bout de temps que t'es pas venu dans le coin.

— Je passais par ici. Je me demandais si ça vous tenterait pas de venir manger un spaghetti avec moi chez DaGiovanni. C'est moi qui paye. »

Monsieur Marchand eut envie de rire au nez de son fils, mais ne le fit pas. En ce qui me concerne, je ne crois pas que je me serais retenu. Paul-Émile ne passait jamais dans le coin, n'hésitant pas à faire un long détour s'il devait se rendre à un endroit, n'importe lequel, nécessitant pour lui de traîner sa voiture sur la rue Sainte-Catherine ou le boulevard Maisonneuve, entre les rues Saint-Laurent et Papineau.

« Merci, répondit finalement monsieur Marchand. C'est très gentil de ta part mais, Monique et moi, on est invités à souper chez ta sœur Louise. Une autre fois, peut-être… »

En prononçant ces mots, monsieur Marchand avait presque sonné comme quelqu'un disant à un ex-prisonnier qu'il n'avait pas l'argent nécessaire pour lui acheter une boîte de crayons. Le même ton faussement sympathisant, le même sourire forcé et la même porte qui se refermait au moment même où il parlait, histoire de bien souligner que le refus était sans appel. Mais Paul-Émile ne s'en rendit même pas compte, voyant dans ces mots une bonne occasion qu'il saisit au vol et qui força son père à rouvrir sa porte.

« C'est parfait, ça, dit-il, affichant un enthousiasme si peu caractéristique de lui lorsqu'il s'agissait de ses racines. Une réunion de famille ! Donnez-moi cinq minutes pour téléphoner à Suzanne, pis on va tous pouvoir partir ensemble. »

Paul-Émile passa entre son père et madame Rudel pour se diriger vers le téléphone autrefois accroché au mur de la cuisine, recevant au passage un coup au cœur à l'instant même où il entra dans le logement. Plus rien n'était pareil. Toutes les traces de sa vie passée ici avaient disparu. Les rangées de photos accrochées au mur n'affichaient plus son visage, mais plutôt celui de ses enfants, ainsi que celui de neveux et nièces qu'il ne reconnaissait pas. Sa mère n'était pas debout à la cuisine, s'illuminant à la vue de son époux, revenu en courant du travail simplement pour la voir. Ses sœurs ne traînaient pas au salon, soupirant en lisant des romans Harlequin alors qu'il les regardait en roulant les yeux. Même le vieux téléphone accroché au mur, au bout du compte, avait disparu, ayant cédé sa place à un modèle plus récent qui trônait sur une petite table, dans le passage.

J'aurais abandonné, et tous ceux que je connais auraient fait la même chose. Mais pas Paul-Émile. Répétant les mêmes erreurs que sa mère, dont il cherchait pourtant à fuir le passé, il ferma les yeux, refusant de reconnaître que le temps l'avait rattrapé, décrocha le combiné et téléphona à Suzanne.

Celle-ci ne fut pas trop enchantée des plans que Paul-Émile lui proposait pour la soirée.

« Ça sort d'où, ça ?! demanda-t-elle, éberluée. Tu sais même pas où tes sœurs habitent !

— Je passerais te chercher avec mon père, pis on s'en irait là-bas après.

— Je suis pas convaincue que c'est une bonne idée, Paul-Émile.

— Pourquoi ? Qu'est-ce qu'il y a de mal à rapprocher la famille ? »

Rapprochée, la famille l'était déjà. C'est Paul-Émile qui avait tout fait pour s'en éloigner. Léger détail dont il ne semblait pas vouloir se souvenir.

« Est-ce qu'il faut que je te rappelle la scène avec ta sœur, aux funérailles de ta mère ?

— Quand j'étais petit, Simonne était la plus sévère avec moi. Pire que ma mère. Mais tout de suite après, elle venait tout le temps me serrer dans ses bras en disant que tout était oublié.

— Paul-Émile, on parle pas du temps où tu volais les brassières de ta sœur pour catapulter des ballounes d'eau sur les voisins ! On parle de Simonne qui te blâme pour la mort de ta mère !

— Mais c'est pas vrai !

— Je le sais que c'est pas vrai. Tout le monde sait que c'est pas vrai. Mais Simonne t'en veut pour avoir snobé ta famille pendant vingt ans, pis sa colère sort comme ça. Veux-tu vraiment te retrouver face à face avec elle ? »

Paul-Émile évita de répondre à la question, disant plutôt à Suzanne qu'il voulait vraiment l'avoir avec lui chez Marie-Louise. Suzanne accepta à contrecœur. Et lorsque Paul-Émile passa la chercher, le regard qu'elle échangea avec monsieur Marchand et madame Rudel traduisait une appréhension, une angoisse quant à savoir comment allait se dérouler cette réunion de famille improvisée. Mais Paul-Émile, évidemment, ne se rendit compte de rien, trop occupé à afficher un sourire digne du jour où, à l'âge de treize ans, il reçut par la poste une carte de baseball autographiée de Leo Durocher[20].

Peu de temps avant d'arriver chez Marie-Louise, qui habitait à l'époque sur la 5e Avenue, dans Rosemont, Paul-Émile insista pour faire un arrêt dans un dépanneur de la rue voisine, histoire d'aller acheter de la bière. Le dépanneur en question portait le nom *Chez Marie-Yvette* et Paul-Émile rit en le voyant.

« J'ai hâte de voir si cette Marie-Yvette-là est aussi détestable que l'autre », dit-il.

Monsieur Marchand et Suzanne, pour leur part, ne riaient pas. Pour eux comme pour tous les gens l'ayant connue, le nom *Marie-Yvette* n'était jamais annonciateur de quoi que ce soit de joyeux. La mère de Patrick avait beau n'être liée aux Marchand et aux Desrosiers d'aucune façon, l'empreinte qu'elle avait laissée dans l'esprit des gens fut trop négative pour que Suzanne et monsieur Marchand n'y voient pas un mauvais présage.

« Voulez-vous ben me dire pourquoi vous le laissez aller chez Louise ? demanda Suzanne, pendant que Paul-Émile choisissait sa bière. Simonne va être là. Les beaux-frères aussi. Voulez-vous vraiment que la scène du salon mortuaire se répète ?

— Je lui aurais dit non qu'il se serait pointé chez Louise pareil. Tu le connais autant que moi, Suzanne.

— Paul-Émile connaît même pas l'adresse de Louise. Il aurait quand même pas cogné à toutes les portes de la 5e Avenue !

— Il en aurait été ben capable. Quand y a quelque chose

---

20 Joueur de baseball et entraîneur dans les ligues majeures de 1925 à 1973.

dans'tête, lui… Ça fait qu'il vienne pas brailler, après, quand il va se faire recevoir comme un chien dans un jeu de quilles. Depuis le temps qu'il court après, de toute façon…»

Assise sur la banquette arrière avec madame Rudel, Suzanne regarda longuement monsieur Marchand, ne sachant pas trop quoi faire de ses propos. Le père de Paul-Émile n'était pas un homme méchant, et personne, dans tout le faubourg à mélasse, n'aurait pu se risquer à affirmer le contraire. Mais, pendant quelques secondes, Suzanne ne put s'empêcher de croire que monsieur Marchand, même de manière inconsciente, voulait voir Paul-Émile se faire humilier. Par Simonne ou par qui que ce soit d'autre.

En cet instant, monsieur Marchand avait le regard vide, la bouche plissée, mais les yeux embués, encore secoué par la lecture du testament de son ex-femme. Troublée par ce regard ayant été le sien pendant tellement d'années, Suzanne réalisa, à ce moment précis, toute la douleur et tout le déchirement que Paul-Émile avait causés à son père; tout le désarroi ayant animé celui-ci alors qu'il avait vu sa femme, le grand amour de sa vie, disparaître dans un monde qui n'existait plus, encouragée par Paul-Émile, qui agissait comme si son père et ses sœurs n'étaient rien d'autre que quantités négligeables.

Soyons francs: dans le faubourg à mélasse, madame Marchand n'a jamais joui d'un statut aussi peu enviable que celui de Marie-Yvette Flynn. Mais elle n'a, non plus, jamais su, ou voulu, se faire aimer des gens du quartier, affichant une supériorité toute bourgeoise qui donnait envie de hurler et qui provoquait un besoin presque compulsif de lui parler dans le dos, de l'insulter de manière toujours plus imagée à mesure que les années passaient. Néanmoins, pour le père de

Paul-Émile, elle était surtout cette femme qu'il a toujours aimée; elle avait été cette épouse aimante qui le regardait avec la conviction qu'il n'y aurait personne d'autre après lui, tous les deux étant la personnification parfaite de cette citation de Goethe, ce poète allemand, qu'ils avaient cité à leur mariage:

> *C'est la saison de l'amour,*
> *Lorsque nous croyons que nous seuls pouvons aimer,*
> *Que personne n'a aimé avant nous,*
> *Et que personne n'aimera jamais de cette façon*
>   *après nous.*

Madame Marchand fut sa Suzanne. Le grand amour de sa vie, purement et simplement. Sauf qu'en 1980, Suzanne et Paul-Émile étaient ensemble sans ne plus jamais se cacher, vivant heureux comme le mari et la femme qu'ils auraient dû être dès le départ, si ce n'eût été du sens des priorités plutôt déficient de mon ami. De son côté, pourtant, monsieur Marchand – malgré la complicité, les rires et la facilité de ses rapports avec madame Rudel – se retrouvait sans celle qui représentait une partie de lui-même, restant pris pour toujours avec le souvenir de cette pauvre femme ayant tout sacrifié pour un passé qui n'existait plus depuis si longtemps qu'il en était venu à se brouiller; à disparaître progressivement. Paul-Émile avait agi en parfait égoïste, mais c'était son père qui désormais avait les mains vides, ayant dû faire le deuil du grand amour de sa vie et, par le fait même, de l'espoir de revivre quelque chose de semblable, un jour. Le choc ressenti lorsqu'il vit la vieille photo de lui et sa première épouse qu'il n'a jamais oubliée, alors qu'il venait tout juste de sortir des funérailles d'une femme qui l'indifférait complètement, est venu lui faire comprendre cet état de fait de manière plutôt brutale. Et ce choc fit naître en lui une profonde animosité à l'égard de Paul-Émile.

Malgré toute son affection pour madame Rudel, malgré le fait qu'il reconnut toujours que son mariage avec elle était un mariage heureux, monsieur Marchand en voulait à Paul-Émile, ressentait pour lui une animosité qui le poussait à espérer que Simonne lui passe le formidable K.O. que Suzanne redoutait. Mais Suzanne n'était plus certaine de redouter quoi que ce soit. Elle s'était reconnue dans les yeux embués de monsieur Marchand; s'était rappelé l'amour entremêlé d'une vive rancoeur pour celui qui vivait et faisait ses choix sans jamais se soucier de personne. Elle y avait aussi reconnu cette immense douleur d'aimer profondément quelqu'un chez qui l'on provoquait honte et dédain, en dépit de l'amour qui se voulait réciproque.

L'abandon de Paul-Émile nous a tous fait mal, suscitant en nous un ressentiment qui, chez certains, ne disparaîtra probablement jamais tout à fait. Mais Suzanne et monsieur Marchand, pour leur part, furent blessés différemment, plus profondément; leur vie, complètement chamboulée, alors que la nôtre, somme toute, n'en avait pas trop souffert. Et, pour la toute première fois, Suzanne vit en monsieur Marchand non plus le père de Paul-Émile, mais un homme ayant souffert autant qu'elle; ayant pleuré comme elle devant l'insensibilité d'un être représentant une si grande partie d'eux-mêmes. Suzanne vit aussi, dans ses yeux, un amour entaché d'une profonde solitude et d'un besoin de l'autre que Paul-Émile, au fil des années, ne s'était jamais empressé de combler. Et alors qu'elle voyait mon copain, tout souriant, revenir avec une caisse de Labatt 50, Suzanne n'était plus tant horrifiée par le silence et les lèvres plissées de monsieur Marchand que par cette connivence les unissant; par cette envie, qu'elle cherchait à réprimer, de voir Paul-Émile enfin payer pour son égoïsme.

« Changez d'air, changez d'air ! s'exclama soudainement madame Rudel en apercevant Paul-Émile. Il s'en vient ! »

Et lorsque Paul-Émile, tout sourire, s'installa derrière le volant en déposant les bouteilles de bière sur les genoux de son père, Suzanne demeura silencieuse, les séquelles produites par des années de solitude l'empêchant d'ouvrir la bouche pour le prévenir de la mutinerie qui se préparait. Toutefois, elle finit par s'en vouloir. Parce que si la vengeance est un plat qui se mange froid, certains repas, servis à température de la pièce, ne se digèrent pas très bien.

10
Jean... à propos de Patrick

Lorsque Adrien est parti pour Paris, j'ai eu le feu au derrière pour deux raisons : premièrement, je perdais mon meilleur ami, avec qui je ne pouvais plus communiquer sur une base quasi quotidienne – c'était avant l'arrivée d'Internet – et, deuxièmement, je me retrouvais seul pour m'occuper de l'héritier spirituel de l'abominable homme des neiges qu'était devenu Patrick.

Malgré l'emploi que je lui avais déniché, les vertus bienfaisantes du travail et de durs labeurs n'eurent malheureusement pas les effets escomptés sur mon vieux copain. Je vous le donne : il ne gaspillait plus ses journées à végéter à la Bob Rioux, assis devant ma fenêtre, regardant la rue Sherbrooke avec autant d'intérêt que s'il avait assisté à un tournoi de machines à boules. Mais avoir à gagner sa vie en nettoyant mes traces de pas – et celles de mes voisins – dans le hall d'entrée de mon immeuble, lui qui s'était un jour donné la mission de tous nous purifier, l'humilia d'une manière que je n'aurais jamais pu deviner. De toute façon, qui arrivait maintenant à deviner quoi que ce soit à propos de Patrick ? Pas moi, de toute évidence. Chaque mot que je lui disais, chacun des gestes que je posais avec toute la bonne volonté dont j'étais capable lui faisait tout le temps perdre les pédales. Et depuis qu'Adrien était parti gambader sur les Champs-Élysées, j'étais maintenant le seul à subir et à gérer les crises de nerfs quasi chroniques de mon ami d'enfance.

Avec le temps, avec Adrien parti et Paul-Émile disparu du portrait depuis tellement longtemps, un seul lien m'unissait encore à Patrick : le hockey. Pourquoi ? Je n'en ai absolument aucune idée. Ce n'est pas comme si Patrick en était encore un fan fini, de toute façon. Pour ma part, j'avais vu l'expansion de 1967[21] comme une hérésie, une attaque à la pureté de ce que je considérais comme le plus beau sport au monde. Et pourtant, j'étais l'heureux détenteur d'un abonnement de saison que je partageais avec Yves, le mari de Lili, depuis qu'Adrien n'était plus là. Pas tant par loyauté pour un sport qui ne se ressemblait plus, à mon avis, que pour le plaisir malsain de regarder de jeunes Ti-Joe-Connaissants parler du hockey d'aujourd'hui comme de la huitième merveille du monde et devenir complètement débiles lorsque je leur disais qu'ils ne connaissaient rien à rien; que notre sport national ne ressemblait plus – mais alors là, plus du tout – à ce qu'il avait déjà été à une autre époque.

Quitte à devenir un vieux schnock, au fond, aussi bien s'amuser en cours de route.

Mon abonnement de saison relevait sûrement, aussi, d'une question d'habitude. J'adorais les Canadiens depuis plus longtemps encore que les bouteilles de bière et de vodka, et j'ai fini par apprendre qu'on ne se défait pas facilement d'un amour aussi profond. Même si la routine s'est installée depuis un bon moment, je suppose. Comme le beau moron que je pouvais être à l'occasion, je continuais d'espérer que ça redeviendrait magique; que mes anciennes idoles mortes ou vivantes qui tournaient toujours autour du Forum finiraient par reprendre du service. Ça et les hot-dogs, dont je n'arrivais plus à me passer.

---

21 L'expansion de 1967 dans la LNH marqua l'arrivée de six nouvelles équipes: les Seals de la Californie, les Kings de Los Angeles, les North Stars du Minnesota, les Flyers de Philadelphie, les Penguins de Pittsburgh et les Blues de Saint-Louis.

Cette habitude du hockey, si solidement ancrée soit-elle, ne l'était tout de même pas assez pour nous donner envie, à Yves et à moi, de traîner Patrick avec nous au Forum. Si je voulais bien discuter une fois de temps en temps avec lui de ce qui se passait dans le merveilleux monde du hockey, je ne tenais pas tellement à subir son air bête pendant que je m'extasiais devant les prouesses de Guy Lafleur. Malheureusement pour Yves et moi, il commençait sérieusement à se rendre compte que nos sorties ne l'incluaient pas et que nous n'étions pas vraiment disposés à changer la situation.

« Tu sais, Jean, si t'as pas envie de me voir la face au Forum, t'as juste à me le dire ! J'aurai pas un choc nerveux si je vois pas jouer Rod Langway. »

Avis à tous : Marie-Yvette était vivante, occupée à laver les planchers de l'immeuble où j'habitais. Aux abris !

« C'est pas ça, Patrick. C'est que… euh…

— Veux-tu un petit coup de mope sur le front, Jean ? Tu sues comme un porc à essayer de me raconter une menterie qui a de l'allure. Tout un avocat…

— Regarde… Si tu veux venir, c'est parfait. Je vais te trouver un billet.

— Torche-toi donc avec ton billet ! J'irai sûrement pas me farcir deux heures à regarder jouer les Black Hawks de Chicago à côté de deux gars qui veulent pas me voir là. »

À ce moment-là, je me souviens avoir regardé Patrick comme s'il avait été un garçon de cinq ans, hurlant comme un demeuré à sa mère qu'il voulait aller aux toilettes alors que sa vessie était vide, désirant davantage attirer l'attention que d'aller se soulager à la salle de bains la plus proche.

Au mois d'octobre 1980, je célébrais mon sixième mois de sobriété. C'était difficile – ce l'est encore, comme n'importe quel alcoolique vous le dira –, et même s'il y avait des jours où je peinais à ne pas me crier des bêtises dans le miroir, j'avais déjà laissé derrière moi le fantôme en devenir que j'étais lors de mon entrée en cure de désintoxication. La sirène de camion de pompiers qui me servait de nez commençait à dérougir, et j'étais capable de mettre un pied devant l'autre sans avoir à me pendre après une bouteille de brandy. Bref, j'avais définitivement quitté les bas-fonds, laissant toute la place à Patrick pour qu'il s'y complaise autant qu'il le voulait. Seul petit problème à ma générosité : se complaire dans les bas-fonds, Patrick ne le voulait pas du tout, et j'avais parfois l'impression que ma sobriété lui donnait envie de tout faire sauter. J'espère que j'ai tort. De toute façon, frustré ou non, cela ne change rien au fait que Patrick affichait maintenant un spectaculaire air de bœuf du matin au soir, et que j'aie à y voir ou non ne changeait rien au fait qu'il était rendu tout à fait insupportable. Avec le recul, il m'apparaît clair que mon vieil ami faisait une dépression nerveuse, et il m'arrive encore de vouloir me botter le derrière pour ne m'être rendu compte de rien. Mais à ma décharge, la cure de désintoxication m'ayant tellement épuisé et ma toute nouvelle sobriété me demandant tout ce que j'avais à donner, je n'étais pas en mesure de me rendre compte d'autre chose qui ne me concernait pas.

À l'exception de cette journée du 11 octobre 1980.

En réponse à l'invitation de Patrick de bien me récurer le derrière avec le billet pour le match des Canadiens que je lui aurais donné, j'ai choisi de le laisser à sa rage, à sa chaudière et à sa vadrouille en m'éclipsant sans dire un mot. Malheureusement, j'ai dû retourner rapidement à l'intérieur lorsque, aussitôt sorti de l'immeuble, je suis tombé face à face avec Michel Provost, reporter au *Point* de Radio-Canada et vieille connaissance d'Adrien. Sur le coup, je fus agréablement surpris de me retrouver face à face avec Provost – que j'aimais bien et qui avait des histoires extraordinaires à raconter sur à peu près n'importe qui –, jusqu'au moment où il commença à me parler, mains dans les poches et cheveux au vent, du sujet de son prochain reportage.

« En fait, me dit-il, c'est toute une série de topos sur les vingt ans de la Révolution tranquille, pis où ça a mené le Québec. »

Trop niaiseux, ça m'a pris une bonne trentaine de secondes avant de comprendre ce que Provost faisait dans le coin.

« Intéressant…, lui ai-je dit, comme un bel innocent. Ça va parler de politique, ou ça va couvrir tous les domaines ?

— Tous les domaines. Politique, culturel, social… J'ai rencontré Lévesque, justement, la semaine passée. Bourgault, aussi. Paul Gérin-Lajoie, Robert Charlebois, Lise Payette, Michel Tremblay… Je voudrais rencontrer Trudeau, mais c'est pas lui qui accorde le plus d'entrevues. Il va falloir qu'on le travaille.

— T'en es rendu où ?

— Y en a un dernier que je veux rencontrer. C'est pour ça que je suis venu ici. Ça fait des années qu'il a disparu de la circulation ; mon équipe a eu toutes les misères du monde à le retracer. Finalement, une de mes recherchistes a réussi à avoir une adresse. Ça a l'air qu'il est concierge dans ce bloc-là. »

Alors que Michel Provost pointait du doigt l'immeuble où j'habitais, j'aurais pu jurer qu'il venait plutôt de m'asséner un formidable coup de marteau sur le coco. Cherchant les mots pour dire à Michel de prendre ses jambes à son cou et de terminer son reportage sans le Yéti du bas de la ville, j'eus la maladresse d'affirmer avoir entendu dire que Patrick Flynn était mort depuis un bon bout de temps. O.K., d'accord… Pas besoin de me dire que ce ne fut pas l'idée du siècle, mais je tiens à préciser que je n'ai pas dit ça par méchanceté. Vous savez très bien que j'aimais beaucoup trop Patrick pour ça. Mais je savais aussi que mon vieux copain n'était pas apte à se remémorer le bon vieux temps avec qui que ce soit; surtout pas devant une caméra de télévision, où des centaines de milliers de gens ne verraient rien d'autre qu'un débile enragé, ignoreraient la douleur qui se cachait derrière la colère et que, malgré mes frustrations, je refusais de laisser derrière.

Malheureusement, Michel ne se formalisa pas du tout de mes ouï-dire, puisqu'il ouvrit la porte de l'immeuble où j'habitais, cherchant des yeux le pauvre Patrick toujours occupé à laver le plancher. Le cœur battant, je suivis Michel – je n'étais quand même pas pour le laisser seul; j'aurais pu me faire accuser pour non-assistance à une personne en danger – espérant que la rencontre se passerait calmement et, surtout, rapidement.

« Patrick Flynn ? »

Patrick leva la tête, mais ne répondit pas, se contentant de regarder Michel de haut en bas, les lèvres plissées, avant de m'interroger du regard.

« Michel est reporter à Radio-Canada, dis-je à Patrick, les mains dans les poches, visiblement très mal à l'aise. Il fait une série de reportages sur l'évolution du Québec depuis les années soixante. »

C'est drôle… J'aurais pensé que Michel m'aurait regardé bizarrement, moi qui lui avais dit quelques secondes plus tôt que Patrick était mort. Mais non. Même pas un coup d'œil.

« On veut aussi parler de ceux qui ont marqué l'actualité à l'époque et savoir ce qu'ils sont devenus, dit-il à Patrick. Pensez-vous que vous pourriez m'accorder une entrevue ? »

Patrick continua d'observer Michel, mais avec une nuance de mépris très peu subtile dans le regard, entremêlé de cette tristesse qui ne le quittait jamais. Le cœur lourd, j'ai lâchement détourné les yeux, et pas seulement parce que le poids des années défigurait mon ami de manière insupportable, mais aussi parce que le Yéti, je le sentais, arrivait au grand galop sans que j'aie la possibilité de lui faire la moindre jambette.

« C'est toi qui lui as dit où me trouver ? me demanda-t-il, m'obligeant à le regarder dans les yeux, alors que je ne le voulais pas.

— Non, ai-je répondu. Mais Michel est un bon journaliste. Le meilleur. Je le connais depuis longtemps. C'est un ami d'Adrien, aussi. Tu peux avoir confiance. »

C'est là que Michel s'est tourné vers moi, perplexe. En silence, je lui ai demandé de ne rien répéter de ce que je lui avais dit, tout en le maudissant de m'avoir bien malgré lui entraîné là-dedans. Pourquoi Patrick ? N'était-il pas capable de voir que mon ami semblait autant vouloir se faire interviewer que de se faire jouer dans la prostate ? Pourquoi ne pas plutôt aller interviewer Fanfreluche[22] ? Ou César et ses Romains[23] ?

« Tu veux vraiment que je te dise ce que je pense du Québec ? » grogna Patrick.

---

22 Personnage d'émission pour enfants ayant vu le jour en 1954 dans *La Boîte à Surprise*.

23 Groupe de musiciens ayant connu la popularité dans les années soixante.

Sur le coup, Michel ne fut pas du tout décontenancé par l'attitude, disons, peu accueillante de Patrick. Contrairement à moi, qui en eus presque des airs du capitaine Haddock dans *Tintin au Tibet* lorsqu'il tomba face à face avec l'abominable homme des neiges. Journaliste depuis le milieu des années soixante, mettons qu'il était habitué à se faire recevoir comme un chien dans un jeu de quilles. Seulement, la suite des choses lui fera prendre conscience de la petitesse ridicule de son salaire.

Ayant choisi de répondre à sa propre question, Patrick s'approcha de Michel, l'air menaçant, et s'arrêta à deux pouces à peine du bout de son nez.

« Si t'étais intelligent pour cinq cennes, ton reportage minable, tu le ferais même pas. Si t'étais intelligent pour cinq cennes, tu verrais que le Québec, depuis vingt ans, patauge encore dans le même bol de merde, jusqu'au cou. Y a peut-être du monde, comme notre bon chum Adrien, qui a essayé de lui enlever ses airs de vieux mononc' dépassé. Mais du maquillage, c'est pas éternel. Pis quand c'est mal fait, tu vois au travers. L'ignorance, pauvre con, ça se cache pas. Sors d'ici, prends n'importe qui, au hasard, pis demande c'est qui, le président des États-Unis. Je te gage cent piastres que tu vas te faire répondre que c'est Jerry Lewis. Mais demande à la même personne de te réciter par cœur la programmation du Canal 10, par exemple. Ça, tout le monde est capable de le faire. Pis toi, avec ta face de fendant, tu te penses peut-être au-dessus des autres, mais laisse-moi te dire que tu l'es pas. T'es pareil au reste : un endoctriné pas assez intelligent pour comprendre par lui-même qui être, pis quoi penser ; un mouton qui pense qu'on devrait faire un reportage sur la supposée gloire du Québec, mais qui est même pas foutu de voir que le Québec a jamais été capable de sortir de son trou. »

Le pauvre Michel, qui se faisait insulter depuis un bon cinq minutes, dut puiser assez loin dans ses réserves de bonne volonté pour garder son calme. Pour ma part, j'avais le cœur en mille morceaux. Cette scène, pour tous ceux ayant connu le véritable Patrick Flynn, était d'une tristesse absolument épouvantable. Tout ce chemin parcouru pour ne devenir, en fin de compte, rien d'autre que la copie carbone de la femme revêche et acariâtre que fut sa mère; tout ce chemin parcouru pour ne devenir rien d'autre que le double d'une femme n'ayant jamais eu le moindre scrupule à faire payer ses propres enfants le prix de sa vie ratée. Tout ce chemin parcouru pour ne rien faire d'autre, finalement, que de tourner en rond autour du fantôme de sa mère. Parce qu'au moment où Patrick engueula Michel Provost, c'était Marie-Yvette qui sortait de sa bouche. Dans toute sa splendeur et son amertume.

« Tu diras, dans ton reportage, que Patrick Flynn, astheure, torche des planchers pis décrotte des fenêtres pour gagner sa pitance. C'est ça qui arrive, dans cette province de ti-counes là, quand tu veux pas rentrer dans le rang. C'est ça qui se passe quand tu veux faire autre chose de ta vie que de boire une O'Keefe tiède en parlant du bon vieux temps, les yeux dans'graisse de bines. Ça me fait tellement rire quand j'entends à droite pis à gauche que le Québec a changé! Que c'est plus le Québec du temps de Maurice Duplessis!… Ça me fait tellement rire que je t'en mettrais mon poing dans'face! Toi pis ta gang, vous vous faites un plaisir de cracher sur Duplessis quand, au bout du compte, vous êtes pas mieux que lui. La seule différence, c'est qu'au lieu d'assumer votre ignorance comme lui le faisait, vous la cachez derrière des airs de snobs finis pis de péteux de broue. Ça se vante à tour de bras de lire le gagnant du Goncourt chaque année, mais vous êtes trop innocents pour comprendre ce qu'y a d'écrit dedans. Alors, explique-moi donc pourquoi on devrait tous se féliciter du chemin de fait ! »

Misère !…

« Tu veux savoir ce que je pense de l'évolution du Québec depuis les années soixante ? Je pense que le Québec est encore peuplé de zouaves pis de ti-counes. La seule différence, c'est qu'il a appris à faire semblant qu'il était devenu quelqu'un. C'est ça que je pense. Astheure, sacre-moi ton camp, t'as sali mon plancher. »

De la même manière que mes proches ont compris que je devais toucher le fond du baril avant de me décider à remonter, ceux qui aimaient Patrick – et à cette époque, ils n'étaient pas nombreux – comprenaient aussi qu'il devait entendre lui-même l'insupportable voix de sa mère sortant maintenant de sa propre bouche. Lui qui avait grandi avec la conviction que Marie-Yvette représentait tout ce qu'il ne devait surtout pas devenir était devenu la réincarnation de cette garce qu'il avait tant cherché à fuir.

Une chose, à mon très grand soulagement, venait différencier le fils de la mère : si Marie-Yvette en voulait à tout le monde parce qu'elle ne put jamais vivre la vie qu'elle aurait voulu, la rage de Patrick prenait plutôt racine dans sa certitude d'avoir échoué à changer le monde. Le sien et celui des autres. Si Marie-Yvette passa sa vie à faire suer les autres par pur égoïsme, ce ne fut pas le cas de son fils. Et même si je sais que j'ai encore l'air d'un borné voulant rétablir à tout prix la réputation de son ami aux yeux de tout le monde – ce qui n'est pas totalement faux, je vous l'accorde –, je sais aussi que, s'il y eut quelque chose de rédempteur dans le comportement de Patrick à cette époque, ce fut cette distinction très précise entre lui et Marie-Yvette. Et cette distinction, croyez-moi, m'était d'un très grand secours lorsque je le voyais agir avec les autres comme il a agi avec Michel Provost, ce jour-là. C'était tout ce qui me restait du quasi-frère que j'avais connu et auquel je demeurais, malgré tout, profondément attaché.

11
Patrick... à propos de Jean

La perfection existe. J'y crois sincèrement. Seulement, nous faisons toujours l'erreur de la rechercher de manière collective plutôt qu'individuelle. L'idée que je m'en fais ne sera jamais identique à celle que s'en fait mon voisin. Ce qui est tout à fait normal, lorsque l'on s'y attarde. Je ne suis pas lui, et il n'est certainement pas moi. Alors, si tous s'entendent pour dire que les critères du bonheur sont différents d'une personne à l'autre, pourquoi exiger que les critères de perfection soient les mêmes pour tout le monde ?

L'idée que Jean se faisait de la perfection se voulait plutôt limitée, mais exigeait pourtant de lui un effort digne du plus grand des champions olympiques : une journée sans boire la moindre goutte d'alcool. Et il y arrivait, heureusement, au grand bonheur de tous ceux qui l'aimaient. Il y arrivait un jour à la fois, une heure à la fois et, dans certains cas, une minute et une seconde à la fois. Et malgré les difficultés énormes et les misères variées d'un alcoolique bataillant pour sa sobriété, j'enviais mon vieil ami de pouvoir vivre sa perfection à la fin de chaque journée, alors que la mienne se terrait dans un cimetière de Yaoundé.

Cependant, l'idée toute personnelle que Jean se faisait de la perfection se transforma radicalement lorsqu'il ressentit, pour atteindre véritablement cette perfection, le besoin de rencontrer sa fille, et qu'à la fin de 1980, il enclencha les nombreuses démarches lui permettant de la retrouver. Finalement...

Si, lors de sa cure, Jean avait appris à se regarder dans le miroir sans avoir à boire jusqu'à plus soif, il avait également appris à regarder en face et à accepter ses actions posées dans le but de se défaire de l'emprise des Taillon. Pour moi, il va sans dire que la plus répréhensible de celles-ci demeure encore, aujourd'hui, l'abandon de mademoiselle Robert lorsqu'elle lui fit part de sa grossesse. Mon amitié pour lui en avait pris un coup presque fatal lorsque je l'avais su capable de renier son propre sang, et je n'ai jamais pu, comme Adrien, Lili et madame Bouchard ont su le faire, accepter que quelqu'un que j'aimais autant soit capable d'une telle chose. Des années plus tard, lors d'un autre de mes emportements légendaires provoqués par tout et par rien, j'avais une fois de plus craché au visage d'Adrien mon indignation à savoir que Jean pouvait être à ce point sans-cœur, et c'est alors qu'Adrien, irrité, me fit comprendre que le tableau était loin d'être aussi noir et blanc que ce que je me plaisais à imaginer. Ce jour-là, cherchant à retenir sa colère, il m'expliqua un fait que j'aurais dû voir, mais qui m'a complètement échappé : Jean ne fut jamais vraiment aimé de monsieur Taillon. Pas pour ce qu'il était et certainement pas comme un fils aurait dû l'être. Aux yeux de son père, mon ami ne devait être rien de plus qu'un baume sur une plaie qui ne guérirait jamais ; un espoir futile de retrouver ce qui lui fut un jour volé et qui ne lui serait jamais rendu.

« Comment t'aurais voulu après ça, me dit Adrien, que Jean donne à sa fille ce que lui-même a jamais eu ? »

En effet. Comment Jean aurait-il pu aimer une enfant n'étant rien d'autre qu'une extension de lui-même qui n'arrivait même pas à se regarder dans un miroir sans en brouiller la vue avec une bouteille de brandy ? Comment aurait-il pu aimer une preuve vivante de ce qu'il était dans tout ce qu'il y a de plus détestable, alors qu'il n'avait pas hésité une seule seconde à abandonner une femme enceinte lui tombant joyeusement sur les nerfs après qu'il eut obtenu d'elle le peu qu'il en voulait ?

J'aurais tant voulu rationaliser le côté sombre de mon ami comme il l'a toujours fait avec moi. Mais est-ce que mon amitié aurait été plus pure, plus parfaite, si j'y étais parvenu ? Est-ce que l'absolution sans condition que Jean m'a toujours accordée est meilleure que ma volonté entêtée à dire les choses telles qu'elles sont, sans jamais chercher à embellir quoi que ce soit ? Une fois de plus, la réponse à cette question relève d'une idée de la perfection dans tout ce qu'il y a d'individuel. Pour ma part, je demeurerai toujours en béate admiration devant le soutien sans faille qu'Adrien offrit à Jean, avec le temps. Tous les deux furent mis au-devant d'une situation identique, et avaient réagi de manière si différente qu'il m'est difficile de comprendre comment leur amitié n'en a pas souffert. Pourtant, la réponse est d'une simplicité tout à fait désarmante; Jean et Adrien n'ont jamais perdu de vue qu'ils étaient deux hommes foncièrement différents et qu'ils ne s'en sont jamais tenu rigueur. Jamais Adrien ne se permit d'oublier que Jean n'aurait pas survécu emprisonné dans un joli bungalow de banlieue, arrivant occasionnellement à s'échapper à travers le travail et les nombreuses femmes avec qui il aurait allégrement trompé mademoiselle Robert, comme Adrien le fit avec Denise. Et lorsque Jean, à travers sa nouvelle sobriété, trouva enfin la capacité de s'arrêter, de reprendre son souffle, il le fit avec tout le soutien qu'Adrien avait à offrir, tandis que je passais encore et toujours mon temps à grogner après quiconque essayant de m'approcher.

En reprenant son souffle, en s'immobilisant finalement, et en apprenant à se connaître, Jean n'eut pas le choix, probablement pour la première fois de sa vie, de prendre conscience du paysage qui l'entourait; de l'observer, de l'analyser dans ses moindres détails. Et qu'il le veuille ou non, qu'il l'ait accepté ou pas, une jeune fille de dix-neuf ans se trouvait là, en arrière-plan, partie intégrante de cette quête de soi et de cette lutte constante pour en arriver toujours à ces journées parfaites où sa sobriété aurait triomphé. Alors, si Jean voulait poursuivre sur sa lancée, il devait faire face. Il n'avait plus le choix.

Pour une simple question pratique, ce fut Lili qui, la première, fut mise au courant du désir de Jean de retrouver sa fille. Bien avant Adrien, bien avant moi et bien avant madame Bouchard. Et ce fut par un doux matin d'octobre que Jean était allé la rejoindre à son bureau, alors qu'elle tentait de gérer une crise provoquée par une comédienne exaspérée de se faire constamment reconnaître dans la rue.

« Écoute, ma grande, dit Lili au téléphone. Il va falloir que t'apprennes à être un peu plus aimable avec le petit monde. J'ai encore été capable d'empêcher ça de sortir dans les journaux à potins, mais je pourrai pas faire ça éternellement. (…) Tu peux pas être une des comédiennes les plus aimées du public pis t'attendre à ce que personne te reconnaisse dans la rue. T'as pas dix ans!… T'es assez intelligente pour comprendre ça! (…) Écoute, si tu veux être comédienne sans te faire reconnaître, c'est pas compliqué. Va faire du théâtre. (…) Je le sais que c'est pas payant mais là, il va falloir que tu te branches! (…) Pis fais-moi plaisir, veux-tu? La prochaine fois que tu vas avoir un air de bœuf, tu resteras chez vous. Ce serait bien que tu continues de travailler. J'ai un condo en Floride qui est pas encore payé, moi. (…) Parfait. On se reparle un autre tantôt. Bye. »

Lili raccrocha, laissant sortir au passage un profond soupir. Jean, en la regardant, ne put s'empêcher de ricaner.

« Pas encore ta diva ?…

— La simonac ! Tu peux pas savoir à quel point ça me tombe sur les nerfs ceux qui se fendent en quatre pour être connus pis qui mettent des lunettes fumées, après ça, parce qu'ils veulent pas se faire reconnaître.

— Qu'est-ce qui s'est passé ?

— Elle s'est fait demander un autographe par un bonhomme qui a eu le malheur de se trouver sur son chemin pendant qu'elle commandait du popcorn au cinéma.

— C'est tout ?!

— M'aurais-tu vue réagir de même du temps où je chantais à 'Casa Loma ?

— Tu te serais fait expliquer certaines affaires par Aurèle Collard.

— Elle a pas l'air de comprendre que le jour où les gens vont être tannés d'y voir la face, y'aura pas grand-chose qu'elle va pouvoir faire pour changer ça.

— Cent pour cent d'accord avec toi, ma Lili.

— Changement de sujet : qu'est-ce qui me vaut ta visite ici, à matin ? »

Jean inspira lentement et profondément, les sourcils relevés, avant de répondre à la question de Lili par une autre question.

« Penses-tu que tu serais capable d'entrer en contact avec Christine Robert ? »

J'aurais bien voulu voir le visage de Lili lorsque Jean lui posa cette question. J'aurais bien aimé être témoin de sa réaction, elle qui n'arrivait pas à souffrir Christine Robert depuis que celle-ci était entrée chez elle par infraction alors qu'elle harcelait Jean pratiquement jour et nuit. Plus tard, Jean nous raconta en riant que Lili eut l'air d'une maîtresse d'école, avec les sourcils haussés et les lèvres plissées, devant le cancre de la classe qui venait de dire une stupidité. Une de plus.

«Pourrais-tu me répondre, s'il te plaît? demanda Jean, particulièrement amusé.

— T'as pas recommencé à boire, toujours?

— C'est tout ce que t'as à dire?!

— Ben quoi?! Je comprends pas! Pourquoi elle? T'as quand même pas déjà fait le tour de toutes les femmes de la province du Québec?

— …

— C'est quoi?… Tu pognes pus?

— As-tu fini avec tes niaiseries? Je t'ai posé une question pis j'aimerais ça que tu finisses par y répondre.

— J'aimerais ça! C'est pas que je veux pas! C'est juste que je comprends pas pourquoi, tout d'un coup, tu veux retracer une folle finie que t'as pas vue depuis vingt ans.»

S'écrasant sur son siège, Jean prit une grande respiration, comme s'il se savait devoir fournir un immense effort un rouvrant une porte de son passé qu'il avait lui-même verrouillée, et raconta à Lili cette enfant sans visage qui se trouvait ailleurs, quelque part, et dont il se sentait maintenant la force et l'envie de retrouver la trace.

Curieusement, Lili ne fut pas renversée par cette nouvelle. Jean avait tellement, pendant des années, semé à tout vent qu'il ne fut rien de moins que normal que quelque chose, ou quelqu'un, ait germé. Et contrairement à moi qui me suis servi de mon parcours pour me donner la permission de juger l'existence des autres, Lili, ni fâchée ni dégoûtée par la capacité de Jean à renier sa propre fille, refusa de porter un quelconque jugement. De toute façon, fâché contre lui-même, Jean l'était suffisamment pour nous tous et il en faisait pitié à voir.

« C'est triste à dire, Jean, mais ta fille aurait dû naître maintenant. Là, t'es prêt à la recevoir, lui dit Lili, essayant de calmer cette colère du mieux qu'elle le pouvait.

— T'es fine, répliqua Jean. Mais je suis pas venu ici pour me trouver des justifications. J'ai agi en chien sale, point final.

— Je pense pas que c'est de te trouver des justifications que de te demander ce que t'aurais fait, dans le temps, avec un bébé sur les bras. Tu buvais comme un trou... Tu couchais à droite pis à gauche... Penses-y trente secondes, Jean: tu lui aurais donné quelle sorte d'enfance, à ta fille ? »

Cette question reviendra hanter Jean un peu plus tard, mais pour l'instant, mon vieil ami eut soudain l'impression d'être redevenu tout petit, fermant les yeux tout en se démenant pour chasser cette forte envie d'engourdir ses neurones en avalant une bouteille de brandy.

« Je vais essayer de retrouver Christine, ajouta Lili, mais je te garantis rien. Ça fait des années que plus personne a des nouvelles d'elle dans le milieu.

— Merci, Lili.

— Pas que je veux être oiseau de malheur, mais tu vas faire quoi si cette fille-là veut pas te rencontrer ? »

Pour être bien honnête, Jean n'y avait même pas songé. Ne le voulait pas, non plus, refusant d'imaginer ce que cette enfant était devenue, incapable qu'il était de ne voir autre chose que l'incommensurable lâcheté dont il avait fait preuve envers elle. Pour l'instant, Jean n'arrivait à se concentrer que sur son désir de donner enfin un visage à sa fille. Le reste viendrait plus tard.

« À ce stade-ci, répondit Jean, le visage entre les mains, je veux seulement qu'elle sache que je suis là; qu'elle a le choix de me voir ou pas. Tout le reste, ce sera la cerise sur le sundae. Si elle veut me voir, c'est certain que je vais être content, mais j'ai pas le droit de m'attendre à quoi que ce soit de sa part. Ce droit-là, je me le suis enlevé le jour où j'ai refusé de m'occuper d'elle. »

Peut-être ai-je tort, mais je crois sincèrement que, de nous quatre, Jean est celui ayant le plus évolué, le plus mûri. Plus que Paul-Émile qui, à mon humble avis, n'a fait que redonner à ses racines la place qu'il n'aurait jamais dû leur enlever. Plus qu'Adrien, qui n'aurait pourtant eu qu'à accepter de mériter son bonheur pour pouvoir le vivre pleinement. Et certainement bien plus que moi, alors que je n'ai pas su vivre le temps qui passe autrement qu'en me catapultant dans des directions opposées pour oublier cette terrifiante conviction qu'il m'avait oublié, laissé derrière.

Jean, pour sa part, est parti en ligne droite, du jeune homme qui fuyait sa réalité pour en arriver, un verre de brandy vide à la fois, à relever la tête et à faire face. Et il n'en aura été que plus heureux. Plus que nous, en tout cas. Et une jeune fille de dix-neuf ans n'ayant encore aucun visage vint, à son insu, donner à son père une sérénité et une envie de s'arrêter qu'il n'avait encore jamais connues. Si Paul-Émile, Adrien, moi-même et, plus tard, Lili et madame Bouchard, de manière bien différente, avions représenté pour lui un équilibre certain, ce même équilibre ne lui avait permis, avant toute chose, que de rester debout alors qu'il avait les deux pieds bien plantés dans son propre chaos. Cet équilibre a permis de garder Jean vivant. Mais l'homme qu'il est devenu, au lendemain de sa cure de désintoxication, allait lui permettre enfin de vivre sa vie sans avoir l'air d'un zombie en devenir.

«Jean Taillon qui s'est reproduit..., ajouta Lili, le regard tendre assorti d'un sourire en coin. Je sais pas si le monde est prêt pour ça.»

Jean se contenta de rire en haussant les épaules, affichant un sourire qui ne cachait plus un vide profond derrière les yeux. J'ignore si le monde était prêt à une nouvelle génération de Taillon, mais mon vieux copain l'était. Enfin.

12
Adrien... à propos de Paul-Émile

J'ai toujours beaucoup aimé Simonne Marchand. Dans la vie de Paul-Émile, ses sœurs ne tiennent qu'une place très secondaire, chose que je déplore grandement. Marie-Louise et Simonne étaient deux filles extraordinaires, plus intéressantes, à mon avis, que bien des gens ayant tenu une place plus importante dans la vie de mon copain. La mère de Mireille, par exemple, que j'ai toujours trouvée d'une insipidité quasi surhumaine. Mais voilà. Paul-Émile ayant choisi pendant des années de faire comme si ses sœurs n'existaient pas, leur nom ne fut prononcé que très sporadiquement tout au long de l'histoire.

Ayant manifestement un faible pour les femmes Marchand, j'ai toujours entretenu de très bons rapports avec Simonne, et si nous avions été du même âge – elle avait tout de même huit ans de plus que moi –, je jure que j'aurais tout fait pour la marier. Comment résister à une rousse, grande amatrice de galas de lutte et de baseball, qui détient la plus grande collection de blagues salées de tout l'est de Montréal ? Maintenant que j'y pense, c'est peut-être d'elle que me vient mon penchant pour les rousses. Malheureusement, Simonne ne vit jamais rien d'autre, chez moi, que l'ami quelquefois un peu trop collant de son petit frère.

Très, très proches l'une de l'autre, Marie-Louise et Simonne n'en ont pas moins deux caractères très différents. Si l'aînée est d'une douceur à apaiser un ouragan, la cadette, quant à elle, possède une fougue qui, si elle peut être contagieuse lorsque tout va bien, peut aussi avoir l'effet d'un tremblement de terre de 8.0 à l'échelle de Richter en situation contraire. Et comme ce fut le cas aux funérailles de madame Marchand, ce fut au tremblement de terre que Paul-Émile eut affaire lorsqu'il eut le front de bœuf de se pointer chez Marie-Louise en s'imaginant qu'il y serait accueilli à bras ouverts.

La scène avait débuté de manière presque comique. Appuyant fermement sur la sonnette d'entrée, monsieur Marchand regarda son épouse en souriant comme un imbécile heureux alors que Suzanne, angoissée, se frottait les tempes pour calmer le mal de tête la harcelant depuis que Paul-Émile était sorti du dépanneur avec sa caisse de bière. Celui-ci, d'ailleurs, affichait une bonne humeur quasi insouciante, souriant à pleines dents, lorsque Edouard, l'époux de Marie-Louise, vint ouvrir la porte.

Silence. Long silence gênant pour absolument tout le monde à l'exception, évidemment, de Paul-Émile.

« Je vous emmène de la grande visite », dit-il, d'ailleurs, à un Edouard impassible.

Maladroitement, ayant presque des airs d'Ephrem, dans *Symphorien*, Paul-Émile avait tenté une blague en prétextant que monsieur Marchand et madame Rudel, qui venaient souper chez Marie-Louise tous les dimanches, étaient une surprise inattendue et que lui, le beau-frère, était un habitué de la place ayant emmené avec lui de la visite rare. Malheureusement pour lui, Paul-Émile donna plutôt à Edouard l'impression qu'il se qualifiait lui-même de merveilleuse surprise. Ce qui, évidemment, n'eut pas exactement l'effet espéré.

En voyant le regard fermé d'Edouard, Suzanne posa sa main sur le bras de monsieur Marchand, essayant de faire comprendre à cette partie d'elle-même qu'elle reconnaissait en lui qu'il était encore temps de faire demi-tour et que ce plan était loin d'être une bonne idée. Mais monsieur Marchand ne bougea pas, attendant impatiemment que son gendre lui fasse signe d'entrer alors qu'Edouard, le regard toujours aussi fermé, ne semblait pas vouloir donner quelque signal que ce soit en ce sens.

« Louise !... » s'écria-t-il.

Lorsque Marie-Louise apparut, cheveux courts blancs et grand tablier noir, elle regarda tour à tour Suzanne et Paul-Émile, étonnée, sans dire le moindre mot.

« Tu nous fais pas entrer ? » demanda Paul-Émile, sans perdre de sa superbe.

Complètement prise de court, Marie-Louise fit signe à tout le monde de pénétrer à l'intérieur tandis que le pauvre Edouard, regardant sa femme comme si elle avait fait signe à un loup d'entrer dans une bergerie, l'entraîna à l'écart.

« Es-tu folle ?! lui demanda-t-il, pas très subtilement d'ailleurs.

— Qu'est-ce que tu voulais que je fasse ? Je suis quand même pas pour faire entrer papa, Monique et Suzanne pis refermer la porte au nez de Paul-Émile.

— Pourquoi pas ? Ça se fait très bien, prends-en ma parole. Remets ton frère sur le pas de la porte pis je vais te montrer comment faire. Tu vas voir, c'est très facile.

— Edouard...

— Je le veux pas chez moi, Louise ! C'est pas assez que j'aie eu à m'en occuper aux funérailles de ta mère ? C'est pas mêlant : même quand il pleure, il trouve le tour de pleurer en étant fendant !

— Edouard, ça faisait dix ans qu'on l'avait pas vu.

— O.K. Parfait. On le reverra dans un autre dix ans. Quinze, si on est chanceux.

— S'il te plaît, essaie de comprendre. Je peux pas mettre Paul-Émile à la porte. Ce serait pas la chose charitable à faire.

— Depuis quand ton frère a besoin de charité ?

— …

— Est-ce que je peux au moins lui servir du Docteur Ballard pour souper ? »

Marie-Louise posa doucement la main sur l'épaule d'Edouard en souriant et partit vers la cuisine, où Simonne, Julien et les autres se trouvaient déjà. Instantanément, Marie-Louise fut frappée par l'ambiance glaciale qui y régnait. Une ambiance si froide, en fait, que des glaçons auraient très bien pu pendre au nez de tout le monde.

« Louise… » dit Simonne à sa sœur aînée, d'un ton accusateur.

Habituellement si douée pour calmer les tensions de toutes sortes, Marie-Louise sut, en l'espace de quelques secondes seulement, qu'elle n'arriverait à rien apaiser, cette fois-ci. La colère toute familiale à l'égard de Paul-Émile avait été refoulée depuis trop longtemps, et personne, à l'exception de Suzanne, Marie-Louise et la pauvre madame Rudel, n'allait rater l'occasion de se vider le cœur, occasion que mon ami leur offrait sur un plateau d'argent.

Paul-Émile, extraordinairement, ne se rendit compte de rien. Pas tout de suite, du moins. Tellement désireux de plaire à ceux qu'il avait cavalièrement – et, n'ayons pas peur des mots, malicieusement – ignorés depuis si longtemps, il crut bon de déposer sur la table la caisse de 50 achetée au dépanneur, vingt minutes plus tôt. Comme si cela allait suffire…

« Je voulais pas arriver ici les mains vides, dit-il en

souriant, comme s'il était un habitué des soirées de Marie-Louise et Edouard.

— C'est gentil de ta part, répliqua Simonne. Ça l'aurait été encore plus si t'avais été invité, au départ. »

Plus tard, monsieur Marchand dira que Simonne ressemblait presque à une reine ayant droit de vie ou de mort sur le minable roturier qui se tenait debout devant elle. Pourtant, ce n'était pas tout à fait le cas. Le rejet que Paul-Émile s'apprêtait à vivre ne fut pas décrété par une seule personne. Loin de là. Et Simonne, au bout du compte, ne s'était que portée volontaire pour exprimer, durement et clairement, avec une colère tout en retenue, comme un volcan qui bouille, tout ce que Paul-Émile nous avait mis sur le cœur depuis des années. Sa colère n'était pas seulement celle des Marchand. Elle était aussi la nôtre, et si Jean eut été chez Marie-Louise ce soir-là, je suis convaincu qu'il aurait applaudi Simonne à tout rompre.

Monsieur Marchand, pour sa part, s'était installé sur une chaise et regardait la scène, les bras croisés, les regards empreints de reproche que lui lançait Suzanne ne l'émouvant pas le moins du monde. Il attendait la suite impatiemment, pendant que Suzanne, futilement, essayait d'entraîner Paul-Émile vers la sortie. Mais Paul-Émile, obstinément, refusait de bouger.

« Dis ce que t'as à dire », dit-il à Simonne.

Paul-Émile, qui était pourtant loin d'être stupide, commit l'erreur de croire que Simonne et les autres ne lui en voulaient qu'en raison de la mort de madame Marchand; qu'après la période de deuil passée, tous allaient comprendre que rien n'était sa faute et qu'ils l'accueilleraient dans le giron familial les bras ouverts, la larme à l'œil. Lorsque j'ai eu vent de cette histoire, je n'arrivais pas à croire que Paul-Émile, entre tous, ait été assez innocent pour ne pas comprendre à quel point son snobisme et son rejet avaient profondément blessé sa famille. Et Simonne, qui avait essayé de trouver des excuses à son frère pendant des années, ne fut que trop heureuse de remettre les pendules à l'heure.

« Je suis émue de voir que tu t'es abaissé à venir jusque dans Rosemont pour nous voir, mais t'aurais pas dû. Faudrait pas que personne se doute que t'es apparenté à une bande de sauvages. Mais tu sais, on est pas si sauvages que ça, au fond. Juste incultes et insignifiants, comme tu nous a toujours dit qu'on était.

— J'ai jamais dit ça, Simonne. »

À ces mots, Edouard, l'époux de Marie-Louise, haussa bien haut les sourcils, tout en feignant de s'étouffer. Mais Paul-Émile, comme il le faisait toujours dans une situation comme celle-ci, ignora l'affront. Chose que Suzanne, pour sa part, fut incapable de faire.

« O.K., ça suffit, dit-elle en cherchant à s'interposer. Viens-t'en, Paul-Émile. On s'en va.

— Pourquoi ? demanda Simonne à Suzanne. Il est venu jusqu'ici… Il est aussi bien de rester jusqu'au bout. Quitte à arriver comme un cheveu sur la soupe…

— Est-ce que c'est vraiment nécessaire ?

— Toi ?! Toi, tu me demandes ça ?! Si t'avais une once d'orgueil, Suzanne Desrosiers, tu te tiendrais debout, à côté de moi, pis tu lui réglerais son compte comme il mérite de se le faire régler depuis des années !

— C'est de l'histoire ancienne, Simonne.

— Pourquoi ? Parce qu'il s'est enfin décidé à plus te traiter comme si t'étais une putain qu'il voyait en cachette ?

— Simonne, je t'interdis de parler à Suzanne sur ce ton-là! s'exclama Paul-Émile. T'es fâchée après moi. Pas après elle.

— C'est quoi, le rapport? demanda Simonne. Je suis très polie, moi, avec Suzanne. Tout ce que j'ai fait, c'est de rappeler comment tu l'as traitée pendant que tu mangeais sur le bras de la famille Doucet.

— Paul-Émile, dit Suzanne, à voix basse. Je veux m'en aller. »

Malheureusement pour Suzanne, Paul-Émile ne lui accorda pas la moindre importance. S'il avait cessé de vouloir constamment revivre 1929 pour plaire à sa mère, il en était maintenant rendu à essayer de remonter le temps pour y retrouver son père et ses sœurs; pour revivre avec eux la proximité qui les unissait à l'époque. Seulement, dans les années quarante, Suzanne n'était pas plus présente dans la vie de Paul-Émile qu'elle ne l'était en 1929. Elle n'existait pas. Alors, une fois de plus, elle se retrouvait à passer après tout le monde.

Simonne, pour sa part, ne voulait pas s'arrêter. Pas quand son mari et son beau-frère lui enjoignaient du regard de continuer. Pas quand monsieur Marchand la regardait, les bras croisés, semblant attendre la suite. Et pas quand Paul-Émile se tenait debout devant elle, lui demandant de se vider le cœur pour que tout le monde puisse enfin passer à autre chose; pour que sa sœur joue à l'ours en peluche avec lui, comme lorsqu'il était tout petit. Comment a-t-il pu, en voyant Simonne, en écoutant sa voix qui semblait provenir du fin fond d'un volcan sur le point de cracher toute sa lave, qu'il y aurait des câlins après pareille dispute? Des câlins, Simonne aurait été incapable d'en donner. Son ressentiment vis-à-vis de Paul-Émile, vigoureux depuis des années, n'arrivait tout simplement plus à se contrôler depuis la mort de madame Marchand.

« Une fois par semaine, dit-elle, presque en murmurant, on se réunit en famille pour manger et jouer aux cartes. EN FAMILLE ! Ça fait que je sais pas ce que tu fais ici, mais t'as pas ta place. »

Si l'on se donne la peine de ramener cette situation à son plus simple dénominateur commun, si l'on mettait de côté l'esprit charitable de Marie-Louise et l'instinct protecteur de Suzanne, qui oserait prétendre que Simonne, dans toute sa colère volcanique, avait tort ? Pendant des années, Paul-Émile ne fut que le fils de sa mère. Il aurait pu porter n'importe quel nom de famille, il n'était rien de plus que le fils de Florence. En fait, il aurait pu s'appeler Doucet que cela aurait fait plus de sens. Pendant des années, mon ami fut plus proche de son beau-père que de monsieur Marchand, vivait sa vie davantage selon les préceptes de sa belle-famille que ceux prônés par son propre père. Il s'était tellement éloigné que son visage, pour ses sœurs, s'était brouillé, ayant presque cessé d'exister. Ainsi, le constat fait par Simonne, si on le dénuait de toute émotion, venait souligner une vérité que le pauvre Paul-Émile ne voulait pas reconnaître. Lui dont la logique – à l'exception de son amour pour Suzanne – s'était toujours révélée à toute épreuve, lui dont la capacité d'avancer en ligne droite sans jamais se soucier des obstacles lui barrant le chemin était légendaire, n'arrivait tout simplement pas à reconnaître les faits; à accepter que sa propre logique cherchait à lui faire comprendre que les Marchand, tels qu'il se les imaginait au début des années quatre-vingt, n'existeraient jamais plus pour lui.

Mon Dieu que je trouve ça pénible de raconter cette partie de la vie de Paul-Émile. Mais pour l'amour du ciel, qui peut sérieusement affirmer qu'il ne l'a pas cherché ? Enfin…

Et pendant ce temps, monsieur Marchand, lui, demeurait toujours les bras croisés.

« Simonne, dit doucement Paul-Émile, esquissant un sourire. Pourquoi on fait pas comme quand j'étais petit ? Tu me chicanes pis après ça, on repart à neuf. Qu'est-ce que t'en penses ? »

Ouille ! Simonne n'en pensait rien du tout, évidemment insultée par le ton condescendant – volontaire ou non – employé par son frère.

« Écoute comme il faut, Paul-Émile, parce que ce que je vais te dire, je vais te le dire juste une fois : la porte est là. Prends-la. Je sais pas pourquoi tu t'es tout d'un coup mis en tête de revenir dans la famille, pis je sais surtout pas comment t'as pu penser que tu serais le bienvenu, mais t'as pas d'affaire ici. Je te l'ai dit, tout à l'heure : ici, on est en famille.

— Simonne… C'est pas de ma faute si maman est morte.

— Tu penses que c'est seulement pour ça que plus personne, ici, est capable de te voir la face ? La mort de maman, mon cher, c'est la goutte qui a fait déborder le vase. Point final. »

J'aurais bien voulu savoir comment Suzanne et monsieur Marchand se sont véritablement sentis, à ce moment-là. Toute leur colère, toute leur frustration refoulée sortant par une voix différente de la leur, mélangée, j'en suis convaincu, à l'amour indéfectible que tous les deux ressentaient pour Paul-Émile. Quelque part, je ne crois pas que le père aurait été prêt à humilier qui que ce soit de la sorte si ce n'eût été pour se rebeller contre l'affection encore ressentie, malgré tout, pour ce fils lui ayant presque tout pris.

Logique tordue, je sais, mais parfaitement compréhensible lorsque l'on se rappelle que je suis loin d'avoir eu un paternel aussi extraordinaire et stable que monsieur Marchand l'a été.

«Depuis des années, poursuivit Simonne, le ton glacial tout en retenue, tu traites tout le monde autour de toi comme de la merde. Tu fais tout ce que tu veux sans jamais te soucier de personne. Que papa ait perdu maman parce que tu tenais absolument à la retransplanter à Outremont, ça t'a jamais intéressé. Que tu nous aies fait sentir, Marie-Louise et moi, comme des moins que rien parce qu'on n'a pas voulu retourner à Outremont, ou parce que nos maris ont pas eu la chance de marier des femmes pleines aux as pour nous y ramener, tu t'en es toujours foutu comme de l'an quarante. Que Suzanne ait gâché sa vie à t'attendre pendant que t'étais occupé à faire trois petits à une femme que t'aimais même pas, mais qui avait comme attribut de porter le nom de Doucet, ça, c'était pas important.»

Les yeux pleins d'eau, Suzanne supplia une fois de plus Paul-Émile de partir. Cette envie ressentie devant le dépanneur de la 6e Avenue, si petite fût-elle, de le voir se faire mettre son égoïsme au visage disparaissait à mesure que Simonne lui rappelait tout ce que Paul-Émile lui avait coûté.

Si Suzanne, extraordinairement, n'a jamais douté de l'amour que lui portait Paul-Émile – comme je l'ai déjà dit, un aveugle aurait pu s'en rendre compte –, elle s'est souvent demandé, fortement stimulée par Rolande, si tout ça en valait la peine. Ma mère m'avait d'ailleurs raconté, à peu près à la même période, l'avoir vue pleurer lorsque madame Desrosiers, lors d'une soirée passée à jouer aux cartes, annonça avoir lu dans un magazine que l'épouse de Guy Drouin, Ellie, était enceinte de leur premier enfant. Au début des années quatre-vingt, Suzanne venait d'atteindre la quarantaine et, comme les moyens médicaux de l'époque étaient moins développés qu'aujourd'hui, une femme de quarante, quarante et un ou quarante-deux ans n'ayant pas encore eu d'enfant était quasi certaine de ne jamais en avoir. Et donc, le monologue de Simonne, même s'il était pleinement justifié, n'était rien d'autre pour Suzanne que du sel sur une plaie déjà trop vive. Mais Paul-Émile, malheureusement, demeurait planté là, les deux pieds coulés dans le béton du plancher de la cuisine des Vigneault.

« Pis là, parce que maman est plus là, parce que t'as plus personne autour de toi à part Suzanne – qui est une sainte, dans mon livre, de vouloir encore de toi –, tu nous annonces que tu veux revenir. Ma foi du bon Dieu, t'attends-tu vraiment à ce qu'on t'accueille à bras ouverts ? Parce que si c'est à ça que tu t'attends, je vais me faire un plaisir de péter ta balloune : tu fais plus partie de notre famille. T'es peut-être un Beauregard ; t'es peut-être un Doucet. T'es qui, au juste ? Je le sais pas, pis ça m'intéresse pas. Mais ce que je sais, par exemple, c'est que t'es pas un Marchand et que tu l'es plus depuis longtemps. »

Dans la cuisine des Vigneault, personne ne bougeait. Personne ne disait le moindre mot. Tout avait été dit, et les regards défiants que Paul-Émile avait endurés un peu plus tôt en étaient rendus à le fuir, lui signifiant au passage leur désir de le voir disparaître à nouveau. Comme si tous étaient pressés de revenir aux rires, à la bonne bouffe et aux cartes, histoire de se créer des souvenirs plus heureux que ceux déterrés par Paul-Émile.

Ce jour-là, bien étrangement, Paul-Émile ne se sentit pas humilié par sa famille. Trop sonné par ce qui venait de se passer pour être en mesure de ressentir quoi que ce soit, il sortit du logement de la 5e Avenue avec des airs de robot, guidé en vitesse par Suzanne, qui ne voulait rien d'autre que de décamper. Parti trop vite pour s'apercevoir, alors qu'il franchissait le pas de la porte, que monsieur Marchand avait légèrement tourné la tête dans sa direction et qu'il s'était mis à pleurer.

Je ne sais pas comment j'aurais réagi si j'avais été là lorsque Paul-Émile s'est fait dire ses quatre vérités par Simonne. D'accord, Jean et moi lui en avons voulu long-temps pour nous avoir tassés du revers de la main comme il l'a fait. Mais le rôle que Paul-Émile avait joué dans la libéra-tion de Patrick, lors de la crise d'Octobre, l'avait racheté, à nos yeux, jusqu'à un certain point. De plus, nous avions fini par comprendre que son entêtement à renier d'où il venait lui fit très mal, même s'il ne voulait pas le reconnaître. Pas encore, du moins.

Les Marchand, toutefois, représentaient une autre paire de manches. Leur frustration remontait à plus longtemps que la nôtre, et le rejet qu'ils durent subir se fit de manière encore plus cavalière. Pourtant, le moment de la vengeance venu, personne n'avait envie de rire, et je dois avouer que j'en fus le premier surpris. J'aurais gagé ma dernière chemise que tout le monde, alors, aurait été prêt à couvrir Paul-Émile de plumes et de goudron, pour ensuite se moquer de lui jusqu'à ce que ça en vienne redondant, mais même Edouard et Julien, qui supportaient aussi bien leur beau-frère que j'arrivais à supporter mon ex-femme, n'avaient pas le cœur à rire. Le monologue de Simonne, avant toute chose, servit surtout d'exutoire à la douleur d'une famille décimée, plutôt que de servir à marquer Paul-Émile au fer rouge avec la profonde rancune que tous ressentaient envers lui. Les Marchand en comprenaient les nuances, mais cela n'a pas changé quoi que ce soit. Mon vieil ami fut mis à l'index par sa propre famille de la même manière qu'il l'avait fait avec nous tous, plus de vingt ans auparavant.

Pourtant, au-delà du ton acerbe de Simonne, au-delà des mots très durs qu'elle eut envers lui, ce fut le silence de son père qui fit le plus de mal à Paul-Émile. Le silence, les bras croisés et ses yeux qui fixaient le vide. En 1981, monsieur Marchand était âgé de quatre-vingt-deux ans. Toujours en excellente santé, il en était rendu, forcément, à regarder plus souvent vers l'arrière; à se remémorer toute une vie pour essayer d'en trouver un sens qui saurait aussi guider le peu qu'il lui restait à vivre. Et même s'il essaya pendant des années d'en faire abstraction, il n'arrivait plus à regarder en arrière sans voir l'abandon de Paul-Émile, qui finit aussi par lui causer la perte de sa femme. Alors, le visage plein de rancune que Suzanne avait découvert quelques instants plus tôt, mon ami le voyait enfin à son tour. Tout, absolument tout dans les yeux, les rides, la bouche et la posture de monsieur Marchand, trahissait cette rancune, cette amertume envers un fils ayant pratiquement tout fait pour couper les liens émotifs. Et ce jour-là, en observant son père, Paul-Émile comprit qu'il avait réussi au-delà de toute espérance. Monsieur Marchand, pour sa part, s'exprima par un silence qui passa proche de démolir le garçon que Paul-Émile était redevenu, alors que tous les mots prononcés par Simonne auraient parfaitement pu être les siens. La rancœur, du moins, semblait être la même en tout point.

Paul-Émile aurait dû être heureux. Les liens avec ses familles, pour la toute première fois, étaient véritablement rompus.

13
Paul-Émile... à propos d'Adrien

Lors de sa première année passée à Paris, Adrien est devenu un passionné de cinéma français. À l'opposé de Jean, qui, encore aujourd'hui, tombe dans le coma à la simple vue de Catherine Deneuve ou de Philippe Noiret. Pour Adrien, ce qui débuta par un moyen de passer le temps lors d'un après-midi pluvieux devint, en un temps record, un engouement puissant au point où il n'hésitait pas à couper dans son budget d'épicerie, si cela pouvait lui permettre de voir deux ou trois films de plus par semaine.

Une façon comme une autre, j'imagine, de s'enlever de la tête l'échec du référendum, le mariage d'Alice et son manque des enfants.

Encore aujourd'hui, Adrien radote avec émotion – comme il radotait, à l'époque, sur la pêche aux saumons de Ted Williams – sur ce premier film vu dans un quelconque cinéma de Montparnasse, et à quel point il en était ressorti ébranlé: *Un Mauvais Fils* de Claude Sautet, mettant en vedette Patrick Dewaere.

Bon. Je n'ai rien dit. Je ne dis toujours rien, d'ailleurs. Je n'ai jamais vu ce film-là et je ne sais même pas qui est Claude Sautet. Mais ce serait bien que quelqu'un fasse savoir à Adrien que ce film, racontant la relation difficile entre un père et son fils, aurait pu être un navet que mon ami l'aurait quand même considéré comme étant meilleur que *Citizen Kane*. Pour ma part, je ne suis pas certain qu'il aurait développé la même passion pour le cinéma français si le premier film qu'il aurait vu avait été *Les Sous-Doués passent le bac*. Et pourtant, avec ces années passées à nous casser les oreilles sur le cinéma français, et sur *Un Mauvais Fils* en particulier, Adrien n'a jamais su – ou voulu – reconnaître la ligne directrice partant de monsieur Mousseau et se terminant avec Daniel. En passant par lui, bien sûr. Ce qui nous apparaissait à tous comme une évidence, il ne le voyait simplement pas, reconnaissant du bout des lèvres avoir un peu l'impression de reconnaître son fils en Patrick Dewaere; de revoir les mêmes yeux tristes et les mêmes airs de chien battu. Adrien pourrait aussi ajouter qu'il voyait le même silence entre le fils et le père. Entre Daniel et lui. C'est ce qui m'a d'ailleurs amené à parler de ce film pour raconter ce qui suit.

À partir d'ici, je tiens à dire que mon témoignage ne donnera pas dans le politiquement correct. L'histoire le veut ainsi, et je n'y apporterai pas de modifications pour plaire aux bien-pensants.

Je ne me souviens pas si j'en ai déjà fait mention – peut-être que oui, peut-être que non –, mais Daniel était gai. Et sans que ça vienne définir complètement sa personnalité – de l'avis de ceux qui l'ont connu, il était doux, timide, drôle à ses heures et très loyal –, cet état de fait a malheureusement défini, négativement, sa relation avec son père. C'est d'ailleurs ici que ma politique antipolitiquement correcte entre en vigueur: Adrien, et c'est dommage, n'a jamais pu accepter l'homosexualité de son fils. Il n'y eut pas, chez lui, d'évolution, de prise de conscience ou de révélation sur la normalité des gais et lesbiennes. Et si mon copain a su faire preuve d'empathie en certaines occasions au cours de sa vie, il n'a jamais réussi à se sensibiliser au sort des homosexuels; n'a jamais pu les voir autrement que comme des déviants. À tort, je sais, mais c'est comme ça. Claire et Denise ont longtemps essayé d'y changer quelque chose. Elles n'y sont jamais parvenues. Adrien, au mieux, fit de gros efforts pour se mettre la tête dans le sable et la garder enterrée. Malheureusement pour lui, il vint un temps où, le besoin d'air se faisant pressant, la tête n'eut pas le choix de sortir du sable, obligeant Adrien à voir son fils pour ce qu'il était. Et comme Adrien était incapable de regarder la réalité en face, la tête retournait alors aussitôt en état de quasi-hibernation.

Les choses ont toutefois pris une tournure différente lorsque Adrien est parti pour la France; lorsque Daniel, avec la bénédiction de sa mère, de sa grand-mère et de sa sœur, put commencer à vivre sans se cacher. Le dentifrice étant sorti du tube, tout retour en arrière s'avéra donc impossible. Et, lorsqu'à l'été 1981, Adrien invita ses enfants à passer deux semaines à Paris, c'est avec son copain du moment – un anglophone originaire de Toronto répondant au nom de Jay – que Daniel fit son entrée à l'aéroport Charles-de-Gaulle.

Gai et anglophone: vraiment tout pour faire craquer Adrien…

De l'aéroport jusqu'à la rue Monsieur, alors que le RER regagnait Paris, Claire, émerveillée, babillait sans arrêt, arrivant à son insu à camoufler le malaise d'Adrien à voir sa tête sortie du sable pour de bon. Plus tard, Denise dira que Daniel n'a pas agi malicieusement; qu'il vivait simplement sa vie selon ses principes et qu'il ne voulait plus se cacher. Ça se peut. D'ailleurs, si j'avais connu Daniel à l'époque, je lui aurais à coup sûr levé mon chapeau en lui disant bravo. Lui qui, depuis sa naissance, passait ses journées à longer les murs pour ne pas faire de vagues et déranger personne, avait dû en souffrir un coup pour en arriver, indirectement, à affronter Adrien.

Malheureusement, Adrien n'a pas réagi de cette façon.

Une fois tout le monde arrivé à la rue Monsieur, Jay s'adressa à lui, disant que sa mère était une Moynihan ayant grandi près du boulevard Saint-Laurent. Adrien s'est alors levé, est sorti de chez lui et a marché jusqu'au téléphone public le plus proche. De là, il logea un appel chez lui qui fut bref et expéditif. Jay devait partir. À l'hôtel. Dans une auberge de jeunesse. Sous les ponts de Paris, s'il le fallait. Mais Jay devait sortir. Et vite.

« Papa ! s'exclama Daniel. Jay est mon chum ! Tu peux pas me demander ça !

— Daniel, t'es le bienvenu n'importe quand pis tu peux rester autant que tu voudras. Mais j'ai quand même le droit de fermer ma porte à quelqu'un si je le veux pas chez nous. Pis lui, j'en veux pas.

— Si Jay va à l'hôtel, j'y vais avec lui. Je peux pas faire autrement.

– Fais ce que tu veux. T'es un adulte. J'ai plus d'affaire à te dire quoi faire.

— Papa, fais un effort, je t'en supplie ! Jay, c'est quelqu'un de merveilleux, pis…

— Daniel, demande-moi pas ce que je suis pas capable de donner, O.K. ? »

Ce fut la première et dernière fois que le sujet fut abordé directement. Et pas besoin de dire qu'Adrien ne revit jamais Jay. Pas plus qu'il ne fit connaissance avec les trois autres lui ayant succédé dans la vie de Daniel. Le sujet était clos, la tête enfin de retour dans le sable. Et lorsque Adrien retourna chez lui, Daniel et Jay étaient déjà partis, ayant laissé derrière une Claire particulièrement furieuse.

« Franchement ! s'exclama-t-elle. C'est pas fort ! Toi pis un homme des cavernes : laisse-moi te dire que y a pas grand différence! J'ai rarement eu aussi honte d'être ta fille. Pis soyons francs: c'est pas les occasions qui ont manqué!» dit-elle à son père, les bras croisés.

Adrien ne répliqua pas. Quelque part, je crois qu'il savait que Claire avait raison. Que Daniel aussi avait raison. Mais pour lui, l'homosexualité de son fils n'existait pas et pour se convaincre, il s'acharnait à faire comme si Daniel, encore au stade de l'enfance, n'arrivait pas à voir les filles et les garçons autrement que comme des compagnons de jeu; comme s'il était carrément asexué. Daniel, évidemment, ne voyait pas les choses de la même manière. Alors, inévitablement, les liens entre père et fils se sont relâchés.

Ce jour de juillet 1981, Adrien en viendra à le regretter. Amèrement. Surtout lorsqu'il réalisera qu'à ce moment-là, il venait de perdre son fils pour la première fois et qu'il l'avait, aussi, laissé tomber comme il n'a jamais laissé tomber personne avant lui. En faisant comme si Daniel n'était encore qu'un enfant pour ne pas avoir à faire face à la réalité, comment se fait-il qu'Adrien ait accepté le relâchement de leurs liens? N'aurait-il pas dû, au contraire, être présent comme il l'avait été jusque-là? Honnêtement, je n'ai pas cherché à répondre à ces questions. J'aurais peut-être dû. Mais qu'est-ce que ça aurait changé, au fond? Adrien aurait été encore plus misérable, et son sentiment de culpabilité aurait décuplé. Et comme frapper un homme au tapis n'a jamais été mon style…

Je n'aime pas parler de ce qui s'en vient; de la mort de Daniel. Parce que ça me rappelle mes morts à moi, mais aussi à cause de l'anachronisme de voir son enfant partir avant soi-même. Mais, bon. Je n'aurai pas le choix d'y revenir. Malheureusement. Parce que si le décès de son fils fait partie du passé d'Adrien, il fait aussi partie de son futur, d'une certaine manière.

J'y reviendrai. Je n'ai pas le choix.

14
Patrick... à propos de Jean

« Pis ? demanda-t-il au téléphone à Lili. As-tu eu des nou-velles de Christine ?

— Jean, ça fait la troisième fois en même pas une semaine que tu me poses la question. Sacre-moi patience ! Je te pro-mets que, quand je vais savoir où elle est, tu vas être le pre-mier à qui je vais le dire. »

Jean avait raccroché en souriant. Tous étaient maintenant au courant de sa paternité et de son souhait de rencontrer sa fille. Pas une seule journée ne passait sans qu'il en parle à qui voulait bien l'entendre, même si cette histoire était loin, très loin, de redorer son blason. Mais tous se souvenant de la bouteille de vodka ambulante à laquelle il ressemblait vingt ans auparavant, nombreux furent ceux à se dire que la pauvre petite, au bout du compte, l'avait peut-être échappé belle. Adrien, d'ailleurs, aurait eu toutes les raisons du monde d'en vouloir à Jean, lui qui ne s'était pas défilé et qui avait accepté de marier une femme qu'il supportait à peine pour que son fils ne soit pas considéré comme un bâtard. Pourtant, son soutien fut sans faille.

Je ne crois pas, de toute ma vie, avoir déjà rencontré quelqu'un réussissant à susciter une aussi forte loyauté que mon ami Jean. Et Adrien fut certainement fidèle à notre copain d'une manière qui m'aura assurément échappé. J'en profite d'ailleurs pour lui lever mon chapeau, tout en lui témoignant mon entière admiration.

Lili aussi était loyale. Et grâce à un réseau de contacts plutôt imposant, elle réussit à retrouver la trace de mademoi-selle Robert en seulement quelques coups de téléphone.

Précisons ici que certains de ces contacts furent plutôt perplexes de se faire demander s'ils connaissaient les allées et venues de quelqu'un ayant disparu de la circulation depuis si longtemps :

« Tu cherches qui ? ! »

« Bout de viarge, je sais même pas si elle est encore vivante ! »

« Aïe ! J'espère que c'est pas pour lui demander de jouer dans la nouvelle émission de Guy Fournier ! Est-ce qu'il faut que je te rappelle que tu me l'as pratiquement garanti, ce rôle-là ? ! »

Après un certain temps, Lili finit par savoir que mademoiselle Robert était effectivement toujours vivante, mais qu'elle était déclarée inapte au travail depuis plusieurs années. Pourquoi ? Que lui était-il arrivé ?

« Elle a fait huit séjours dans des hôpitaux psychiatriques depuis 1972 », dit Lili à Jean.

À l'exception d'Adrien évidemment retenu à Paris, nous étions tous autour de Jean lorsque Lili lui apprit la nouvelle de l'état de santé mentale pour le moins précaire de mademoiselle Robert. Madame Bouchard, le docteur Lajoie, moi… Depuis quelque temps, nous avions tous été témoins de la quantité extraordinaire de scénarios que Jean avait inventés lorsqu'il s'était mis en tête de retrouver sa fille et, dans chacun d'eux, celle-ci avait eu une enfance heureuse. Jamais ne lui était-il passé par la tête qu'elle aurait pu vivre pire que ce qu'elle aurait vécu s'il l'avait élevée. Surprise ! Que Jean, d'ailleurs, ne vit pas venir, alors qu'il réalisait tranquillement qu'aucun des scénarios élaborés ne tenait la route.

« Elle a été internée pour quoi ? demanda madame

Bouchard d'un ton laissant sous-entendre qu'elle ne voulait pas forcément connaître la réponse.

— Elle a fait deux tentatives de suicide, expliqua Lili. Une en 1972; une en 1977. Elle a été internée une fois pour harcèlement et menaces de mort. Les cinq autres fois, elle a été internée pour des troubles mentaux sévères.

— Pis sa fille? demanda le docteur Lajoie.

— J'ai rien appris à propos de sa fille. J'imagine qu'elle a fini par en perdre la garde, à un moment donné. »

Non. Pas tout à fait, du moins. Lorsqu'un inspecteur de police, trois ans auparavant, annonça à Jean que mademoiselle Robert était considérée comme suspecte de la tentative d'assassinat dont il fut victime, il avait mentionné au passage qu'une jeune fille vivait avec elle. Le docteur Lajoie s'en souvenait et fit donc part aux autres de cette information qui, en passant, n'eut absolument rien de rassurant pour mon pauvre ami.

« Huit séjours dans des hôpitaux psychiatriques…, murmura-t-il, complètement atterré. Deux tentatives de suicide… Comment une enfant peut se remettre d'avoir vu sa mère essayer de se tuer deux fois? »

L'espace de quelques secondes, Jean regarda Lili directement dans les yeux et celle-ci comprit exactement le message, se souvenant de cette question qu'elle lui avait posée peu de temps auparavant: est-ce que sa fille, en toute logique, aurait pu avoir une enfance plus misérable si Jean ne l'avait pas abandonnée? Oui, selon toute vraisemblance. Et mon ami en eut les jambes sciées. Dans toute sa haine face à lui-même, et dans toute la splendeur de cet égoïsme lui ayant donné la force de survivre à sa famille, jamais ne s'était-il imaginé que quelqu'un, quelque part, se trouvait dans un état pire que le sien.

Finalement, la fille sans visage de Jean demeurera anonyme pendant encore un bon moment. Pas parce qu'aucune information ne fut récoltée sur elle, mais tout simplement parce qu'elle le voulut ainsi. La nouvelle fut transmise à Jean par une employée de l'organisme chargé de la retrouver, au même moment où il apprit que mademoiselle Robert venait d'être internée pour la neuvième fois.

« Elle ne veut pas vous rencontrer, monsieur Taillon. Elle a été très claire là-dessus.

— Est-ce qu'elle vous a dit pourquoi ?

— Non. Tout ce que je peux vous dire, c'est que son refus est catégorique. Elle ne veut même pas que vous sachiez son nom.

— Vous pourriez pas me le dire quand même ?… Juste son prénom ?

— Monsieur Taillon… »

Jean raccrocha le combiné le cœur brisé, disant à madame Bouchard, au passage, qu'il se sentait victime d'un complot intergénérationnel orchestré par la famille Taillon visant à le rejeter de toute part. De mon côté, je n'avais pu m'empêcher, seul dans mon coin, d'arborer un sourire d'une méchanceté inqualifiable que je ne tenterai aucunement de justifier. J'étais heureux de voir Jean rejeté par sa fille. Je jubilais de savoir qu'elle ne voulait même pas lui dire son nom. De manière bien égoïste, je ne me souciais absolument pas des états d'âme de sa fille. Tout comme je me fichais éperdument de la peine ressentie par Jean devant ce rejet auquel il s'était attendu, mais qu'il avait tout de même espéré ne jamais devoir subir. Encore et toujours, la seule douleur dont je me souciais était la mienne ; celle, sans fin, provoquée par la mort d'une enfant, et je me réjouissais que mon pauvre ami vive enfin la perte de la sienne. Lui qui s'était permis de la rejeter de façon si cavalière…

Avec les années, le sentiment de honte m'envahira de manière saisissante, et je tiens à dire que j'aurai tout de même eu la décence de m'excuser auprès de Jean de m'être ainsi réjoui de son malheur. Mais à l'époque, je n'étais qu'une loque humaine ne sachant plus rien faire d'autre que haïr et mépriser, descendant aussi bas que de rentrer en douce une bouteille de brandy dans l'appartement de Jean afin qu'il se soulage d'une misère en retombant dans une autre. Chose que Jean ne fit pas, fort heureusement.

Elle ne me l'a jamais dit, mais je ne crois pas que madame Bouchard m'ait pardonné cet épisode. Moi non plus, d'ailleurs. Pourtant, ce fut au moment où je lui avouai tout que je cessai d'en vouloir à Jean pour l'abandon de sa fille. Il m'avait pardonné. Et quiconque arrivant à faire preuve d'une telle bonté ne pouvait être le monstre que je me plaisais tant à croire qu'il était.

Comme je l'ai déjà dit, la perfection existe si on choisit de ne voir que les formes que l'on veut bien lui donner. Parfait, Jean ne l'était évidemment pas. Mais ce que j'ai fini par comprendre, après des années d'une amitié en dents de scie, est que chacune de ses forces et faiblesses en a fait l'être le plus parfaitement imparfait que j'ai jamais connu. Que si j'ai longtemps choisi de ne voir que le pire en lui, la grandeur de ses qualités faisait en sorte que je ne pouvais plus ignorer son incommensurable bonté. Chose qu'Adrien et Paul-Émile ont su comprendre bien avant moi.

À partir de ce moment, je me suis sincèrement mis à espérer que Jean retrouve enfin sa fille. Pour que celle-ci, après n'avoir vécu que l'absolu des faiblesses de son père, puisse profiter enfin de ce côté de lui qui le rendait si unique dans la vie de tous ceux qui le connaissaient. Pour qu'elle puisse voir Jean dans toute cette parfaite contradiction qu'il était depuis le jour de sa naissance.

Chapitre II
1986

1
Jean... à propos de Patrick

Vous savez à quel point j'aime Lili. Vous savez à quel point je l'adore et la considère comme ma sœur. En fait, j'irais même jusqu'à dire que c'est plus que ça. Maman Muriel, un jour, m'avait surpris en me disant qu'elle nous considérait comme ses jumeaux, Lili et moi. Adrien, qui était avec nous ce jour-là, avait éclaté de rire en hochant la tête. Plusieurs personnes nous ont déjà dit, d'ailleurs, avoir l'impression, lorsqu'ils nous voyaient ensemble, de s'adresser à une âme sciée en deux entités distinctes. Pas à la manière de deux amoureux – ce que nous n'avons jamais été, malgré la façon dont nous nous sommes connus –, mais vraiment et réellement comme un frère et une sœur. Comme les frères Sutter[24]. Comme le barbu chauve et le petit maigre des Bee Gees. Comme les jumelles Dionne, moins trois. Et le plus beau, là-dedans, c'est qu'Yves, le mari de Lili, ne m'a jamais vu comme une menace, mais m'a toujours accepté comme un beau-frère et un ami. Maman Muriel, d'ailleurs, ne le considéra jamais autrement que comme son gendre.

Les Taillon m'ont peut-être mis au monde, mais ma famille, la vraie, se trouvait ailleurs. D'avoir été en mesure de la trouver demeurera toujours, pour moi, l'une des grandes fiertés de ma vie.

---

24 Rich et Ron Sutter, hockeyeurs ayant joué dans la LNH.

Mais il y a tout de même des limites à la loyauté familiale !

Vous le savez : je haïs les films de babillage ! Je haïs les films où les personnages ne font rien d'autre qu'être assis à une table, n'importe laquelle, en se grattant le nombril jusqu'à ce qu'il en saigne ! J'ai d'ailleurs failli m'étouffer en m'endormant sur mon popcorn lorsque Adrien m'a emmené voir *Kramer Vs Kramer*, en me jurant que le film était excellent ! Si, au moins, il y avait eu des scènes de fesses pour me divertir !… Même pas !

Alors, quand je me suis fait traîner à la Place des Arts pour la première du *Déclin de l'Empire américain*, je fus loin, très loin de la trouver drôle. Surtout que *Top Gun* jouait très exactement à huit coins de rue de là… Jésus Marie… J'en aurais pleuré.

« Simonac, Lili ! Je veux pas y aller !

— Tu vas aimer ça, Jean. Pis en plus, j'ai trois de mes clients qui jouent dans le film.

— Qu'est-ce que tu veux que ça me fasse ? Ça va quand même juste être du branlage pendant une heure et demie ! J'ai autre chose à faire, moi.

— Les acteurs vont être là, répliqua Lili, irritée. Il doit sûrement avoir une ou deux actrices, dans le lot, avec qui t'as pas couché. Tu feras du recrutement. »

Dans des moments comme ceux-là, maman Muriel et Yves nous regardaient toujours avec une main devant la bouche, histoire de cacher leur fou rire. Nous étions vraiment comme des enfants.

« Tu sais, Lili, ton film serait vraiment plus intéressant si l'empire américain déclinait avec des extraterrestres qui débarquent, avec des gars et des filles tout nus qui se sautent dessus. Je te dis juste ça, comme ça…

— Sais-tu, Jean, je pense que ça va te faire le plus grand bien de voir un film qui va te stimuler autre chose que le pois chiche que t'as entre les deux jambes.

— JE VEUX PAS Y ALLER ! »

Et, à la manière de n'importe quelle mère devant arbitrer deux enfants se disputant un Slinky, maman Muriel s'interposa entre Lili et moi, mettant ainsi fin à la dispute.

« Jean, me dit-elle. Je veux vraiment aller voir le film. Lili et Yves pourront pas me ramener. Tu voudrais quand même pas qu'une petite vieille comme moi revienne en autobus ? »

Voilà ! L'artillerie lourde venait de sortir, et je regardai maman Muriel avec le même air bête affiché par un petit morveux venant de se faire dire que sa sœur avait gagné.

Au moins, Lili eut la décence de ne pas me regarder en souriant, le menton en l'air. Et quelques heures plus tard, comme je l'avais prévu, j'étais en train de m'emmerder joyeusement, occupé à siphonner le fond de mon verre avec une paille, espérant y trouver quelques gouttes d'orangeade.

« Je peux pas croire que tu trouves ça plate, me chuchota maman Muriel, alors qu'Yves Jacques pissait du sang à l'écran. Les acteurs sont tellement bons ! »

Irrité, je m'apprêtais à répliquer quelque chose – d'arriéré, fort probablement –, mais je me suis retenu. Ébloui par ma propre bonté, je ne voulais pas gâcher le plaisir manifeste de ma belle Muriel, même si ce film m'emmerdait au point de me sauver aux toilettes et d'y perdre mon temps jusqu'à ce que le générique de la fin fasse son apparition. Même une diarrhée m'apparaissait plus palpitante. Sans blague !

Quelques heures plus tard, après avoir lutté comme un fou pour ne pas m'endormir au volant, alors que maman Muriel et moi arrivions à l'immeuble où nous habitions, nous sommes tombés face à face avec Patrick, les deux mains dans les poches, qui se tenait debout dans l'entrée, droit comme un piquet. Déjà frustré d'avoir gaspillé ma soirée, j'ai essayé de l'éviter. Son perpétuel air de bœuf aurait été la cerise sur un sundae que je n'avais pas du tout envie de manger.

« Jean ?… » dit-il.

#%$@*&!!!

Pendant quelques secondes, je me suis sincèrement demandé quelle option serait la moins pénible: demeurer avec Patrick, ou sprinter vers ma voiture et retourner à la Place des Arts. J'ai toujours aimé Patrick comme un frère, vous le savez. Mais en 1986, il avait encore ses airs de l'abominable homme des neiges, ce qui le rendait aussi agréable à côtoyer qu'avoir mal aux dents. Les films de babillage me donnaient peut-être mal à la tête, mais c'était tout de même moins déplaisant que de subir un traitement de canal. Non ?

« Salut, lui dis-je. Qu'est-ce que tu fais ici à cette heure-là ? »

Maman Muriel ayant déjà pris l'ascenseur pour monter chez elle, j'étais seul avec Patrick, attendant impatiemment sa réponse à ma question afin que je puisse m'inventer un prétexte quelconque pour lui fausser compagnie.

« C'est Judith », me dit-il doucement.

Judith… JUDITH ?! La folle finie, poilue, qui s'est mariée les fesses à l'air ?! La Joseph Staline de la rue Boyer ?!

« Écoute, Patrick… Je suis fatigué. Peux-tu faire ça court ?

— J'ai reçu un coup de téléphone. Judith a été retrouvée morte dans une ruelle. Il faut que j'aille à la morgue, demain matin, pour l'identifier. »

Sur le coup, je n'ai pas trop su comment réagir et je suis

demeuré muet, comme un beau sans-dessein. Évidemment, j'étais triste de la façon dont Judith était morte, mais je n'allais tout de même pas feindre un chagrin qui m'affligeait surtout lorsqu'elle se trouvait, vivante, à moins de cent mètres de moi. Je suis bien des choses, mais hypocrite n'est pas de celles-là.

« Est-ce que tu pourrais venir avec moi à la morgue, s'il te plaît ? me demanda Patrick. Je veux pas aller là tout seul. »

Je sais que c'est épouvantable, mais j'ai jonglé pendant quelques secondes avec l'idée de lui envoyer Yves. Patrick qui me demandait de l'accompagner au frigo éternel signifiait que, pour la première fois depuis ma cure de désintoxication, j'allais me trouver en situation où tout allait me rappeler mon père et son glorieux paternel; où tout allait me rappeler cette mort qui m'attendait à l'âge de trente-quatre ans. Et si ma dernière cuite datait de six ans, je n'étais pas zouave au point de me dire que j'étais guéri pour de bon de mes problèmes d'alcool. Loin de là. Alors, est-ce que j'étais assez fort pour confronter la mort tout en sachant que ce n'était pas forcément la mienne ? Je ne le saurai jamais. Parce que, malgré le cadavre de Judith, ce n'est pas la mort que j'ai vue, ce jour-là, mais plutôt la renaissance de mon vieil ami.

En 1986, Judith et Patrick étaient toujours légalement mariés. Si vous avez bien remarqué, pas une seule fois n'ai-je mentionné le mot *divorce* en racontant leur histoire. Et c'est ce qui fit en sorte que mon ami eut le… hum… privilège d'identifier le corps de son épouse à la morgue. Chose qui fut faite de manière plutôt expéditive, d'ailleurs, Patrick ne pouvant tenir plus de cinq secondes devant les marques d'étranglement et le vide des yeux grands ouverts de Judith.

Un peu plus tard, je téléphonai à Adrien, lui disant que les marques de violence ne furent pas ce qui me secoua le plus.

« Ç'a l'air bizarre à dire, mais j'ai pas l'impression que Judith est morte étranglée.

— Qu'est-ce que tu veux dire ?

— Plus je regardais son corps, plus j'étais certain que ça faisait un méchant bout de temps qu'elle était morte. D'en dedans. Judith, ç'a jamais été un pétard, mais quand même !… C'est pas une fille qui était laide. Mais, là !… Les cheveux gras, des bleus partout sur le corps, des plaies autour de la bouche… Je sais pas si tu comprends, mais c'est pas son cadavre qui m'a donné mal au cœur. C'est elle. Juste… elle. »

Patrick, les cheveux toujours aussi roux, mais le visage prématurément vieilli, s'est revu au logement miteux de la rue Ontario, frappant Judith avec une force telle qu'il avait espéré qu'elle en crèverait. Et pendant les cinq secondes où il réussit à ne pas détourner les yeux du cadavre, je l'ai senti hésiter entre le soulagement bien égoïste de ne pas l'avoir achevée alors qu'il avait envie de le faire, et la tristesse de l'avoir su endurer une vie de misère pendant si longtemps.

Moi qui eus des airs de loque humaine pendant des années, je n'ai pas su dire à Patrick quoi que ce soit d'intelligent qui aurait pu le réconforter. Remarquez… C'était peut-être mieux comme ça… Quitte à dire quelque chose de sans-dessein et à empirer la situation…

« Vous êtes son mari ? demanda l'inspecteur de police à Patrick.

— Oui. Mais ça faisait des années qu'on s'était pas vus.

— Ça remonte à quand ?

— Dix ans. Peut-être plus.

— Vous saviez qu'elle se prostituait ?

— Oui. Mettons que ç'a été une des raisons de notre séparation.

— Votre femme était connue des policiers depuis plusieurs années. Tout le monde savait qu'il y avait rien à faire avec elle; que c'était juste une question de temps avant qu'elle lève les pattes. La seule chose qui m'étonne, pour être franc avec vous, c'est qu'elle ait *toughé* aussi longtemps pis qu'elle soit pas morte d'une *overdose*. Au *stock* qu'elle s'envoyait dans les veines… »

Curieux, j'ai demandé à l'inspecteur s'il connaissait l'identité du tueur, chose qui ne semblait pas intéresser Patrick le moins du monde. En apercevant le cadavre de son ex, il comprit qu'il était presque aussi mort qu'elle; que tout ce qui les distinguait ne se trouvait que dans la manière de mourir. Mon ami respirait peut-être encore, mais il ne vivait plus depuis plusieurs années. Ouvrir les yeux, le matin, lui demandait un effort épouvantable. Ses moindres gestes étaient si mécaniques, si robotiques, qu'il pouvait passer huit heures à laver des planchers et nettoyer des fenêtres sans se souvenir de quoi que ce soit. Plus rien ne l'intéressait depuis cette nuit du jour de l'An 1980, où j'étais allé le chercher à la Mission Old Brewery. Patrick avait abandonné; se sentait abandonné, aussi. Il n'avait peut-être pas tort… Nous tous qui l'avions connu et aimé avons préféré le fuir et nous mettre la tête dans le sable, plutôt que d'écouter le compte à rebours annonçant sa fin probable. Les années quatre-vingt ayant été, à mon humble avis, une époque où les gens voulaient avoir la paix et ne plus penser au carnaval qu'avaient été les années soixante et soixante-dix, il était bien facile d'ignorer quelqu'un comme Patrick, dont émanait la rage de voir à quel point le carnaval avait mal tourné; qui refusait de faire comme si rien ne s'était passé en retournant simplement à son petit train-train quotidien. En ce qui me concerne, avec mon nouvel abonnement aux Alcooliques Anonymes et mon besoin de ralentir la cadence pour ne pas crever avant mon temps, je n'ai certainement pas fait exception à la règle.

Le décès de Judith – officiel; de ce que j'ai vu, elle était déjà morte depuis longtemps –, vint mettre un terme définitif au compte à rebours. Si Patrick avait accepté de la suivre dix-huit ans auparavant avec tout ce qui en découla, il sut reconnaître que Judith, morte, l'incitait à la suivre pour la deuxième fois et il eut la sagesse de refuser l'invitation; le bon sens de comprendre que, s'il la suivait, rien ne changerait jamais et que les choses allaient toujours demeurer figées dans toute la grandeur de leur misère. Sa vie serait tout aussi ratée que celle de sa mère et, par extension, que celle de son père et des autres membres de sa famille.

Il vient un temps où les racines ayant fait ce que nous sommes deviennent plus un boulet qu'autre chose. Et sans jamais les renier, il peut être bon, voire nécessaire, de les laisser derrière.

Dans ma voiture, sur le chemin du retour, je n'ai pas dit un traître mot à Patrick, préférant, comme un beau crétin, faire jouer une cassette de Diane Tell. Pour ma décharge, j'avais peur de provoquer, sans le savoir, une de ses insupportables colères dont on ne connaissait jamais la cause et qui m'aurait, à coup sûr, donné envie de le passer à travers mon pare-brise. Si tout, dans son langage corporel, laissait deviner le choc éprouvé à la morgue, qui aurait pu deviner sous quelle forme ce choc allait se manifester ? Et comme le T-Rex du faubourg à mélasse avait depuis un bon moment tendance à faire la prise du cochon à quiconque le flattant dans le sens contraire du poil, j'ai préféré me concentrer sur mon volant, sur le trafic ambiant, et sur *Faire à nouveau connaissance*, que je chantais en faussant comme c'est pas permis.

Pourtant, avec le recul, j'aurais dû éteindre le volume et risquer une conversation avec Patrick. Bien installé sur le siège avant de ma voiture, regardant par la fenêtre des rues qu'il ne voyait pas, mon ami d'enfance – le vrai – s'est tout à coup tourné vers moi en me regardant droit dans les yeux, comme s'il me demandait de le tirer du trou où il se terrait depuis plus de vingt-cinq ans; comme s'il nous suppliait tous de le sortir une fois de plus de cette misère qui le tuait tranquillement, de la même manière que nous l'avions sorti du Forum le soir du 17 mars 1955. Sous le choc de le voir enfin revenir, après des années à m'être dit qu'il était disparu pour de bon, je n'ai pas trop su comment réagir.

Avec le temps, je me dis que j'aurais dû cesser mon tour de chant. J'aurais pu alors comprendre que, si la rue de la Visitation était revenue, elle n'en aurait, par contre, jamais plus l'allure parfaite de notre enfance et que, même si nous espérions le retour de Patrick, il ne nous reviendrait jamais complètement. Les racines de Patrick s'étaient divisées en deux le jour où il fut catapulté au Cameroun, et tout en sachant que la meilleure partie de notre ami nous appartiendrait toujours, à Adrien, Paul-Émile et moi, la partie faible qui appartenait aux Flynn, celle qui s'était perdue à force d'ignorer que leur misère serait la sienne s'il ne se tenait pas debout, n'existait plus depuis longtemps. Cette partie de lui-même était morte à Yaoundé, réincarnée en une bonté sincère et pure, née dans les yeux d'une enfant qu'il eut le cœur d'aimer comme si elle fut la sienne.

À cinquante et un ans, j'ai vu revenir vers nous le Patrick

que nous avions aimé comme un frère; j'ai vu un regard familier empreint d'affection que jamais je ne pensais revoir un jour. Seulement, ça nous a pris du temps à voir également l'homme marqué à vie par quelque chose ne nous concernant d'aucune façon; à voir cette partie de son âme morte et née au même moment à des milliers de kilomètres du bas de la ville et qui, forcément, possédait maintenant des racines sensiblement différentes des nôtres. C'est peut-être pour ça, après tout, qu'il nous en a voulu pendant longtemps.

Avec les années, j'ai appris à couper une partie de mes racines, tout en m'assurant qu'elles ne repoussent jamais. Tout comme j'ai appris à me rebâtir sur la base même des souvenirs du faubourg à mélasse que j'ai emmenés avec moi: Adrien, Paul-Émile, Patrick, les Flynn, les Marchand, les Desrosiers, Justine Mousseau, et tous les autres habitants que j'ai eu la très grande joie de côtoyer. En gros, j'ai réussi plus ou moins ce que Patrick s'était promis, il y a longtemps, de faire à la fin de sa vie[25] : récrire ma vie en effaçant les parties de mon passé dont je ne voulais pas. Pour moi, la maison de mes jeunes années se trouverait un peu partout entre les rues Papineau et Saint-Laurent, d'Ontario à la rue Notre-Dame, mais jamais plus sur la rue de la Visitation. Patrick, pour sa part, n'eut jamais la chance de réussir ce que j'ai entrepris à sa place, parce qu'en raison d'une dispute entre Marie-Yvette et le curé de la paroisse, il s'est vu imposer des racines, des souvenirs qui ne le liaient plus à personne. Mais à cinquante et un ans, après des années passées à errer comme une âme en peine, il apprendrait enfin à rattacher à nous ses racines étrangères.

---

25 Voir *Racines de faubourg*, tome 1.

Notre joie de voir Patrick revenir enfin vers nous, bien qu'elle fût grande, ne fut cependant pas gratuite. Parce qu'afin de le voir revenir pour de bon, que cette partie de lui qui venait d'ailleurs puisse enfin se rendre jusqu'à nous, il nous a fallu accepter que ces racines, différentes, le réclamaient tout autant que nous, et que jamais il ne pourrait se résoudre à les renier.

Son retour vers le faubourg à mélasse, inévitablement, allait passer par Yaoundé.

2
Adrien... à propos de Paul-Émile

«Pourquoi tu fais ça, Suzanne? Sérieusement... Essayer d'accorder Rolande et Paul-Émile, c'est à peu près aussi faisable que d'accoupler une vache pis un éléphant: ça marche pas!

— Franchement, Bernard! objecta Suzanne à l'époux de son amie Rolande. Pour l'analogie, on repassera. Pis en passant, quand tu parles de vache, j'espère que c'est pas de ta femme, que tu parles.»

Certaines choses ne changent pas: le soleil se lève à l'est et se couche à l'ouest; après la pluie vient le beau temps; tous les chemins mènent à Rome; Rolande et Paul-Émile ne peuvent pas se voir en peinture.

En 1986, Suzanne n'avait pas encore atteint la cinquantaine, mais la perspective d'y arriver dans relativement peu de temps – deux ans, en fait – la déprimait au-delà de ce qu'elle arrivait à exprimer. Elle avait beau être aussi belle qu'elle l'était à l'âge de vingt ans – avec, en plus, l'assurance et l'expérience qui viennent avec le temps –, elle ne maîtrisait absolument pas l'art de vieillir en toute sérénité.

«Je vois pas pourquoi ça t'énerve, lui disait Rolande, un brin frustrée. T'as à peine l'air d'en avoir quarante. À côté de toi, j'ai quasiment l'air de mémère Bouchard[26]!»

Malgré les efforts déployés par Paul-Émile pour en faire des journées réussies, Suzanne détestait avec ardeur ses anniversaires. Ce qui ne fut pas toujours le cas, dois-je préciser. À l'époque où Paul-Émile et Mireille étaient toujours

---

26 Personnage de l'émission *Le Temps d'une paix.*

mariés, Suzanne attendait le 9 août avec impatience, sachant que mon ami ne manquait jamais de souligner l'événement, faisant ainsi preuve d'une attention et d'une sollicitude désespérément absentes le reste de l'année.

La donne changea radicalement peu avant le quarante-cinquième anniversaire de Suzanne, lorsque celle-ci se pointa chez Rolande, les yeux et le nez coulant simultanément, hurlant que sa vie était finie.

« Veux-tu ben me dire de quoi tu parles ? demanda Rolande, se dépêchant de faire entrer Suzanne chez elle pour la soustraire aux regards inquisiteurs des voisins.

— Mon retour d'âge !

— Quoi ?! Ben voyons donc ! Ça se peut pas ! T'es ben trop jeune pour ça !

— Là, c'est certain ! C'est écrit dans le ciel ! J'aurai jamais d'enfants ! JAMAIS ! »

Se contentant de consoler la pauvre Suzanne, Rolande avait sagement choisi de se taire. Il était écrit dans le ciel depuis bien longtemps que Suzanne et Paul-Émile n'auraient jamais d'enfants. Depuis sa fausse couche de 1977, depuis le retour de Paul-Émile dans le décor, elle avait à peu près tout fait pour tomber enceinte, mais rien n'a jamais fonctionné. Lucide, Rolande tenta à plusieurs reprises de faire comprendre à Suzanne qu'il y avait de très grandes chances qu'elle et Paul-Émile ne soient tout simplement pas compatibles, mais Suzanne refusait de perdre espoir. Toutefois, sa ménopause prématurée la força à accepter la réalité. D'où sa toute nouvelle aversion pour le jour de son anniversaire venant lui rappeler qu'elle vieillissait, et que ses chances de se bâtir une famille bien à elle s'étaient envolées au même moment que son besoin de serviettes hygiéniques.

En 1986, toutefois, Suzanne eut envie de se changer les idées; de faire comme si elle pouvait passer directement du 8 au 10 août, oubliant au passage qu'elle venait d'avoir quarante-huit ans.

«J'ai pas envie de passer une autre journée à brailler sans arrêt, dit-elle à Paul-Émile, un matin, au déjeuner. Je veux partir pour la fin de semaine; sortir de ma routine.

— On va où tu veux, répondit Paul-Émile, toujours aussi prompt à ouvrir son portefeuille.

— Ça me tenterait d'aller dans le coin de Magog. On pourrait demander à Rolande et Bernard de venir avec nous.»

Les lèvres dans sa tasse de café, Paul-Émile regarda longuement Suzanne, tout en levant le sourcil gauche.

«T'es pas sérieuse?... J'ai rien contre Bernard, tu le sais. Mais l'idée de passer trois jours avec... elle, c'est plus que ce que je suis capable d'endurer. Je pense que j'aimerais mieux aller me cogner des clous rouillés dans les deux yeux.»

À ce stade-ci, je ne sais même plus si Rolande et Paul-Émile se détestaient vraiment, ou s'ils n'aimaient pas plutôt le match de boxe perpétuel qu'ils se disputaient depuis vingt-cinq ans. Au fond, peu importe la réponse. Les habitudes entre eux étaient enracinées si profondément qu'il leur aurait été difficile de répondre à cette question.

«Fais-le pour moi, Paul-Émile... implora Suzanne. Rolande, c'est ma sœur, ma famille...

— Demande-moi ce que tu veux, ça me dérange pas. Tu veux la Lune?... Parfait. Ça va me faire plaisir de te la donner. Demande-moi juste pas de passer trois jours avec Miss Peggy.

— Maudit que tu peux être méchant, Paul-Émile, quand tu veux...

— Parce qu'elle plus tendre avec moi ? Chaque fois que je me trouve dans la même pièce qu'elle, j'ai tout le temps l'impression qu'elle va me varger dessus à coups de mailloche.

— C'est ma fête… Est-ce que c'est trop demandé de la passer avec du monde que j'aime ?

— Tu baves tout le temps quand tu vois Paul Piché, à'télé. Si tu veux, je pourrais m'arranger, pis…

— Paul-Émile, s'il te plaît… Peux-tu faire ça pour moi ? »

Se sachant coincé, Paul-Émile soupira longuement et ferma les yeux. Plus les années passaient, plus il était incapable de refuser quoi que ce soit à Suzanne. Par amour, évidemment, mais aussi en raison d'un fort sentiment de culpabilité, sachant très bien pourquoi, depuis quelques années, Suzanne était misérable le jour de sa fête. Reconnaissant enfin tout ce qu'elle avait sacrifié par amour pour lui, ayant reconnu son égoïsme qu'elle eut à endosser pendant années, Paul-Émile ne pouvait qu'accorder à Suzanne le peu qu'il restait à donner.

Toutefois, mon ami aurait peut-être souri en sachant que Rolande n'était pas plus enchantée à l'idée de se trouver dans la même pièce que lui pendant trois jours, elle qui peinait déjà à l'endurer pendant plus de cinq minutes…

« Donne-moi ça comme cadeau, ma Rolande. Juste une fois », la supplia Suzanne.

Et Rolande de regarder sa vieille amie comme si elle venait de se faire demander d'aller pelleter trois pieds de neige par une journée antarctique de février.

« Je pourrais pas te donner autre chose en cadeau ? Une boîte de chocolats ?… Des gratteux ?… Un char de l'année ?…

— Non. Ce que je veux, c'est de passer une belle fin de semaine d'été avec les trois personnes que j'aime le plus au monde.»

Pendant quelques secondes, Rolande continua de chercher des idées de cadeaux susceptibles d'exciter Suzanne plus qu'une fin de semaine dans les Cantons de l'Est. Rien n'y fit. Enfin...

Le matin du 8 août, Suzanne, Paul-Émile, Rolande et Bernard roulaient sur l'autoroute 10 en direction de l'auberge Chéribourg, la fêtée souriant à pleines dents, alors que les trois autres affichaient un splendide air de bœuf. Même Bernard, convaincu que les choses allaient mal tourner, comme cela avait toujours été le cas entre Rolande et Paul-Émile.

«En tout cas, Suzanne Desrosiers, viens jamais dire que je t'aime pas...» avait d'ailleurs dit Paul-Émile, la mâchoire serrée, en chemin vers la résidence des L'Heureux.

Notons, ici, que la fin de semaine avait relativement bien débuté: Paul-Émile, dit «l'éléphant», et Rolande, alias «la vache», firent des efforts titanesques afin d'éviter tout sujet pouvant mener à une quelconque conflagration. Mais avec quatre-vingt-quinze pour cent des sujets étant susceptibles de mettre le feu aux poudres, toute discussion devait comporter une virtuosité de la diplomatie devenant rapidement épuisante pour tout le monde et qui, forcément, entraîna une baisse de vigilance de part et d'autre.

Telle que redoutée par tous à l'exception de Suzanne, la Troisième Guerre mondiale fut déclenchée de la manière la plus stupide qui soit. Le jour de l'anniversaire de Suzanne, lors du déjeuner, tous les quatre s'étaient mis d'accord pour démarrer les festivités par une partie de golf, suivie d'une croisière sur le lac Memphrémagog. Désirant toutefois prendre une douche avant de quitter l'auberge, Rolande quitta la table avant tout le monde, laissant Suzanne, Paul-Émile en Bernard en grande discussion sur la possibilité d'une grève des employés dans le secteur public.

Une demi-heure plus tard, après avoir bu une quantité de café dépassant ce que sa vessie pouvait endurer, Paul-Émile s'excusa auprès des deux autres, soudainement aux prises avec une envie pressante d'uriner. Mais plutôt que de prendre le chemin de la toilette publique la plus proche – chose qu'il a en horreur; tout comme moi, d'ailleurs –, mon ami choisit plutôt d'aller évacuer à la salle de bains de sa chambre. Où Rolande venait tout juste de sortir de la douche.

« AAAAARRRRRRGGGHHHHHH!!!!!!! »

Paul-Émile, pris de court, ne put s'empêcher d'émettre un petit ricanement. Encore aujourd'hui, il se dit prêt à jurer sur la tombe de sa mère qu'il s'est mis à rire par surprise, mais Rolande, évidemment, ne l'a pas cru une seule seconde, convaincue que Paul-Émile riait de sa poitrine plate digne d'une enfant de dix ans.

« VA-T'EN! SORS D'ICI! » hurla Rolande, essayant, sous le coup de la nervosité, de se couvrir avec ses mains alors qu'une serviette était pourtant à portée de la main.

Refermant la porte, Paul-Émile en oublia ses envies de pisser et retourna à la salle à manger, le pas pressé.

« Veux-tu ben me dire qu'est-ce que Rolande fait à prendre sa douche dans notre chambre? » demanda-t-il à Suzanne, sonnant aussi nerveux qu'exaspéré.

Au ton de voix de Paul-Émile, le pauvre Bernard sut tout de suite que quelque chose d'infiniment stupide, mais ô combien explosif, venait de se passer. Comme seule réaction, il laissa lourdement tomber sa tête sur la table, renversant au passage sa tasse de café.

« Le jet d'eau de sa douche est pas assez fort, répondit Suzanne, bien innocemment. Elle aurait pas pu se laver les cheveux comme du monde.

— Pis Bernard ?… Est-ce que je risque de le retrouver à poil dans notre chambre, lui aussi ? »

C'est là que Suzanne a tout compris. Et Bernard qui n'avait toujours pas relevé la tête…

« Ah ! Non !… s'exclama Suzanne. Dis-moi pas que… que tu l'as vue ?

— Oui. En plein ça. Pis Rolande est pas contente. »

Bien franchement, je ne crois pas que Rolande aurait moins bien réagi si elle s'était retrouvée toute nue devant l'Orchestre symphonique de Montréal au grand complet. Ce n'était pas sa nudité à elle qui la dérangeait. C'était Paul-Émile. Encore et toujours Paul-Émile. C'était l'idée d'avoir à le supporter pendant trois jours. C'était l'envie de lui hurler tout ce que Suzanne avait perdu à force de l'attendre. C'était le désir de lui crier son égoïsme de manière grandiose, tout en sachant que Paul-Émile la regarderait, une fois de plus, comme si elle était une moins que rien. C'étaient des années passées à ramasser Suzanne à la pelle, alors que lui vivait sa vie sans jamais se poser de questions. Bernard, connaissant son épouse jusqu'au bout des ongles, l'avait parfaitement compris. De retour à sa chambre, il essaya doucement de la raisonner.

« Je serai pas capable de me rendre jusqu'à demain soir, Bernard, dit-elle, vêtue d'une robe de chambre et prenant une grande respiration. J'ai réussi à voir sa face de babouin sans sauter au plafond pendant vingt-quatre heures, mais plus longtemps que ça, je vais virer folle. »

Suzanne, ayant réussi à convaincre Paul-Émile d'aller à la chambre de Rolande pour s'excuser – ce qui, en soi, constituait un exploit digne de l'escalade du mont Everest –, l'obligea à ne pas tourner les talons, lui qui avait tout entendu des propos de Rolande.

« Regarde, Suzanne..., dit-il, alors que tous les deux se trouvaient dans l'embrasure de la porte de chambre de Rolande et Bernard. Je veux ben être bon prince, mais demande-moi pas de me mettre à genoux devant une siphonnée qui me traite de babouin dans ma face.

— Paul-Émile..., dit Suzanne.

— Oh ! Inquiète-toi pas, balança Rolande à mon ami. Je te traite pas juste de babouin dans ta face. Je le fais aussi quand t'as le dos tourné !

— Aïe, le cendrier ambulant..., répliqua Paul-Émile en s'avançant vers Rolande. Veux-tu ben te la fermer ? Ça fait assez longtemps que je t'endure. Là, c'est fini. »

Piqué au vif par le ton acerbe employé par Paul-Émile en s'adressant à sa femme, Bernard se leva, prêt à monter aux barricades, mais Rolande l'en empêcha, s'interposant entre lui et mon ami, qui la regardait de son air le plus condescendant.

« Fie-toi sur moi, dit Rolande, la mâchoire serrée. T'endures rien pantoute. Pis tu peux remercier Suzanne pour ça, en passant. Parce que si t'avais à m'endurer, tu m'endurerais à coups de 2 X 4.

— C'est fou, Rolande, à quel point te voir me donne tout le temps envie de sortir mes vidanges.

— Retiens-toi pas pour moi, Paul-Émile ! La porte est là !

T'as juste à la prendre ! Tu te mettras au chemin en passant ! »

Suzanne, se tenant toujours debout dans l'embrasure de la porte, se tenait la tête à deux mains, et Bernard, bien futilement, essayait de s'interposer entre sa femme et Paul-Émile. En vain, évidemment. Comment s'interposer entre des années d'animosité cherchant le moindre prétexte afin d'exploser sans aucune retenue ?

« Là, Rolande, dit Paul-Émile d'un ton menaçant, je sais pas pour qui tu te prends, mais t'as fini de me parler comme si j'étais un tas de marde. Est-ce que c'est clair ?

— Qu'est-ce que tu veux dire, "comme si…" ? demanda Rolande, un sourire en coin.

— Ta femme, Bernard, fais-la taire. Pis vite.

— Tu vas faire quoi si je me la ferme pas, Paul-Émile ? Tu vas me sacrer une claque en pleine face comme t'as déjà fait avec Suzanne ? »

Sidéré, Paul-Émile s'est tu pendant quelques secondes. Cet incident, cette saleté dans son histoire avec Suzanne, il avait presque réussi à l'oublier. Comme tout ce qu'il n'aimait pas ou ne voulait pas reconnaître, il refusait toujours de s'y attarder et fut franchement déstabilisé lorsque Rolande vint brutalement lui remettre cette tache sous le nez.

« Ça, dit Paul-Émile après quelques secondes, ça te regarde pas. Ce qui se passe entre Suzanne et moi, c'est de nos affaires.

— Pauvre Paul-Émile… Pis laisse-moi te dire que t'as été chanceux, cette fois-là, qu'elle t'ait seulement donné un coup de poing sur la gueule, parce que si ç'avait été moi que t'avais frappée, tu serais sorti de chez nous sur une civière !

— Tout ça parce que je t'ai vue à poil, Rolande ? Te trouves-tu moche à ce point-là ? »

Rolande, toute concentrée dans ce nouveau combat de boxe l'opposant à Paul-Émile, s'apprêtait à contre-attaquer lorsque Bernard s'avança vers la porte en criant, témoin de quelque chose que ni sa femme ni Paul-Émile, trop aveuglés par leur colère, trop concentrés sur eux, ne furent en mesure d'apercevoir.

« SUZAAAAANNE ! »

Leur attention soudainement attirée ailleurs que sur eux-mêmes, Rolande et Paul-Émile se retournèrent et virent Suzanne étendue par terre, inanimée. Très rapidement, Rolande s'agenouilla près de Suzanne, ordonnant à Paul-Émile d'aller chercher de l'aide pendant que Bernard tentait des efforts de réanimation. Mais Paul-Émile, malgré toute sa bonne volonté, n'arrivait pas à mettre un pied devant l'autre, paralysé par la peur et l'inquiétude, immobile comme il l'avait toujours été depuis ce jour de 1960 où Suzanne était revenue de Québec.

Certaines choses ne changent pas : le soleil se lève à l'est et se couche à l'ouest ; après la pluie vient le beau temps ; tous les chemins mènent à Rome, et Paul-Émile paralyse devant l'ampleur de ses sentiments pour Suzanne, peu importe que cet immobilisme soit provoqué par le simple bonheur de la voir ou par la peur de la perdre.

Cet incident eut lieu le 9 août 1986, le jour de l'anniversaire de Suzanne, il y a vingt ans. Et, aux dernières nouvelles, Paul-Émile se trouvait encore dans la chambre des L'Heureux, à l'auberge, encore occupé à regarder Suzanne, qui n'est plus là depuis longtemps.

3
Patrick... à propos de Jean

Tout vient à point à qui sait attendre. Même à ceux, aussi, qui ne le savent pas, quelquefois. Comme Jean, par exemple, qui ne fut jamais reconnu par personne pour sa très grande patience.

Je ne considère pas savoir beaucoup de choses dans la vie, mais je sais qu'il est impossible d'avancer à reculons. Autour de moi, j'ai vu bien des gens essayer, et le résultat fut toujours désolant, pour ne pas dire désastreux. Comment avancer sans se cogner quelque part lorsque l'on a les yeux ailleurs ? Quoique, dans mon cas, le passé faisait tellement partie intégrante de mon présent que je ne me sentais même pas le besoin de faire le moindre pas en avant. Grave erreur, s'il en est une, alors que tout le monde avançait et que je m'obstinais à vouloir vivre dans mon univers qui n'existait plus.

Nous fûmes nombreux à commettre la même erreur.

Toutefois, le cas de Jean différait sensiblement. Sorti de sa cure de désintoxication six ans auparavant, il s'était juré de laisser le passé derrière, mais faisait pourtant du surplace sans le savoir. Bien décidé à se construire selon ses propres termes, il n'en était pas moins coincé dans une partie de son passé qui l'empêchait d'être pleinement cet homme qu'il aspirait à devenir, que ce soit l'ami, le fils ou le père, même s'il n'avait pas encore rencontré sa fille.

La situation changea dramatiquement à l'été de 1986, lorsqu'il reçut un appel de son bureau de la rue Saint-Hubert.

« Maître Taillon ?

— Oui, Claudette ? »

Claudette Tremblay était la quatrième secrétaire engagée par Jean depuis le départ à la retraite de madame Bouchard. Compétente, honnête et dévouée, elle avait cependant l'impardonnable défaut de ne pas être celle qui fut longtemps la maîtresse des lieux et, simplement pour cette raison, elle était condamnée à être remplacée, comme ses trois consoeurs précédentes.

«Madame Blanche Renoir pour vous, sur la ligne 2.»

— Qui?...»

Paul-Émile, Adrien et moi n'avons gardé que très peu de souvenirs de Blanche Taillon – maintenant Renoir. Jean fut mis sur un piédestal par ses parents de manière si révoltante que nous nous sommes quelquefois demandé si nous n'avions pas rêvé ses sœurs. Là où les miennes – surtout Teresa et Maggie – marquèrent la mémoire collective du quartier de façon pas toujours glorieuse, on aurait presque dit que celles de Jean étaient faites de brouillard. Comme si elles n'eurent été rien d'autre que des formes fantomatiques ayant passé dans la vie de leur frère – et la nôtre, par extension – sur la pointe des pieds. Ceci étant dit, il ne fut donc pas étonnant que mon vieil ami ait pris quelques secondes à se rappeler un nom qu'il croyait avoir définitivement rayé de sa vie à grands coups de brandy.

«Maître Taillon? demanda la secrétaire, attendant de la part de Jean une quelconque réaction.

— Euh... O.K., Claudette. Je vais le prendre.»

Comme je l'ai dit antérieurement, tout vient à point à qui sait attendre, même si ce que l'on reçoit n'est pas forcément ce que l'on attendait. Ou espérait.

«Jean Taillon..., répondit mon vieil ami, d'un ton hésitant.

— Bonjour, Jean. »

Le cœur de Jean battait en accéléré, mais jamais, toutefois, comme il le ferait en situation d'extrême bonheur. Sa main qui tenait le combiné tremblait, mais pas par anticipation de savoir que quelque chose de magnifique, de magique, s'annonçait. Au son de la voix douce et délicate de Blanche, Jean grimaçait prodigieusement.

« Jean ?… Est-ce que t'es encore là ?

— Oui. Oui, oui. C'est juste que… Je m'attendais vraiment pas à ça aujourd'hui. »

Blanche émit un petit rire gêné, mais Jean, lui, était plutôt d'humeur à raccrocher. Dix ans s'étaient écoulés depuis les funérailles de monsieur Taillon, et mon vieux copain semblait enfin avoir fait le deuil de sa famille. Si nous tous savions depuis longtemps que sa soif insatiable de brandy ou de vodka prenait sa source dans sa propre famille, le séjour de Jean en cure de désintoxication avait enfin réussi à lui faire voir le visage des Taillon à travers sa vue brouillée par l'alcool. À cette époque de sa vie, mon ami avait désespérément besoin de croire, comme le disait le philosophe Jean-Jacques Rousseau[27] il y a plus de deux cents ans, que l'homme naît bon, et que c'est la société qui le corrompt; que Jean n'était pas venu au monde égoïste, indifférent, et qu'il pourrait aspirer à devenir l'homme bon et généreux que nous voyions tous en lui depuis toujours. Mais pour y arriver, les Taillon devaient se tenir loin de lui et, en ce sens, l'appel de Blanche fut une surprise non seulement que Jean n'attendait pas, mais aussi qu'il ne voulait pas du tout.

« Je sais que ça sort un peu de nulle part, s'excusa Blanche.

---

27 Philosophe ayant vécu au XVIIIᵉ siècle.

Ça m'a d'ailleurs pris une bonne semaine avant de t'appeler. Mais si ça te dérange pas, j'aimerais vraiment ça, te voir. »

Jean, qui eut toujours la réplique facile, ayant constamment le bon mot pour se sortir lui-même ou ses clients de situations délicates et potentiellement embarrassantes, n'arrivait tout simplement pas à ouvrir la bouche. Si la voix à l'autre bout du fil ne lui était absolument pas familière, le besoin de brandy qu'elle provoquait en lui, par contre, l'était dangereusement. Fermant les yeux pendant quelques secondes, Jean arrivait presque à en respirer l'odeur, à sentir sa gorge brûler à son contact. Paniqué, il se mit à chercher désespérément un prétexte, n'importe lequel, pour mettre un terme définitif à cette mauvaise surprise.

Il n'y arriva pas. Heureusement, d'ailleurs.

« Est-ce qu'on peut se donner rendez-vous ? demanda Blanche. Je sais que ton bureau est pas loin du DaGiovanni. Si tu veux, on pourrait se rejoindre là pour souper. »

Trop occupé à implorer cette odeur de brandy qui le torturait de le laisser tranquille, Jean n'entendit rien de la voix de Blanche qui trahissait une angoisse et une fragilité qui auraient pourtant sauté aux yeux – ou aux oreilles – de n'importe qui conversant avec elle pendant plus de dix secondes. Mais Jean, totalement déstabilisé, n'arrivait pas à penser clairement; n'arrivait pas à savoir ce qu'il pourrait bien retirer d'une rencontre avec sa sœur, qui ne l'était pourtant plus depuis des années. Et la question se voulait tout à fait pertinente: qu'est-ce que Jean avait à gagner en revoyant quelqu'un de disparu de son entourage depuis si longtemps ? Sa délivrance. Mais Jean ne pouvait pas savoir, et aucun de nous n'aurait pu. Je crois que personne n'aurait pu se douter de quoi que ce soit. Cependant, en laissant sa curiosité avoir le meilleur de lui-même comme il le fit ce jour-là, nonobstant sa peur de se retrouver à nouveau piégé dans l'orbite de Jean Ier, Jean allait obtenir ce qu'il n'attendait et n'espérait plus depuis longtemps : la rupture définitive et volontaire de ses liens antérieurs avec les Taillon ; la certitude nouvellement acquise que sa vie valait quelque chose et que son grand-père n'avait rigoureusement rien à y voir.

Ce jour-là, au beau milieu d'un restaurant italien, Jean est venu au monde pour la deuxième fois. Lorsqu'il est arrivé au restaurant, Blanche s'y trouvait déjà, installée sur une banquette, regardant mon ami en souriant doucement. En l'apercevant, Jean s'est demandé si elle avait toujours eu cet air d'oiseau fragile et égaré, dépassé par le moindre mouvement, le moindre son, le moindre geste. Quelque part, il fut rassuré de constater qu'il ne s'en souvenait pas.

« Salut, Jean. T'as pas changé. Même à cinquante et un ans, tu ressembles toujours à mon petit frère. Tu vieillis bien. »

Mal à l'aise, lui qui avait tant fait d'efforts pour prendre ses distances de ce jeune frère qu'il avait été, Jean ne fut pas forcément flatté par le compliment de Blanche. Aussitôt installé sur la banquette, il bougeait sans cesse, comme s'il essayait de s'enfuir mais que quelqu'un ou quelque chose le retenait de force.

« Écoute, Blanche…, dit-il en sourcillant et en grimaçant. Je veux pas être bête, mais je comprends vraiment pas pourquoi tu veux me voir. Ça remonte à quand, la dernière fois qu'on s'est vus ? Dix ans ?… Pis la fois d'avant, je m'en souviens même pas. Je devais encore me promener en culotte courte avec des bretelles. »

Blanche se mit à rire en mettant sa main devant sa bouche,

comme si la gêne la forçait, l'obligeait à étouffer cet élan de joie. En la regardant, Jean eut la sensation de se trouver à des années-lumière d'elle. Jamais n'aurait-il cherché à cacher son rire. Bien au contraire, il l'aurait offert à tous ceux présents au restaurant, même à ceux qui n'en auraient pas voulu, s'efforçant de chasser tous les coins d'ombre, les siens et ceux des autres autour de lui. Malgré les années, malgré sa rupture avec le clan Taillon, malgré sa sobriété et sa rédemption, le spectre de Jean Ier n'était jamais bien loin.

Plus pour longtemps.

« Pour être honnête avec toi, j'étais certaine que t'allais pas venir, dit Blanche. Tu m'aurais envoyée promener pis je te jure que j'aurais compris. À la façon que la famille te traite depuis vingt-cinq ans…

— Blanche, ça fait longtemps que ta famille, c'est plus la mienne. Remarque… Quand j'y pense, c'est peut-être pour ça que je suis venu te voir. Parce que je suis assez détaché émotivement. »

Avec le recul, Jean regretta ces mots, prenant pleinement conscience de leur dureté. Blanche les a très certainement interprétés ainsi. Mais je tiens à dire que Jean n'eut jamais, jamais l'intention de blesser qui que ce soit. Mon ami n'est pas un homme méchant. Rustre ? Oui. Sans aucune classe à l'occasion ? Très certainement. Mais pas méchant, ni rancunier. Dieu sait que je suis très bien placé pour le savoir.

« Maman est décédée, y a deux semaines », dit Blanche en baissant la tête.

Pour Jean, madame Taillon, telle qu'il l'avait connue, telle que je m'en souvenais, n'existait plus depuis longtemps, remplacée par cette femme dure et froide rencontrée aux funérailles de son époux. Alors, ce fut avec la sympathie démontrée à un étranger venant de perdre un être cher que Jean accueillit la nouvelle.

« Toutes mes condoléances. Elle est morte de quoi ?

— Elle s'est fracturé une hanche en sortant de son bain. Elle est morte quatre jours après.

— Écoute, je… Je sais pas quoi dire. Comme d'habitude, je voudrais dire quelque chose d'intelligent, mais y a rien qui me vient à l'esprit.

— Ç'a pas l'air de te faire grand-chose. »

Je me souviens que mon père m'avait dit la même chose, presque mot pour mot, lorsque ma propre mère est décédée. À l'époque, je n'avais pas vu l'utilité de feindre un chagrin que je ne ressentais pas du tout, et Jean, en 1986, pensait exactement la même chose. Aussi curieux que cela puisse paraître, j'ai toujours éprouvé une grande fierté devant nos attitudes respectives. Les gens pouvaient nous accuser de beaucoup de choses, mais l'hypocrisie n'était certainement pas l'une d'entre elles.

« J'ai de la peine pour toi, expliqua Jean, doucement. Perdre sa mère, c'est jamais drôle pour personne.

— C'était ta mère à toi aussi, Jean.

— Regarde, Blanche… On se racontera pas d'histoires. Ta mère, elle voulait plus être la mienne depuis longtemps.

— Tu te sens pas tout seul, des fois ?

— Non. Une famille, je m'en suis bâti une. Je suis très heureux avec celle que j'ai.

— Mon Dieu que t'as l'air serein. En paix. Si tu savais à quel point je suis contente pour toi. »

Par orgueil, ou pour ne pas rendre Blanche mal à l'aise, Jean choisit de taire toutes ses années de misère où sa vie entière ne tournait pratiquement qu'autour d'une bouteille de brandy ou de vodka. De toute façon, se dit Jean, Blanche n'avait pas à savoir. Tout ce qu'il était et faisait ne concernait plus les Taillon depuis un bon moment.

Lorsque le temps est venu de commander, Jean, qui se disait toujours prêt à s'humilier publiquement si cela lui garantissait une assiette de spaghettis de chez DaGiovanni, prit bien soin de ne commander qu'un bol de soupe, histoire de le terminer en vitesse et de quitter les lieux – de quitter Blanche, surtout – le plus rapidement possible.

« Est-ce que tu me croirais si je te disais que je veux m'excuser ? demanda Blanche, soudainement, ramenant l'attention vers elle.

— Pourquoi ? demanda Jean, mal à l'aise, bougeant encore et toujours sur sa banquette.

— Pour ma lâcheté. Parce que j'ai jamais rien dit pis que j'aurais dû. Même quand on était jeunes, je voyais ce que papa te faisait endurer, mais j'ai jamais eu assez de colonne vertébrale pour te protéger. Encore aujourd'hui, si tu savais à quel point je m'en veux… »

Aux prises avec un intense désir de fuir, l'odeur de brandy présente un peu plus tôt faisant un spectaculaire retour en force, Jean se mit à fixer l'assiette de fettucine de son voisin tout en priant – lui qui était pourtant un si piètre catholique – pour que son supplice finisse au plus tôt. Mais Blanche ne semblait pas vouloir mettre fin à quoi que ce soit, et plus les minutes passaient, plus Jean avait l'impression de voir son visage prendre les traits de son grand-père, qui venait lui rappeler cette terreur tout enfantine l'ayant poussé à foutre sa vie en l'air simplement pour se prouver qu'il ne finirait pas le derrière botté par un cheval.

« De toute façon, poursuivit Blanche, y a rien qui peut

excuser la façon dont, moi, je me suis comportée avec toi.

— Blanche, répliqua Jean, visiblement indisposé. Tu l'as déjà dit, ça. C'est vraiment pas nécessaire. Si c'est juste pour ça que tu voulais me voir…

— Oui, c'est nécessaire. Maman est plus là. Je peux parler, maintenant. »

Pourtant, Jean ne voulait pas qu'elle parle. Surtout, il ne voulait pas avoir à l'entendre. Blanche pouvait babiller autant qu'elle le voulait, avec qui elle voulait, pourvu qu'elle le fasse lorsqu'il ne serait plus là. Cherchant le serveur des yeux, il priait encore et toujours, cette fois-ci pour que sa pauvre soupe arrive au plus vite, qu'il puisse l'avaler en trois cuillerées et demie, pour ensuite régler l'addition – incluant celle de Blanche; Jean n'était pas radin –, sortir du restaurant au pas de course et ordonner à sa secrétaire de ne plus jamais lui transmettre le moindre message d'un membre de la famille Taillon, eût-il été Jean Ier fraîchement ressuscité.

Pourtant, malgré l'ampleur de son malaise, Jean aurait dû prendre le temps de se poser certaines questions qui m'apparaissaient importantes. Que voulait dire Blanche par « Je peux parler, maintenant » ? En 1986, celle-ci avait la cinquantaine avancée, prenait assidûment des médicaments pour combattre l'arthrose et possédait un abonnement annuel à la revue *Le Bel Âge*. Devait-elle encore, à son âge, obtenir le consentement maternel afin de poser le moindre petit geste ? Pour l'amour du ciel, ma propre mère n'eût pas une telle emprise sur moi.

« J'ai trop de choses sur la conscience, poursuivit Blanche. Donne-moi juste une chance de la soulager un peu. Je te jure, après ça, je te demanderai plus jamais rien. »

La situation, pour Jean, en était rendue presque surréelle.

Toute sa vie, il fut toujours celui qui devait passer aux aveux, avouer, regarder le plancher en feignant un quelconque remords, alors qu'il devait reconnaître un méfait ou un autre. La situation était maintenant inversée et, de toute évidence, Blanche n'était pas habituée à se confesser parce qu'à mesure qu'elle se compromettait, son corps tout entier tremblait et elle parlait avec beaucoup de difficulté.

«J'espère que tu vas me pardonner, Jean, dit Blanche en pleurant doucement. Je le sais que j'ai pas le droit de m'attendre à ça, mais mon Dieu que j'espère que tu vas me pardonner!»

Fixant encore une fois l'assiette de fettucine sur la table voisine, Jean, embarrassé, se mit à sourire stupidement à l'homme et la femme qui y étaient assis alors qu'ils les dévisageaient, Blanche et lui.

«Franchement! s'exclama la femme. Il pourrait au moins la consoler au lieu de rester là, comme un bel innocent.»

Mais Jean ne savait pas quoi faire; ne savait pas quoi dire. Il aurait su consoler, réconforter et remonter le moral de chacun d'entre nous mais, pour lui, Blanche n'était plus qu'une étrangère. Forcément, les pleurs de celle-ci ne provoquèrent en lui qu'un profond malaise.

«Ce qui s'est passé en 68…, poursuivit Blanche. Le soir où tu t'es fait tirer dessus…»

En quelques secondes seulement, le cœur de Jean se mit à battre férocement, douloureusement. Les bras le long du corps, sa simple respiration lui demandant une énergie menaçant de le déserter à tout moment, Jean peinait à voir autour de lui. Tout s'était brouillé, tout était devenu flou, à l'exception de Blanche, qui semblait avoir pris des proportions si démesurées qu'elle en fut presque aveuglante.

Celle-ci pleurait encore et toujours, sans aucune retenue, cherchant à dire des mots qui ne semblaient pas vouloir sortir de sa bouche, habitués à y être camouflés, enfouis depuis des années.

« Ce soir-là… Jean, c'était papa !… »

Effondrée, épuisée, Blanche couvrit son visage, alors que son dos se voûtait sous le poids de l'impact que cette déclaration allait avoir sur Jean.

« Ça se peut pas, chuchota-t-il, la respiration saccadée. J'ai vu le tireur. C'était pas papa. »

Exténuée, Blanche prit une longue respiration, essayant d'arrêter de pleurer et peinant toujours à dire le moindre mot.

« Il a pas tiré. Mais c'est lui qui a tout arrangé. »

Assommé, Jean ne parlait pas, semblait presque catatonique. Et s'il avait été encore prêt à tout donner pour le simple soulagement de se retrouver loin de Blanche, son incapacité à mettre un pied devant l'autre le condamnait à l'immobilisme. Ses jambes n'auraient pu le supporter.

« Pourquoi ? demanda-t-il, la voix éteinte.

— Parce qu'il a jamais pu accepter ce que t'es devenu. »

Devenu quoi ? Ou qui ? Quelqu'un de foncièrement différent de Jean Ier ? Quelqu'un ayant catégoriquement refusé de se faire dicter une vie, et une mort prématurée ? Confus, Jean n'arrivait à dégager aucun sens des révélations de Blanche.

« Il s'ennuyait tellement de toi, Jean… »

Faux. Pour moi, il est très clair que monsieur Taillon ne s'ennuyait aucunement de son fils, mais plutôt de l'élever sur un piédestal si haut qu'il ne pouvait plus voir ce que Jean était réellement, tout en s'imaginant que ce qu'il ne voyait pas n'était rien d'autre que la réincarnation de son propre père. Ayant tout fait pour se bâtir une vie à l'opposé total de ce que fut – apparemment – Jean Ier, mon ami, par le fait même, avait forcé son père à le voir, à le redescendre sur terre, à le regarder pour ce qu'il était, et non plus pour ce qu'il n'était pas. Monsieur Taillon n'ayant jamais pu s'y résoudre, Jean se devait quand même, malgré la rupture, malgré l'absence, de mourir à trente-quatre ans. S'il survivait, son père se retrouverait alors aussi perdu dans la vie qu'il l'avait été dans la mort, lorsqu'il était enfant. Forcément, la mort de Jean devenait nécessaire, essentielle, permettant à monsieur Taillon de ramener son fils au même niveau que son père; de lui donner ses traits, ses qualités et son absence illusoire de défauts. En mourant, mon ami pourrait alors se racheter et reprendre le chemin d'un destin qu'il avait tant cherché à fuir. Sa vie, au fond, n'avait aucune importance. Monsieur Taillon n'aimerait son fils que dans la mort.

Trop sonné, Jean ne put rien répliquer. Si l'attentat était rarement – pour ne pas dire pratiquement jamais – abordé entre nous, nous avions tous plus ou moins tenu pour acquis qu'il avait été orchestré par quelqu'un issu du crime organisé. Jean ayant défendu avec succès certaines personnes aux prises avec une liste d'ennemis assez considérable, la plupart d'entre nous avaient cru qu'il s'était trouvé victime, par extension, d'un combat sans fin entre membres de la mafia. Puis, en 1977, lorsqu'un enquêteur fit part à Jean que Christine Robert était soupçonnée d'avoir tout organisé, nous avons laissé la mafia derrière en nous disant qu'il était possible qu'une femme l'ayant harcelé à une certaine époque en vienne à commettre un acte aussi disjoncté. Mais pas une seule fois nous avons pensé au père de Jean. Pour nous tous, les Taillon étaient retournés à Verchères, et personne, au sein du faubourg à mélasse, n'avait entendu parler d'eux. Avec le recul, peut-être que nous aurions dû penser à eux. Mais ceux-ci ayant disparu de nos souvenirs depuis si longtemps, pourquoi donc l'aurions-nous fait ?

« Je sais pas comment papa s'y est pris pour tout organiser, poursuivit Blanche. Pas plus que je connais le nom de celui qu'il a payé pour faire ça. Y'en a jamais parlé. Mais pour l'acte en tant que tel, maman, Pierrette, Gisèle pis moi, on savait. Le reste de la famille Taillon a jamais rien su.

— …

— Maman avait ben averti tout le monde de pas dire à papa que t'avais survécu. Elle est même allée jusqu'à cacher les journaux pendant un mois pour pas qu'il sache que t'étais encore vivant. Pour lui, t'étais mort. À trente-quatre ans, comme grand-papa Taillon. De cette façon-là, il te retrouvait. C'était la seule manière, pour lui, de t'accepter. »

C'était fou et irrémédiablement absurde. Surréel. Un délire d'une telle ampleur qu'aucun d'entre nous n'aurait pu être en mesure de l'imaginer, un délire faisant ainsi passer ma propre famille pour un modèle d'harmonie et d'équilibre.

« Tellement souvent, j'ai voulu t'appeler, dit Blanche. Dieu sait que tu méritais pas ce qui t'es arrivé… »

Sans blague !

« Mais maman passait son temps à nous menacer de s'ouvrir les veines si quelqu'un se décidait à parler. Même après la mort de papa en 76, les menaces ont continué. T'es quand même un avocat un peu connu pis les gens se souviennent encore de Lili Saint-Martin. Si la vérité sortait, c'est la réputation de toute la famille qui y aurait passé. Le nom de papa aurait été traîné dans la boue pis ça, maman l'aurait jamais permis. »

Blanche, encore et toujours, pleurait abondamment, sa fragilité évidente lui donnant bien davantage des airs du grand-père trépassé que mon ami n'en eut jamais.

« S'il te plaît, Jean… Dis quelque chose ! N'importe quoi, mais parle ! Dis-moi des bêtises, crie, hurle, mais fais-moi au moins savoir que j'ai pas fait ça pour rien. »

Mais Jean n'a rien dit, se contentant de regarder Blanche pendant quelques secondes avant de se lever et de payer pour la salade et la soupe. Tout le malaise ressenti en la voyant avait disparu. Sa respiration, encore saccadée quelques secondes auparavant, avait repris son rythme normal, et ses jambes n'eurent aucune difficulté à le supporter lorsqu'il s'est mis debout. Le poids du monde, en quelques instants, s'était complètement volatilisé. Ses petits gestes, comme je les ai mentionnés lorsque j'ai raconté ce qui s'est passé le soir de l'attentat, n'avaient désormais aucune importance[28]. Ce soir-là, en sortant du cinéma, il aurait pu tourner à droite ou à gauche mais cela n'aurait rien changé au dénouement de l'affaire : il n'était pas responsable de ce qui s'était passé. Il aurait pu faire ce qu'il voulait, se transformer du mieux qu'il le put, rien n'aurait su arrêter la folie de son père. Est-ce que Jean avait fait quelque chose pour mériter un tel sort ? Bien sûr que non. Et de savoir qu'il serait littéralement mort – et pas seulement au figuré, comme nous l'avions cru pendant longtemps – s'il n'avait pas fui les racines des Taillon vint pulvériser le restant de culpabilité qu'il traînait avec lui depuis sa cure de désintoxication.

Au bout du compte, c'est Jean-Jacques Rousseau qui avait raison : l'homme naît bon, devenant progressivement

---

28 Voir *Racines de faubourg*, tome 1.

corrompu par la société. Et lorsque je lui en glissai un mot, mon vieil ami, très peu porté sur les discours philosophiques, me répondit en haussant les épaules :

« L'homme peut ben naître comme il veut. Tout ce que je sais, c'est que je suis pas né pourri comme je l'ai toujours pensé. J'en demande pas plus. »

Avant de quitter DaGiovanni, Jean s'était approché de Blanche, mettant son bras autour de ses frêles épaules en l'embrassant sur la tête. Il ne la revit jamais, refusant de répondre aux nombreuses lettres qu'elle lui envoya dans les quelques mois suivant cette rencontre, à l'exception d'une brève missive envoyée peu avant Noël de cette année-là, l'enjoignant de cesser de se blâmer et l'assurant qu'il était un homme heureux.

Oubliant sa voiture qui, pourtant, se trouvait à quelques minutes à peine du restaurant, Jean prit en marchant la direction de la rue Saint-Denis et grimpa celle-ci jusqu'au carré Saint-Louis, là où se trouvait la résidence de Lili et du docteur Lajoie.

« On t'attendait pas à soir, dit Lili à Jean lorsqu'elle répondit à la porte. As-tu faim ? Viens t'asseoir. On va te faire chauffer du pain de viande. »

Mais Jean n'arrivait pas à bouger, essayant bien inutilement de camoufler les violents spasmes qui le secouaient de partout.

« Voyons donc…, dit Lili, inquiète. Qu'est-ce qui se passe ?

— …

— Yves !… Viens ici ! »

En apercevant Jean tremblant comme une feuille et transpirant comme s'il venait de courir tout seul le relais

4 X 100 mètres, le bon docteur Lajoie le fit entrer, l'installa au salon et lui apporta un verre d'eau. Essoufflé, exténué, mon ami n'arrivait pas à dire un mot, n'arrivait même pas à ouvrir la bouche, regardant Lili sans jamais détourner les yeux alors qu'il essayait, en vain, de lui raconter ce que Blanche lui avait appris quelques minutes auparavant. Déconcerté, désorienté, il essayait tant bien que mal de rationaliser la folie de son père, bien évidemment, mais aussi de ne pas perdre pied devant cette vision de Lili, magnifique, qui l'émerveillait : pour la première fois en dix-huit ans, Jean la voyait debout, ne ressentant plus le besoin cuisant d'exorciser les plus vieux souvenirs de leur amitié pour ne pas avoir à se rappeler qu'il l'avait déjà connue autrement que vissée à un fauteuil roulant. Pour la première fois, il la voyait différemment que la victime collatérale des choix qu'il avait faits, sans jamais se soucier de quiconque, pour ne pas mourir à trente-quatre ans. Pour la première fois en dix-huit ans, Jean voyait Lili comme cette sœur jumelle à laquelle il était profondément attaché et qu'il pouvait maintenant aimer en toute liberté, débarrassé d'un profond sentiment de culpabilité ayant longtemps hanté leur relation.

Ce soir-là, l'air prématurément vieilli s'étant emparé du visage de Jean moins de vingt-quatre heures après la tentative d'assassinat disparut aussi soudainement qu'il était venu, et mon ami était jeune à nouveau. À l'époque, lorsque Adrien et moi étions allés le voir dans sa chambre d'hôpital, il cherchait désespérément à paraître en contrôle, à donner le change, à montrer à tous que ses émotions n'auraient jamais le meilleur de lui-même. Finalement, il n'avait réussi qu'à se donner des airs d'homme amer et usé avant l'heure par la vie. Mais en 1986, à cinquante et un ans, n'arrivant pas à contrôler ses tremblements, incapable d'émettre le moindre son ou encore d'ouvrir la bouche, Jean paraissait revigoré, heureux et atteint d'une furieuse soif de vivre. Et après de longues minutes passées à essayer de dire le moindre mot, il y parvint enfin, brièvement, à sa manière qui se voulait d'une douceur presque brusque.

« Maudit que je t'aime, ma Lili », dit-il en souriant, posant ses mains pour la toute première fois sur les jambes inertes de son amie perplexe qui le regardait, les yeux embués.

Incapable d'en dire plus, Jean quitta la résidence de Lili et du docteur Lajoie qui, pour leur part, tentaient bien inutilement de s'expliquer le comportement de notre ami. Le lendemain, après avoir écrit une lettre qu'il posta à Adrien, il somma madame Bouchard, Lili, le docteur Lajoie ainsi que moi-même à nous rendre chez lui afin qu'il puisse nous apprendre, à notre tour, ce que Blanche lui avait avoué. Très vite, madame Bouchard se mit à pleurer, s'approchant de Jean et l'enlaçant comme seule une mère, une bonne et authentique mère, arrive à le faire, cherchant à le rassurer de toutes les manières tout en lui disant toutes les trente secondes à quel point elle l'aimait. Lili, pour sa part, se réfugia dans les bras de son époux. Bouche bée, sous le choc, je crois sincèrement qu'elle aurait préféré ne pas savoir. Alors que tout le monde croyait que l'attentat avait été orchestré par la mafia, alors que Jean croulait sous le poids de la culpabilité parce que Lili avait eu le malheur de se trouver avec lui ce soir-là, celle-ci ne lui en tint jamais rigueur, ne l'avait blâmé d'aucune façon. Ce monde lui était indirectement familier, elle qui avait longtemps fait carrière dans des cabarets gérés par le crime organisé, et Lili y avait pénétré de plein gré, consciemment. Alors pourquoi en vouloir à Jean ? Toutefois, de connaître l'ampleur de la folie de monsieur Taillon, de savoir qu'elle ne pourrait plus justifier ses jambes mortes en se disant qu'elle avait accepté les risques venant avec son choix de frayer avec des gens issus de ce milieu, la frappa de plein fouet. Mais, forte comme elle le fut toujours, elle sut se remettre rapidement du choc. Dix-huit ans s'étaient écoulés depuis l'attentat, et Lili s'était depuis longtemps habituée à vivre avec un fauteuil roulant. Si elle ne pouvait rationaliser ce qui n'existait plus, alors elle le ferait avec ce qui était là, présent et tangible: son époux, qu'elle n'aurait probablement jamais rencontré en d'autres circonstances, et sa carrière, qui la comblait et l'emplissait de fierté. Lili était une femme heureuse, sereine, et elle ne se permit jamais de l'oublier en se languissant d'une vie hypothétique qui ne viendrait jamais. Une fois de plus, son jugement et sa très grande lucidité lui donnèrent la capacité de nourrir et de préserver une amitié que la plupart d'entre nous aurions balancée par la fenêtre depuis longtemps.

Pour ma part, ma réaction fut pratiquement la même que celle d'Adrien et, un peu plus tard, que celle de Paul-Émile: un mélange de colère, de tristesse et de profonde admiration. Nous trois avons rencontré bien des gens dans notre vie, côtoyant des hommes et des femmes d'une bonté quasi surhumaine, et d'autres qui étaient d'une répugnance absolue. Mais peu de gens peuvent prétendre à la grandeur d'âme dont Jean fit preuve envers les Taillon. Jamais ne chercha-t-il vengeance. Jamais n'exigea-t-il réparation. Pas une seule fois ne fit-il mention de la lâcheté révoltante de Blanche – quoique le reste d'entre nous l'avait fait sans aucune gêne –, ne voulant rien d'autre que de laisser Jean Ier mourir enfin de sa belle mort.

Les années m'ont permis de comprendre qu'il est faux de prétendre que l'on ne choisit pas sa famille. Pour Jean, nous l'étions à cent pour cent, liés par un amour allant bien au-delà de celui, parfois vide et mécanique, qui vient avec la filiation sanguine. Jamais n'avait-il pu faire pousser quoi que ce soit avec ses racines biologiques, optant plutôt pour celles que nous lui avions données alors que nous n'étions que des enfants, il y a si longtemps. Pour toujours, Jean serait le petit Taillon de la rue de la Visitation né, toutefois, d'une amitié qui, même si imparfaite, réussit à le soutenir toute sa vie. Ses racines étaient les nôtres, nos souvenirs étaient les siens et jamais plus ceux des Taillon, désormais classés dans un endroit hors d'atteinte de sa mémoire. Fort de ce constat, il serait enfin en mesure de se bâtir solidement et de vivre une existence n'appartenant qu'à lui.

Des années plus tard, maintentant nous ne sommes plus que quatre vieillards près de la sortie – moi plus que les autres –, je crois sincèrement que Jean est le plus heureux d'entre nous. Le plus en paix, aussi. Et s'il m'arrive quelquefois de lui envier cette douce sérénité, ce n'est jamais de manière malveillante. Comment le pourrais-je? Même si je n'ai pas toujours approuvé certains des choix qu'il a faits au cours de sa vie, quiconque ayant déjà posé les yeux sur l'avis nécrologique accroché en permanence dans le salon des Taillon ne pourrait jamais oublier le misérabilisme qu'il provoqua chez Jean et qui marqua au fer rouge une grande partie de sa jeunesse.

Au fait, personne ne sait ce qui est advenu de l'infâme avis de décès. Mais pour Jean, cette rencontre avec Blanche signifia qu'il avait été définitivement décroché d'un mur dont il était pourtant disparu depuis longtemps.

4
Paul-Émile... à propos d'Adrien

À l'automne 1986, Adrien n'en avait plus pour longtemps à vivre en France. Depuis quelques mois, il jonglait avec l'idée de revenir. Parce qu'il se sentait assez solide pour revenir ici ct garder au loin le spectre de son père. Mais aussi en raison du coût de la vie exorbitant à Paris, qui vidait son portefeuille moins de vingt-quatre heures après qu'il eut reçu son chèque de paie.

« Mon fonds de retraite est à sec, s'était-il plaint à Patrick. À cinquante et un ans, je n'ai pas réussi à mettre un seul sou de côté !

— Ça coûte si cher que ça, vivre là-bas ?

— Je te le dis : tout coûte tellement cher que j'ennuie presque de l'argent qu'Ottawa venait voler dans mes poches ! Au moins, il m'en restait un peu pour vivre décemment. »

Ses années passées en France ont donné à l'accent québécois d'Adrien un côté français le faisant sonner comme un Acadien. Lorsqu'il parlait contre les fédéralistes et que l'on fermait les yeux, on aurait juré entendre un déporté du dix-huitième siècle.

Malgré ses récriminations sur le coût de la vie en France, Adrien ne regrettait pas du tout d'y être déménagé. Là-bas, il avait appris à vivre par et pour lui-même, s'offrant un égoïsme nécessaire qui lui permettrait de savoir ce que c'est que d'être heureux et de le rester. Mais, après six ans, il commençait à s'ennuyer ferme. Ses enfants lui manquaient, et sa mère ne rajeunissait pas. Patrick et Jean non plus, d'ailleurs. Tout ça mis ensemble faisait en sorte qu'Adrien se sentait loin du Québec sur le plan émotif. Sur le plan politique aussi. Après le référendum de 1980, une lassitude par rapport à ce que nous étions s'était installée dans toutes les sphères de la société. Tout ce qui provenait d'ailleurs – surtout des États-Unis – était généralement considéré comme supérieur. La musique francophone ne jouait presque plus à la radio... Les émissions les plus regardées étaient souvent des traductions de séries américaines... Ma fille Marie-Pierre, qui vivait avec moi à l'époque, n'arrivait d'ailleurs pas à comprendre pourquoi je voulais regarder le *Téléjournal* alors que ses séries préférées – *Falcon Crest, Knots Landing, L.A. Law*... émissions plates à s'en ouvrir les veines – étaient diffusées au même moment sur les réseaux américains.

« Veux-tu bien me dire pourquoi tu veux regarder le *Téléjournal* ? me demanda-t-elle en grimaçant. Les nouvelles du Québec, on s'en fout ! »

Une attitude comme celle-là était courante dans le Québec des années quatre-vingt. Et même si près de six mille kilomètres l'en séparaient, Adrien en était conscient et cherchait une manière de renverser la tendance. Autre facteur, d'ailleurs, l'incitant à revenir à Montréal.

Toutefois, la raison principale qui provoquera son départ de Paris, Adrien ne la connaissait pas encore. À la fin de l'été 1986, il avait beau crier ses frustrations financières et sa fierté bafouée du Québec, le fait est qu'il ne bougeait pas, se plaignant en payant son épicerie et roulant les yeux devant le rejet d'eux-mêmes des Québécois. Adrien, le matin, se réveillait toujours dans son lit de la rue Monsieur, tout comme il s'y endormait le soir. Sur cet aspect, il n'avait pas encore tout à fait changé : il réagissait aux événements sans jamais les provoquer. Un appel de sa fille, au début du mois de septembre, le fera cependant réagir plus qu'il ne le fit jamais de toute sa vie.

Avant d'aller plus loin, je dois rappeler qu'Adrien et Daniel ne se sont pas revus après leur dispute, à l'été 1981. Ils se parlaient au téléphone, s'écrivaient, mais ne se voyaient pas. Pendant cinq ans, Adrien, le matin, se regardait dans le miroir et faisait semblant de ne rien connaître de la vie personnelle de son fils. Chose que je déplore, soit dit en passant. Mais à cette époque, c'était peut-être mieux comme ça. Pourquoi ? La réponse suivra sous peu.

Plus tôt, dans le récit, Jean a mentionné sa gêne de parler de l'époque hippie de Patrick ; du fait qu'il se sente stupide de raconter quelque chose d'aussi cliché, tout en prenant soin d'ajouter qu'à l'époque, la contre-culture n'avait rien de stéréotypé. Le même principe s'applique au sida qui, s'il apparaît comme un phénomène banal aujourd'hui, faisait lever les cheveux sur la tête de tout le monde lorsque les journaux ont commencé à en parler. Je me souviens, d'ailleurs, avoir vu à l'époque un reportage du *Point* où un journaliste interviewait un sidéen en phase terminale. Le malade en question – qui s'appelait Jean-Luc, je crois – discutait de son bonheur d'avoir pu saluer les siens une dernière fois avant de partir. Je n'en avais pas dormi de la nuit. Surtout qu'à ce moment-là, ma fille Lisanne étudiait en médecine et, pour ce qu'on en savait, le sida pouvait se propager par une simple poignée de main. Ou par de la salive. Je me souviens encore, d'ailleurs, du scandale entourant Rock Hudson, qui se savait malade, et l'actrice qu'il avait dû embrasser sur le plateau de tournage de *Dynasty*. Pas mon genre d'émission, comme je l'ai dit, mais je lisais les journaux. Comme tout le monde.

Daniel est mort du sida en 1986. Par empathie pour Adrien et Claire, je n'aborderai pas son départ comme une statistique de plus venue nourrir une tragédie qui, avec les années, est devenue une arrière-pensée pour les gens n'ayant jamais eu à vivre avec le sida, de près ou de loin. Je vais plutôt aborder Daniel comme un ami et un frère parti trop tôt; comme la raison numéro un du retour d'Adrien à Montréal.

La maladie de son fils, Adrien l'a apprise un samedi matin, heure de Paris, lorsque Claire lui donna un coup de téléphone.

«Je suis bien content que tu m'appelles, dit Adrien, mais c'est pas mardi aujourd'hui. Qu'est-ce qui se passe?»

Comme réponse, Adrien fut servi d'un silence qui lui rappela celui de son père. Claire n'arrivant pas à ouvrir la bouche, il ne se gêna pas pour le faire à sa place.

Malgré les années passées à Paris, malgré sa réussite à se détacher de monsieur Mousseau, une constante demeurait dans la vie d'Adrien: sa peur du silence.

«As-tu vu la motion adoptée au conseil national du PQ? Gang de passeux de balai!... Non, mais!... Faut-tu être doué pour se mettre à genoux, rien qu'un peu?! S'affirmer sur le plan national! Ça fait depuis les plaines d'Abraham qu'on essaie de s'affirmer nationalement! Qu'est-ce que tu veux qu'on fasse quand le Canada veut rien savoir de nous autres?! Je suis tellement découragé... J'aurais compris si cette proposition-là était venue de Bourassa pis sa gang... Mais pas le PQ! Pourquoi faire une affaire de même? On a perdu une bataille! Ça veut pas dire qu'on a perdu la guerre! Simonac, c'est comme si quelqu'un me disait qu'il faut que je devienne un fan des Blue Jays de Toronto parce que les Expos feront pas les séries de championnat! Bout de viarge, c'est pas parce qu'ils gagneront pas la série mondiale cette année qu'ils la gagneront jamais ! »

Bon. Je serai bon prince. Avec ce que l'on sait aujourd'hui des Expos, je ne pousserai pas la méchanceté à faire mon propre parallèle entre eux et la souveraineté du Québec.

« Je me suis fait demander de revenir, poursuivit Adrien. J'ai pas encore pris ma décision, mais si je reviens, ça va brasser dans la cabane, ma petite fille, je t'en passe un papier. On peut pas laisser les choses comme ça et…

— Papa ! »

D'instinct, Adrien avait deviné que le coup de téléphone de Claire n'annonçait rien de bon. En ces temps d'appels interurbains limités, on ne téléphonait pas en France depuis Montréal, un samedi, pour jaser de tout et de rien.

Après quelques secondes passées à essayer de parler sans se mettre à pleurer, Claire annonça à son père que Daniel était malade. Depuis longtemps, en fait. Une quinte de toux qui ne voulait pas partir avait fini par déboucher sur le pire diagnostic qui soit. Le plus terrifiant. Denise et madame Mousseau en ont pleuré sans arrêt pendant une semaine, alors que Claire garda les yeux secs. Avec son père au loin et sa mère complètement effondrée, elle savait que la tâche de s'occuper de son frère allait lui revenir. Elle s'en acquittera avec brio.

Daniel, pour sa part, demeura stoïque lorsqu'il reçut la nouvelle. Son copain de l'époque – un pédant fini répondant au nom de Gilles – ayant eu l'indécence de disparaître sans laisser de trace, il s'est immédiatement tourné vers sa mère, sa sœur et sa grand-mère pour obtenir du soutien. Toutefois, quand Denise proposa à Daniel d'appeler Adrien pour lui annoncer la nouvelle, Daniel refusa catégoriquement.

Denise, malgré ses rapports acrimonieux avec Adrien, ne fut pas d'accord avec la perspective de le laisser dans l'ombre et chercha à convaincre le fils que son père devait être mis au courant. Peine perdue.

« On peut pas faire ça à ton père, dit Denise à Claire. J'ai beau avoir eu ma part de problèmes avec lui, je peux pas me résoudre à voir Daniel mourir pis à faire comme si Adrien était pas là.

— Je pense comme toi, maman. Mais c'est le choix de Daniel, pas le nôtre. Il faut respecter ça.

— Claire, c'est pus juste de l'homosexualité de ton frère qu'il s'agit…

— Oui, ça l'est, maman. Ça va toujours l'être. T'étais pas là quand papa pis Daniel se sont vus pour la dernière fois. Pis même si je suis pas d'accord avec la décision de Daniel de rien dire à papa, je comprends très bien pourquoi il fait ce choix-là. »

Cette décision ne venait pas seulement mettre en évidence la distance père-fils. Une fois de plus, Daniel voulait partir sans faire de bruit. En longeant les murs, marchant sur la pointe des pieds. Denise en avait conscience et je crois, personnellement, que ce constat l'affligeait plus que la mort prochaine de son fils. Elle qui aurait voulu célébrer sa bonté, sa douceur et l'amour inconditionnel qu'elle avait pour lui, le voyait partir anonymement, en cachette, sans vouloir déranger personne. Daniel se serait contenté de mourir tout bas, mais Denise, quelque temps avant la fin, décida tout de même de le dire à Adrien.

« On peut pas faire ça à ton père. »

Cette fois, Claire n'opposa pas de résistance et offrit de téléphoner elle-même à Paris.

Debout dans son salon, Adrien cessa de respirer pendant quelques secondes.

«Papa?... demanda Claire. Es-tu encore là?

— Oui.

— Je veux pas être raide, mais si tu veux voir Daniel une dernière fois, c'est maintenant. Y'en a plus pour longtemps.»

Du moment où il raccrocha le téléphone jusqu'à ce que son avion se pose à Mirabel, Adrien ne se souvient de rien. Absolument rien. Son apathie, il finit par en sortir lorsqu'il aperçut Jean et Patrick à l'aéroport.

«Claire voulait venir te chercher, mais on a insisté pour venir, dit Jean.

— Est-ce que vous étiez au courant?» lui demanda Adrien.

Non. Jean et Patrick n'étaient au courant de rien. Claire et Daniel étant adultes depuis longtemps, ni l'un ni l'autre ne gravitaient encore dans l'orbite de leurs parents et de leurs amis. Ce qui n'empêcha pas Jean et Patrick d'être atterrés lorsqu'ils apprirent la nouvelle. Jean, surtout, qui connaissait Daniel depuis qu'il était bébé.

En route vers l'hôpital Saint-Luc, Adrien ouvrit la bouche pour ne plus la refermer. De retour au Québec pour la première fois en six ans, il passait des commentaires sur tout ce qu'il apercevait: de l'état des routes en passant par la conduite des Québécois, jusqu'aux lampadaires en bordure des rues. Soulagés de pouvoir penser à autre chose – même momentanément – qu'à la tragédie pendant au-dessus de la tête de notre ami, Patrick et Jean l'ont laissé parler avec joie.

Miraculeusement – quiconque étant familier avec Montréal et ses environs comprendra –, le trajet se fit sans problèmes. Pas de bouchon de circulation ou autre contretemps du même genre. Rien d'autre que la soixantaine de kilomètres séparant l'aéroport et le choc, immense, d'Adrien lorsqu'il aperçut Daniel sur son lit d'hôpital.

« Daniel…, dit Claire. Regarde… T'as de la grande visite. »

En voyant son père, Daniel n'a pas dit un mot. Maigre à faire peur, trop fatigué pour émettre le moindre son, il se savait déjà suffisamment parti pour ne rien entendre des récriminations d'Adrien s'il y en avait.

Il n'y en eut pas.

Se tenant debout près du lit de son fils, Denise s'était crispée en apercevant Adrien. Tous les deux ne s'étaient pas vus depuis six ans et n'avaient eu aucun contact. Mais dans une démonstration incroyable de la force des habitudes, Denise redoutait malgré tout l'imminence d'une engueulade comme celles ayant marqué leur mariage. Crainte qui s'avéra non fondée. Adrien ne la regarda même pas, comme au jour où Daniel était né et que tous les deux s'étaient accrochés à lui pour arriver à se supporter l'un et l'autre. Selon Claire, Daniel, même s'il n'eut pas la force de le dire de vive voix, s'en est aperçu. Et il en fut doublement épuisé.

Claire, d'ailleurs, sortit de la chambre en pleurant, incapable de regarder son père qui regardait son frère mourir. Dans le couloir, elle rejoignit Jean et Patrick, qui l'ont enlacée doucement, en lui disant qu'elle pouvait pleurer autant qu'elle le voulait. Les derniers jours de Daniel furent, tristement, l'occasion où Claire rencontra Patrick pour la première fois. Pourtant, il est devenu sa principale source de réconfort. Jean et madame Mousseau s'occupant d'Adrien et de Denise, Patrick s'est naturellement dirigé vers elle, et Claire en fut touchée plus qu'elle n'arrivait à l'exprimer.

J'imagine qu'avec Agnès et les enfants du centre de Yaoundé, Patrick devait en savoir long sur les morts injustes. Heureusement, il ne chercha pas à réconforter Claire en lui parlant de révolution.

Adrien, quant à lui, essayait de gérer son choc de la seule manière lui étant familière : en monologuant. Sans but et sans fin.

«Daniel, je… Je suis descendu de l'avion et je suis tout de suite venu ici. Ton oncle Jean m'a conduit jusqu'à l'hôpital. C'est pas une sinécure, hein, être en voiture avec ton oncle Jean… J'avais beau voir la Place Ville-Marie, je me sentais encore comme si j'étais à Paris. Doux Jésus qu'il a le pied pesant!… Dis, est-ce que t'as mangé? C'est important, tu sais? Avec ta maladie… Ta sœur m'a tout raconté. Alors c'est d'autant plus important que tu manges comme il faut. Ma grand-mère Bissonnette avait coutume de dire : quand l'appétit va, tout va.

— Adrien…, dit Denise, éberluée.

— C'est vrai! Regarde-le, Denise! Il est blanc comme un drap! Une bonne tranche de steak lui ferait le plus grand bien. Et dis-moi donc, Daniel… Pourquoi tu me l'as pas dit que t'étais malade? Je connais un excellent médecin à Paris. Le docteur Guinand. C'est lui qui m'a soigné quand j'ai eu des pierres au rein.

— Adrien, dit Denise, une fois de plus. S'il te plaît, arrête…

— Pourquoi? Je suis certain qu'il pourrait aider Daniel. Je vais lui passer un coup de fil et lui demander s'il peut venir le voir. Je suis sûr qu'il va pouvoir faire quelque chose.»

Plus tard, Adrien me dira que le choc de voir son fils mourant avait inversé les rôles; que lui-même était devenu l'enfant ayant besoin de se faire rassurer. Qu'il était redevenu, en fait, le petit Adrien paniqué lorsque son père le plongeait dans le silence comme on plonge dans l'eau la tête de quelqu'un en l'y maintenant de force. Comment faire autrement, alors que son fils paraissait plus vieux que lui-même ne l'était ?

Six ans s'étaient écoulés depuis la dernière fois qu'Adrien et Daniel s'étaient vus. Six ans où Adrien s'était programmé pour garder de son fils le souvenir d'un enfant asexué, longeant les murs pour passer inaperçu, toujours plongé dans ses livres du Moyen Âge. Seulement, la maladie de Daniel obligea son père à reconnaître l'homme qu'il était devenu. Mais aussi à faire comme si le temps gaspillé ne s'était pas écoulé.

Le moment où l'on n'a pas le choix d'accepter le temps qui passe est aussi, souvent, celui où l'on refuse de le voir glisser entre nos doigts.

« Inquiète-toi pas, Daniel, poursuivit Adrien. Je vais te sortir d'ici, moi. Tu viendras à la maison et je vais te soigner comme il faut. C'est pas vrai que je vais te laisser entre les mains de médecins qui doivent même pas savoir comment te vider le nez. J'ai été au loin pendant longtemps, c'est vrai. Mais je suis revenu, maintenant. Je vais m'occuper de toi. »

Mais Adrien était visiblement incapable d'accepter quoi que ce soit.

« Denise, mets les vêtements de Daniel dans une valise. Moi, je m'en vais prévenir quelqu'un au poste qu'il s'en vient avec moi. »

Denise n'a pas bougé. Évidemment. De toute façon, Adrien ne s'en rendit même pas compte. Il sortit en coup de vent de la chambre, passa devant Claire, Jean et Patrick sans les voir, et courut vers le poste d'infirmières le plus proche. Une fois rendu, il n'arriva pas à dire un mot. Aucun son ne semblait pouvoir sortir de sa bouche.

« Oui ?... » demanda une infirmière.

C'est là qu'Adrien a craqué. Une main cachant ses yeux, il s'est mis à pleurer, prenant enfin conscience de l'horreur de la situation. Non seulement son fils allait mourir, mais il s'était préparé à le faire sans que son père soit mis au courant. Sachant qu'il était à blâmer pour cette distance entre Daniel et lui, Adrien ne se fit plus prier pour accepter cette réalité que son fils avait voulu lui faire voir, ce jour-là, sur la rue Monsieur ; pour que son père accepte l'homme qu'il était devenu. Adrien était prêt à le faire. Avec enthousiasme. Mais à un moment où ça ne comptait plus. C'était trop tard.

La perte d'un enfant, en soi, est déjà une épreuve insurmontable. Mais, pour Adrien, cette perte se quantifia au cube. Pleurant devant l'infirmière, devant Claire, Jean et Patrick qui essayaient de lui venir en aide, il se mit à déblatérer qu'il venait de perdre Daniel pour la troisième fois : une première fois lorsqu'il choisit d'ignorer son homosexualité ; une deuxième fois en le rejetant, même indirectement, comme il l'a fait depuis la dernière visite de son fils à Paris ; et une troisième fois sur un lit d'hôpital, au moment où Daniel était sur le point de partir.

En ce qui me concerne, je ne crois pas qu'Adrien ait perdu son fils. Parce que pour l'avoir perdu, il aurait fallu que Daniel, au départ, lui appartienne. Ce ne fut malheureusement jamais le cas.

Les gens ayant connu Daniel Mousseau à une période ou à une autre de sa vie ont presque tous eu l'impression qu'un nuage de brume le suivait partout où il allait. Comme s'il cherchait délibérément à donner une impression de flou. Comme s'il voulait montrer qu'il n'aurait jamais dû venir au monde et qu'il le savait. Vu sous cet angle, Daniel devenait pour Adrien aussi insaisissable que l'avait été monsieur Mousseau. Et jamais il ne put accepter que les deux hommes les plus importants de sa vie s'étaient drapés dans un silence pour mieux le garder au loin. À tort – son père –, ou à raison – son fils.

Daniel est mort peu de temps après le retour d'Adrien, avec ses parents lui tenant la main. Aucun mot n'a été dit. Aucune excuse ne fut offerte et aucun pardon ne fut accordé. Il n'y eut rien d'autre que des pleurs. Ceux d'Adrien et de Denise. Ceux de Claire et de madame Mousseau. Et ceux de Jean et de Patrick, présents jusqu'à la fin. J'aurais voulu être là pour les soutenir. Sincèrement. Par sollicitude, mais aussi parce qu'ayant été le maillon faible de notre amitié, je mentirais si je disais que je ne leur ai jamais envié cette solidarité. Surtout à cette époque.

Mais bon... Au bout du compte, la présence de Jean et Patrick n'aura pas changé grand-chose à la douleur d'Adrien. N'aura pas changé grand-chose à ses regrets, non plus. Parce que, lorsque Daniel est mort, une partie de lui est morte en même temps. Ses yeux, par exemple, donnent souvent l'impression d'être la porte d'entrée vers une âme qui s'est éteinte. Ce qui n'est pas le cas, soit dit en passant. Mais Adrien doit être vigilant pour s'assurer que cet état de fait ne change pas. Pour lui, le bonheur sans contrainte ou insouciant n'est plus possible depuis un moment. Il vient toujours avec le nuage de brume ayant suivi Daniel toute sa vie.

Jamais je ne parle avec Adrien de sa relation avec son fils. J'écoute lorsqu'il me parle de Daniel, évidemment. Mais ses états d'âme, ses regrets, ne sont pas abordés. Le sujet est toujours évité. Pourtant, j'aurais plusieurs questions que je voudrais lui poser. Comme à l'époque où j'en avais sur la nature du silence perpétuel de son père. Toutefois, je préfère me taire. Pas parce que j'ai encore peur de me faire recevoir avec un coup de poing sur la gueule. Plutôt parce que j'ai compris, avec les années, que ça ne donne rien de remuer les choses s'il n'y a aucun moyen de les faire changer. Pourquoi faire souffrir inutilement un de mes proches s'il n'y a rien de positif qui puisse en découler ?

Daniel ne reviendra pas, de toute façon.

5
Jean... à propos de Patrick

Plus on vieillit, plus il devient difficile de se défaire de nos habitudes. Les bonnes – ou celles que l'on perçoit comme étant bonnes – comme les mauvaises. Parlez-en à Adrien et moi.

Le retour de Patrick parmi nous, à la suite de la mort épouvantable de Judith, nous a tous réjouis. Par contre, ça s'est fait tellement rapidement qu'Adrien et moi avons eu besoin d'une bonne période d'adaptation pour cesser de voir les étoiles qui tournaient autour de nos têtes. Le Patrick de notre enfance nous avait manqué, aucun doute là-dessus. Mais Adrien et moi étions habitués depuis tellement longtemps à côtoyer – éviter ? – un être déplaisant, amer et bougonneux que nous n'avons pas su comment réagir lorsque nous l'avons revu pour la première fois; lorsque nous l'avons à nouveau entendu rire de la même manière qu'il le faisait lorsque nous étions quatre petits morveux. Pendant un certain temps, nous avons continué d'éviter certains sujets avec lui; de le prendre avec des pincettes, de peur qu'il nous explose sa colère en plein visage. Cependant, deux événements ont fini par nous faire comprendre qu'il était temps pour nous de passer à autre chose: 1) la première fois où il mentionna le nom d'Agnès devant nous sans déchirer sa chemise et exiger la mise à mort de l'Amérique du Nord au grand complet; 2) un face-à-face complètement inattendu avec Teresa qui ne se termina pas en pugilat digne des belles années du centre Paul-Sauvé. Je vais d'ailleurs, si vous permettez, m'y attarder un petit moment.

Lorsque Adrien est enfin revenu de Paris, Patrick et moi

étions constamment avec lui à l'hôpital, histoire d'être là pour lui à un moment de sa vie où il en eut sincèrement besoin. Et, à un moment donné où Daniel devait se faire examiner par un médecin – ou se faire laver par une infirmière; je ne me souviens plus trop... –, nous avons décidé tous les trois de prendre l'ascenseur pour descendre à la cafétéria et aller manger. Lorsque nous sommes arrivés au sous-sol, les portes de l'ascenseur se sont ouvertes et... TADAM!!! Teresa Flynn-Healy en personne, mesdames et messieurs!

Lorsque les portes se sont ouvertes, l'odeur de hamburger nous excitait déjà les narines, mais en observant Patrick du coin de l'œil, Adrien et moi n'étions plus certains d'avoir encore très faim. Pourtant, rien ne laissait présager, étonnamment, qu'une échauffourée était imminente. Teresa et Patrick, qui s'étaient tout de suite reconnus, ne se regardaient pas comme deux ennemis, mais plutôt comme un homme et une femme sous le choc de se retrouver face à face après tant d'années.

Ce jour-là, Teresa était accompagnée de sa fille Mitzi – en l'honneur de Mitzi Gaynor[29], apparemment –, une ado de seize ans essayant d'en paraître dix fois plus, chiquant de la gomme comme si c'était une discipline olympique. Ce que toutes les deux faisaient à l'hôpital, je ne l'ai jamais su et, bien franchement, je m'en balance un peu comme de mes premières bobettes. Mais ce que je sais, par exemple, c'est que Teresa ne ressemblait plus à sa mère. Et nous trois, qui ne l'avions jamais connue autrement qu'avec les lèvres

---

29 Actrice, chanteuse et danseuse américaine ayant connu la popularité dans les années cinquante.

plissées, les sourcils froncés et les baguettes en l'air, avons été complètement déstabilisés de constater qu'elle semblait humaine. Aimable, même. Au premier regard, nous ne lui reconnaissions plus ces airs de Tiger Williams[30] en jupon qui nous l'avaient rendue si chère à notre cœur. Quoique, avec ce que j'ai appris à propos d'elle entre les branches, un changement d'attitude de sa part n'avait pas grand-chose de surprenant: il y a quelques années, Joe Healy avait apparemment sacré femme et enfants là pour une caissière d'un snack-bar du Palais du Commerce, là où les jeunes allaient faire du patin à roulettes les samedis et dimanches. Apprenant la nouvelle de son cocuage, Teresa piqua apparemment une colère digne d'un *best of* de Marie-Yvette, mais Joe, tout en confiance de pouvoir émoustiller une jeune poulette de vingt et un ans répondant au nom de Élodie, se permit d'étaler toute sa frustration longtemps refoulée à l'égard de sa femme. Et en français, s'il vous plaît!

«Tu m'étouffes! Tu m'empêches de respirer depuis tellement longtemps que je me souviens même pus comment respirer tout seul! Tout ce que je fais, c'est jamais assez pour toi! Tu passes ton temps à me chialer après, à m'engueuler pour rien pis à me rabaisser devant tout le monde! C'est rendu que les gens ont commencé à me regarder de la même façon qu'ils regardaient ton père quand ta mère était encore vivante! Pis c'est pas vrai, Teresa, que je vais devenir une copie carbone de James Martin! Tu m'auras pas à l'usure comme ta mère a fait avec lui! Ça, je t'en passe un papier!

---

30 Joueur de hockey dans la LNH de 1974 à 1988, il détient le record pour le plus grand nombre de minutes passées au banc des pénalités.

— Pauvre innocent! Comment tu penses que les gens vont te regarder quand tu vas te promener sur la rue avec ta guidoune en patins à roulettes?

— Ils me regarderont comme ils voudront. C'est toujours ben mieux que de me faire regarder comme si j'étais un tapis d'entrée!

— Sais-tu, Joe… Dans mon livre à moi, y'a pas grand différence entre un maquereau pis un tapis d'entrée.

— Pense ce que tu veux, Teresa. Je m'en sacre. Élodie, elle…

— Élodie… Est-ce qu'elle vient avec des lulus, avec un nom de même?

— Tu peux te moquer autant que tu veux mais au moins, elle me rend heureux. Ce que toi, t'as jamais été capable de faire en quinze ans de mariage.»

Joe ne retourna jamais auprès de Teresa qui, pour sa part, ne fut plus jamais la même. Contrairement à ce que tout le monde aurait cru – y compris votre humble serviteur –, l'échec de son mariage l'a adoucie. Là-dessus, elle ne fut jamais moins la fille de sa mère qui, dans la même situation, en aurait profité pour donner à tout le monde des envies de s'intoxiquer au cyanure.

Mais, en analysant la situation de plus près, il m'apparaît clair que Teresa eut droit à quelque chose que Marie-Yvette n'a jamais eu: quelqu'un, près d'elle, ayant eu une fin heureuse. Un *happy ending*. Joe était heureux, parti refaire sa vie ailleurs en jetant aux vidanges toutes les règles imposées par la famille Flynn. Teresa, elle, a figé en sachant que Joe, loin d'elle, refaisait sa vie le sourire aux lèvres, démontrant à son ex-femme, bien malgré lui, que la vie d'un membre de la famille Flynn n'était peut-être pas tracée d'avance, après tout. James Martin et Marie-Yvette, malheureux pendant la quasi-totalité de leur vie, avaient transmis à leurs enfants, en gestes et en paroles, la certitude que rien de mieux ne les attendait. Mais Joe était heureux, libéré de cette image pathétique de son beau-père en devenir que Teresa lui renvoyait constamment. Ébranlée, l'aînée des Flynn commença à se demander s'il pouvait y avoir autre chose, dans la vie, que les enseignements inculqués par sa débile de mère. Et au moment où nous sommes tombés face à face avec elle, je ne crois pas que Teresa avait encore une réponse complète à sa question. Mais ça s'en venait. Et pourquoi je sais ça ? Parce qu'elle nous a souri. Parce que, si elle était tombée face à face avec Patrick avant son divorce, je vous gage tout ce que j'ai qu'elle lui aurait sauté au visage et que Patrick serait retourné dans l'ascenseur pour aboutir aux soins intensifs.

« Mon Dieu, Seigneur…, dit Teresa en regardant son frère. Ça doit faire quoi ?… Vingt ans ? Pis pourtant, t'as pas changé d'une miette. T'as encore l'air d'un petit cul. »

En passant, je tiens à préciser que ces mots furent dits sans aucune trace de méchanceté. Manifestement, Teresa n'en voulait plus à Patrick pour… Pour quoi, déjà ?

« Patrick, Adrien, Jean… Je vous présente ma plus jeune, Mitzi.

— Bonjour, Mitzi. »

Comme toute adolescente normalement constituée, Mitzi nous observa d'une manière visant, de toute évidence, à nous faire sentir comme les derniers des insignifiants. Hochant la tête en soufflant dans sa chique de gomme comme si elle avait voulu en faire un ballon de plage, elle nous dévisagea lentement, de la tête jusqu'aux pieds, l'air chiante au possible. Dommage. Moi qui voulais lui donner un trente sous pour qu'elle aille s'acheter des bonbons au dépanneur…

Patrick, quant à lui, ne manifesta aucune émotion particulière devant cette nièce qu'il rencontrait pour la première fois. Le contraire aurait été étonnant. La délectable Mitzi n'étant rien d'autre, après tout, qu'une parfaite étrangère pour lui.

«T'as l'air bien, lui dit Teresa.

— Merci. Toi aussi. Tu vieillis bien.»

Teresa vieillissait effectivement très bien. Traînant une charpente un peu plus costaude que celle que nous lui avions toujours connue, sa nouvelle sérénité la rendait pourtant plus belle qu'à l'époque où elle était mince comme un fil. Mais puisque japper après tout le monde tel un Dobberman, comme elle le faisait dans le temps, n'avait jamais rien eu de particulièrement sexy…

«Comment vont les autres?» demanda Patrick.

Adrien et moi nous efforcions de demeurer silencieux. Comme disent les Anglais, *If it ain't broken, don't fix it.* Patrick ne semblait pas vouloir péter les plombs, alors on le laissait aller sans s'immiscer dans la conversation. Valait mieux ne pas prendre de chance.

«Ils vont bien», répondit Teresa.

Ils vont bien, mon œil! Thomas entrait et sortait de prison à la même vitesse que j'entrais dans un bar de danseuses! Maggie et Gavin, voulant probablement épargner sur l'argent de la bière, avaient loué ensemble un logement sur la rue Nicolet et passaient leurs journées à fumer comme les cheminées de la Macdonald Tobacco avec, en prime, leurs rots qui transperçaient les murs pour se rendre jusqu'aux oreilles de leurs voisins! Pour être honnête avec vous, c'est un miracle que ni l'un ni l'autre n'aient pété d'une cirrhose du foie. Pendant des années, leur consommation d'alcool me fit passer pour un apôtre de la Prohibition.

De tous les enfants Flynn, seule Mary – à l'exception de Teresa et Patrick, bien sûr – n'eut pas l'air d'une caisse de vingt-quatre sur pattes. N'empêche, le misérabilisme de sa famille ayant fait son œuvre, elle ne chercha jamais, comme Teresa le fit plus tard, à comprendre qu'elle méritait peut-être autre chose que l'existence vide et moche promise par Marie-Yvette.

Toutefois, le mutisme de Teresa concernant ses frères et sœurs se voulait un reflet parfait de l'état des lieux à ce moment-là. On ne raconte pas nos misères de famille à un étranger. Et tandis que nous étions debout devant l'entrée de la cafétéria, alors qu'Adrien, moi et l'inspirante Mitzi les observions, Patrick et Teresa essayaient de gérer du mieux qu'ils le pouvaient cette distance polie qui les gardait loin émotivement. Jamais ils ne seraient proches l'un de l'autre. Ils ne l'avaient jamais été, de toute façon. Toutefois, leur malaise de se trouver l'un face à l'autre venait confirmer la profondeur de cette certitude. De familial, ils n'auraient plus rien d'autre que le sang. Comme moi et les Taillon, finalement.

Teresa et Patrick, chacun à sa façon et avec des degrés de succès bien différents, ont travaillé très fort pour se distancier du cirque de la rue de la Visitation. Tous les deux avaient décidé, sans renier le passé, de se conformer à un présent dans lequel ils pourraient enfin aspirer à un peu de bonheur. Ce présent comportait, toutefois, deux réalités différentes qui ne se rejoignaient pas du tout. Teresa, par exemple, ne fut jamais émue par le souvenir d'Agnès, ne manifesta jamais la moindre parcelle de conscience sociale – moi non plus, me direz-vous – et sa définition de la famille était loin d'inclure Adrien et moi. Rien, dans la réalité de Patrick, ne l'intéressait, et l'inverse était tout aussi vrai. Et pour que cette situation puisse changer, il aurait fallu, au départ, un minimum de liens affectifs entre les deux. Il aurait fallu l'ombre d'un souvenir heureux commun. Il aurait fallu les liens qu'il y avait toujours eu entre nous et Patrick. Entre Teresa et lui, il n'y eut jamais rien. Rien d'autre qu'indifférence à l'époque de leur jeunesse, qui fut plus tard remplacée par de la colère et de l'amertume lorsque Patrick est revenu du Cameroun. Mais même ça, aujourd'hui, avait disparu. Les années avaient tout effacé, et il ne restait plus rien que deux étrangers se tenant l'un devant l'autre, polis mais sans plus.

Au fil des années, nous avons eu l'occasion de revoir Teresa à quelques reprises. Une fois dans un Saint-Hubert de la rue Sherbrooke, et souvent à des funérailles de gens avec qui nous avions grandi. Chaque fois, elle était sereine, souvent accompagnée de ses enfants, ayant tout perdu de ses airs de chien enragé. Et si le départ de Joe l'aura changée pour le mieux, lui permettant d'être elle-même plutôt que la fille de sa mère, la même distance polie caractérisa toujours ses rencontres avec Patrick. Tous les deux se saluaient, discutaient poliment de tout et de rien, mais aucune chaleur ne se dégageait de part et d'autre. En les observant, personne n'aurait jamais pu deviner qu'ils étaient frère et sœur. En fait, je crois qu'ils ont définitivement cessé de l'être au moment où, à l'hôpital, les portes de l'ascenseur se sont ouvertes. Ils se sont vus, se sont reconnus, et puis plus rien. Pas de rancune, de colère ou d'amertume. À peine le souvenir qu'ils ont, un jour, déjà vécu au même endroit.

Ce jour-là, à la cafétéria de l'hôpital, alors qu'Adrien et

moi étions en train de terminer notre tasse de café, Patrick nous annonça doucement son retour au Cameroun, prévu pour le début de 1987.

«Je m'excuse de vous annoncer ça maintenant, dit-il. Je sais que j'aurais peut-être pu choisir un meilleur moment...»

En effet. Daniel était sur le point de mourir. Pourquoi nous annoncer ça aujourd'hui? N'aurait-il pas pu au moins attendre après les funérailles? N'aurait-il pas pu au moins attendre qu'Adrien puisse se relever juste un peu? La réponse est non, parce que Patrick, fort de son expérience à Yaoundé, savait qu'Adrien ne reviendrait jamais à cent pour cent de ses capacités. Un père allait perdre son fils, et la blessure, si elle pouvait se cicatriser, ne disparaîtrait jamais complètement. Pour Patrick, il n'y avait pas de bons ou de moins bons moments pour annoncer la nouvelle de son départ. Et dans toute l'étendue de mon ignorance parentale, je n'ai pas su le comprendre.

«Pourquoi? demanda Adrien, tout simplement.

— La mort de Judith m'a fait comprendre ben des affaires, répondit Patrick. La première, c'est que je me sens perdu depuis longtemps, pis à l'âge où je suis rendu, je veux pas prendre la chance de mourir comme ça. J'ai besoin d'aller me retrouver; d'aller là-bas voir si j'y suis.

— Ta place est ici. Ta maison est ici.

— Je sais. Pis c'est pour ça que je resterai jamais parti pendant longtemps. Mais mon cœur est là-bas. Une petite partie, en tout cas.»

Adrien, l'homme qui jacasse plus fort que son ombre, n'a rien dit. Trop assommé par la mort imminente de Daniel, il n'avait carrément pas la force de s'opposer, d'argumenter pour essayer de faire changer Patrick d'idée. Ce que je n'ai pas fait non plus, d'ailleurs. Ne comprenant pas – pas encore, du moins – son besoin de sentir Agnès à proximité, j'avais également l'impression que son retour parmi nous était trop récent et fragile pour que je me permette d'interférer. Et aussi, soyons francs : je ne me suis pas opposé parce que j'avais encore peur qu'il pète les plombs si je lui faisais part de mon désaccord. Ce que j'aurais eu tort de faire, soit dit en passant. Pas parce que Patrick aurait viré au vert en déchirant sa chemise devant tout le monde, mais plutôt parce que je n'avais pas encore compris, dans toute la grandeur de mon ignorance, que notre vieil ami ne pourrait jamais nous revenir complètement s'il n'allait pas d'abord se retrouver à Yaoundé. Pourtant, j'aurais dû comprendre et me réjouir, nous qui avons pensé pendant si longtemps que le Patrick de notre enfance était mort. Ce Patrick partait peut-être pour la deuxième fois, mais au moins, nous savions qu'il allait revenir. Ce qui ne nous a quand même pas empêchés d'avoir le cœur gros lorsqu'il est, quelque temps plus tard, sorti d'une agence de voyages avec son billet d'avion – aller-retour, en passant – pour l'Afrique.

Se tenant debout devant Teresa quelques minutes plus tôt, Patrick n'a pas cru bon de lui faire part de ses projets.

« Pourquoi je lui dirais ? nous demanda-t-il, à Adrien et moi. Ça la regarde pas. Pis de toute façon, que je retourne là-bas ou non, je crois pas que ça l'intéresse tellement. Ma famille, ma vraie, c'est vous autres. »

À ce moment-là, pas besoin de vous dire que j'avais le « motton ». Après toutes ces années passées à vouloir nous jeter sur le bord du chemin comme des sacs de vidanges sur le point d'exploser, cette phrase-là m'a touché plus que je ne saurais le dire.

Mais au-delà de la phrase touchante, je n'ai pas pu m'em-pêcher de me demander s'il n'y avait pas une autre raison derrière son silence vis-à-vis des Flynn. Adrien aussi se posait la même question. Ce mutisme ne cachait-il pas plutôt un refus de créditer la succulente Marie-Yvette pour la toute nouvelle sérénité de Patrick, chose qu'elle lui avait toujours refusée ? Sans l'entêtement de sa mère à vouloir en faire un pape, je serais prêt à vous gager tout ce que j'ai que Patrick n'aurait jamais quitté Montréal et, par conséquent, n'aurait pas connu Agnès.

Sans sa période de missionnaire, qu'est-ce que Patick aurait fait de sa vie ? Aurait-il eu une existence identique au reste des Flynn ? Aurait-il continué d'être la victime consen-tante du rouleau compresseur qu'était Marie-Yvette ? Serait-il mort étouffé par son collet romain, comme l'avait prédit l'abbé Lavallée ? Aurait-il fini, lui aussi, par caler des tonnes de litres de bière pour arriver à engourdir sa répu-gnance à devoir se lever le matin ? Est-ce que Marie-Yvette, bien malgré elle, avait sauvé la vie de son fils en poussant le curé Julien à l'envoyer là où les malheurs des Flynn ne s'étaient jamais rendus ?

Je ne sais pas. Peut-être que Patrick croyait effectivement que ce qu'il faisait ne regardait plus les Flynn depuis long-temps. Peut-être que la mort de Judith, dans toute son hor-reur, fut l'événement qui lui fit comprendre que sa vie n'allait nulle part. Elle qui avait passé sa vie à croire que son bonheur viendrait d'ailleurs – d'*Action Comics* à la sauce soviétique, surtout – finit par faire comprendre à Patrick qu'il commettait la même erreur depuis longtemps. Agnès, par exemple, était en lui. Pas en nous. Et, bien que nous fus-sions bien prêts à compatir avec lui pour cette perte, Patrick devait comprendre qu'il ne la retrouverait jamais en nous l'enfonçant dans le fond de la gorge, et que notre chagrin n'aurait jamais la même intensité que le sien. Je le répète : loin de moi la volonté de paraître insensible et sans-cœur, mais Agnès ne nous concernait pas du tout.

Au fond, la réponse à toutes ces questions comptait pour zéro dans cette équation, parce que Marie-Yvette et Judith, malgré l'emprise qu'elles ont pu avoir sur lui, n'ont jamais rien eu du vrai Patrick. Pas comme nous y avons eu droit, et certainement pas comme nous y avions droit à ce moment-là.

Le retour de Patrick tel que nous l'avons autrefois connu nous fit l'immense cadeau, accordé à si peu, de retrouver nos vingt ans. Pas en marchant dans les rues du faubourg à mélasse en faisant semblant, comme de beaux gros zouaves, que rien n'avait changé. Pas, non plus, en ignorant notre âge et en vivant notre vie comme si nous n'avions pas vieilli. Nos vingt ans, nous les avons retrouvés en nous voyant dans les yeux d'un frère que nous croyions perdu, disparu. Et, en échange de la durabilité de cet immense bonheur, nous étions tous plus que prêts à le partager avec Agnès.

Avis aux intéressés férus d'histoire : en 1986, le cirque de la rue de la Visitation ferma définitivement ses portes.

6
Adrien... à propos de Paul-Émile

C'est ma mère qui m'a appris que Suzanne Desrosiers était gravement malade. Sur le coup, j'ai sérieusement jonglé avec l'idée de donner un coup de fil à Paul-Émile, action que j'ai fini par ne pas poser. Premièrement, parce que cela faisait des années que nous ne nous étions pas parlé et, pour ce que j'en savais, il pouvait tout aussi bien m'envoyer promener de façon magistrale. Deuxièmement, parce que je n'aurais pas su quoi dire. Moi qui vivais la mort de mon fils à peu près à la même époque, qu'est-ce que j'aurais bien pu lui dire de minimalement réconfortant ? D'accord, je peux babiller à en rendre les gens malades, mais tout de même ! Et de plus, j'ai toujours cru qu'il vaut mieux laisser seul quelqu'un qui ne sait pas pleurer. Parce que ça sort tout croche, parce que ça réagit n'importe comment mais, aussi, comme ce fut le cas pour Paul-Émile, parce que la réalité devient trop doulou-reuse, trop insupportable, pour arriver à y faire face. Les gens qui réagissent comme ça refuseront, d'instinct, la pré-sence de personnes susceptibles de leur rappeler ce dont ils ne veulent pas se souvenir.

Transportée d'urgence dans un hôpital de Sherbrooke, Suzanne apprit rapidement la cause de son malaise: glioblas-tome. Cancer cérébral de phase 4, assorti d'un pourcentage de guérison à peu près nul. À l'annonce de la nouvelle, Paul-Émile avait figé, Rolande s'était mise à pleurer dans les bras de son mari, mais Suzanne était restée calme, se contentant de demander un transfert dans un hôpital de Montréal. Ce qui fut fait rapidement, d'ailleurs. Et, pendant que je passais mes journées à l'hôpital Saint-Luc, Paul-Émile se mit à passer les siennes à l'hôpital Notre-Dame. Très tôt, la dimension logique de sa personnalité prit toute la place, et à peu près tout ce que le Canada et les États-Unis comptaient de spécialistes en tumeurs cérébrales reçut un appel de sa part ou de sa fille Lisanne, étudiante en médecine à l'époque.

Paul-Émile voulait tout savoir, et les réponses à ses questions n'étaient, habituellement, que des pistes supplémentaires visant à chercher d'autres réponses à d'autres questions. Pourtant, au bout du compte, le résultat était toujours le même.

« À ce stade-ci, monsieur Marchand, le cancer ne répond plus aux traitements.

— Est-ce qu'on pourrait augmenter le degré de chimio ? L'intensité ?... Vous m'excuserez. Je suis pas familier avec le jargon médical.

— Écoutez... J'ai eu le temps de regarder le dossier de mademoiselle Desrosiers, et pour être franc avec vous, je ne lui recommanderais pas de continuer la chimiothérapie. »

Paul-Émile ne voulait rien savoir. Intraitable, il passait tout simplement à un autre appel si la réponse obtenue ne le satisfaisait pas. Le problème, c'est que les réponses étaient toujours pareilles. Mais Paul-Émile ne pouvait se permettre de laisser la panique l'envahir davantage. Déjà qu'il peinait à ne pas y céder complètement.

Si certaines personnes, à l'annonce d'une condamnation à mort, se découvrent tout à coup des talents pour le combat extrême, ce ne fut pas du tout le cas de Suzanne. Doucement, calmement, elle avait demandé à ses médecins traitants de lui peindre un tableau réaliste de la situation.

« Avec de la chimio, vous pourrez peut-être vous rendre jusqu'à Noël.

— Peut-être ?...

— Peut-être. On peut malheureusement rien vous garantir. »

Lucidement, Suzanne prit tout simplement la décision de fermer les yeux et de lâcher prise. Évidemment, les quelques personnes présentes à ses côtés étaient incapables d'endosser ce choix, réaction que je comprends très bien, moi qui essayais, à la même époque, de faire comme si mon fils Daniel n'était atteint de rien de plus nuisible qu'une gastro. Enfin...

Paul-Émile utilisa à peu près tous les trucs possibles et imaginables – comme le chantage émotif, entre autres – pour convaincre Suzanne de se battre comme lui-même l'aurait probablement fait, alors que Rolande, elle, l'implorait en silence de ne pas partir. Suzanne, doucement mais fermement, leur fit clairement comprendre qu'elle n'était pas désireuse de s'acheter du temps qu'elle passerait dans des conditions misérables. Pourquoi, d'ailleurs, perdre le peu qu'il lui restait à combattre une cause perdue d'avance, de toute façon ?

Plus tard, Rolande se dira convaincue que les années passées par Suzanne à se battre pour Paul-Émile ont drainé toute l'énergie qui lui aurait permis d'espérer un miracle. Je suis entièrement d'accord, même si je n'en ai jamais parlé à Paul-Émile. Par contre, je suis surpris, encore aujourd'hui, que Rolande en soit venue à cette conclusion sans égorger mon ami au passage.

« Si seulement tu l'avais vu, me dira-t-elle en parlant de Paul-Émile, des années plus tard, tu te serais tenu tranquille, toi aussi. »

Paul-Émile était affolé, complètement paniqué, et

Rolande, qui avait passé plus de vingt-cinq ans à le haïr énergiquement, s'était surprise à le prendre en pitié; à essayer de
le consoler. Mais Paul-Émile n'entendait rien et ne voyait
rien. Il était en mission. Il devait à tout prix sauver la vie de
Suzanne et la sienne, par extension. Parce qu'à cinquante et
un ans, il venait enfin de comprendre la futilité de toutes les
raisons l'ayant motivé à la faire passer après tout le reste: le
besoin de sa mère de retourner en 1929; le bras long d'Albert
Doucet; sa carrière à Ottawa... Il comprenait enfin, après
presque trente ans, la profondeur de l'amour qu'il avait toujours éprouvé pour elle. Bien plus qu'en 1977, à mon avis,
alors qu'il était passé à deux doigts de la perdre pour cette
famille qu'elle désirait tellement et qu'il n'a jamais voulu lui
donner. Pendant les six mois qu'il avait dû passer loin de
Suzanne, Paul-Émile savait que, si la chance était de son côté,
il pouvait rouler en voiture dans le quartier où elle vivait et
espérer l'apercevoir, même si ce n'était que pour quelques
secondes. C'était peu, d'accord. Ce n'était presque rien, mais
au moins, c'était quelque chose lui permettant de la voir en
chair et en os; c'était quelque chose qui ne le limitait pas uniquement à son souvenir. Ces six mois passés loin d'elle,
Paul-Émile aurait été prêt à les revivre jusqu'à la fin de ses
jours. Il s'en serait contenté amplement si cela lui avait permis
de voir Suzanne autrement qu'en photo ou dans sa tête.

Lorsque tous les spécialistes en neurologie consultés par
Paul-Émile lui ont dit qu'il n'y avait plus rien à faire pour
Suzanne, mon ami s'est tourné, incroyablement, vers
quelque chose qu'il ne connaissait pas du tout et que, forcément, il n'arriverait pas à contrôler: la naturopathie.

Personnellement, je ne suis pas un adepte de la naturopathie. Par contre, je connais beaucoup de gens qui ne jurent

que par ça. La camomille comme anti-inflammatoire... Le citron pour les soins de la peau... L'hibiscus pour lutter contre la haute pression... Mais la naturopathie pour lutter contre un cancer en phase terminale ? Sérieusement ?

Comme d'habitude, Paul-Émile ne voulait rien entendre des opinions contraires à la sienne, bien décidé à faire de la naturopathie le remède miracle contre le cancer, l'arthrite, l'incontinence, la picote et toutes les autres maladies répertoriées dans les encyclopédies médicales disponibles en Amérique du Nord. Et lorsqu'il apprit entre les branches qu'une amie de son ex-femme hurlait à qui voulait l'entendre qu'elle s'était elle-même guérie d'un cancer en avalant je ne sais trop quelle potion, il accourut au domicile de Mireille en un temps record.

Mireille et Paul-Émile étaient séparés depuis maintenant dix ans et, sans forcément être les meilleurs amis du monde, leur relation était suffisamment cordiale pour qu'ils puissent discuter de certaines choses. Du cancer de Suzanne, par exemple. Mireille en avait été sincèrement attristée lorsque Lisanne, sa fille aînée, lui apprit la nouvelle. Elle avait d'ailleurs téléphoné à Paul-Émile pour lui exprimer sa peine en lui offrant d'être là s'il avait besoin de quoi que ce soit. D'où la présence chez elle de son ex-mari.

Mireille reçut l'inestimable cadeau d'une seconde vie le jour où elle divorça de Paul-Émile. Traumatisée à vie par le souvenir qu'elle gardait de Veronica Quinlen[31], elle avait signé la fin de son mariage en poussant un énorme soupir de soulagement, consciente qu'elle avait posé le geste définitif qui l'empêcherait de devenir une copie conforme de la

---

31 Voir *Racines de faubourg*, tome 2.

femme de l'ancien ambassadeur américain. Au bout du compte, elle ne resta pas longtemps dans sa nouvelle maison de la rue Pratt. La proximité de Paul-Émile lui donnait encore trop l'impression d'être liée à lui et, après un an ou deux, elle finit par tout vendre pour aller s'installer dans un condo de l'île des Sœurs.

Divorcée, mère de trois enfants qu'elle adorait, indépendante financièrement – elle était une Doucet, après tout – et comblée professionnellement, Mireille était véritablement heureuse pour la première fois de sa vie. Nous la retrouverons, d'ailleurs, un peu plus loin dans l'histoire.

« Salut, Paul-Émile. Entre. Lisanne m'a appelée. Je t'attendais.

— Est-ce qu'elle t'a dit de quoi je voulais te parler ?

— Oui. Pis ben franchement, je suis pas sûre que ce soit une bonne idée. Lisanne pense pareil.

— Pourquoi ? Qu'est-ce que Suzanne a à perdre si je parle à Annette ?

Annette Lussier, ancienne voisine de Mireille et Paul-Émile à Outremont, est l'amie qui eut à combattre un cancer du sein assez virulent, merci. En rémission depuis quelque temps, elle aurait été prête à jurer, la main sur une Bible, qu'elle s'était guérie elle-même avec une cure de quarante-deux jours à base de jus de légumes.

« T'as rien à perdre, c'est vrai, répondit Mireille. Mais si tu veux mon avis, je suis loin d'être certaine que c'est sa cruche de V8 qui l'a soignée.

— Pourquoi, d'abord, raconter à tout le monde que c'est ça qui lui a sauvé la vie ?

— Parce qu'elle a commencé à aller mieux pendant ce temps-là. Personnellement, je pense juste que c'était une coïncidence. Surtout qu'en refusant de s'alimenter normalement, elle courait le risque d'aller encore plus mal. Son médecin la trouvait pas drôle. »

Mireille attendait une réplique, mais Paul-Émile, silencieux, se leva et partit. Si la cure de jus de légumes n'allait pas fonctionner, cela voulait dire qu'il devait trouver autre chose ailleurs. N'importe quoi, n'importe où, mais Suzanne devait guérir; il restait incapable d'imaginer que ce ne soit pas le cas.

En regardant aller Paul-Émile à cette époque, les gens autour de lui se demandaient s'il y avait une différence entre nier la réalité et refuser le fait qu'on ne peut la changer. Ayant moi-même vécu le départ d'un être cher, je n'ai pas encore trouvé de réponse à la question.

Deux jours après sa rencontre avec Mireille, Paul-Émile se pointa à l'hôpital Notre-Dame pour y passer la journée avec Suzanne. Rolande, debout devant la porte fermée de la chambre, le salua d'un signe de la tête.

« Qu'est-ce que tu fais là ? lui demanda Paul-Émile. Pourquoi t'es pas dans la chambre avec Suzanne ?

— Un médecin est en train de l'examiner. J'en ai profité pour aller chercher du café. Tiens. Noir avec un sucre, comme tu l'aimes. »

Mots insignifiants mais qui, pour n'importe qui ayant déjà vu Paul-Émile et Rolande se prendre aux cheveux, comportaient un aspect quasi surréel. Il fut un temps où le seul café que Rolande aurait offert à Paul-Émile aurait été noir avec un sucre et un soupçon d'arsenic. Ce temps-là paraissait maintenant si loin…

« Sais-tu si le médecin en a encore pour ben longtemps ? demanda Paul-Émile. J'ai une belle surprise pour Suzanne. »

Elle qui l'avait longtemps considéré comme un imbécile fini, Rolande regardait Paul-Émile en souriant, émue de constater que son amour pour Suzanne allait certainement résister à l'usure des yeux de la mémoire. En plus de vingt-cinq ans, elle n'aurait jamais parié là-dessus.

«C'est quoi, ta surprise ? lui demanda-t-elle.

— J'ai acheté deux billets d'avion pour la Thaïlande. Paraît qu'il y a un guérisseur, là-bas, qui fait des miracles.»

En moins de cinq secondes, le sourire plein d'émotion de Rolande disparut complètement, sa mâchoire tombée par terre rendue incapable de le soutenir.

«Quelle espèce d'idée de débile que c'est ça ?! Réfléchis donc pendant plus que deux secondes, Paul-Émile. Penses-tu, honnêtement, que Suzanne serait assez forte pour un faire un voyage aussi long que ça ?

— Inquiète-toi pas, Rolande. Elle va avoir tous les soins qu'il lui faut. J'ai déjà tout prévu. Je vais y payer deux médecins, des infirmières, tout l'équipement nécessaire... Pis ben franchement, c'est quoi dix-huit heures d'avion si elle est pour revenir ici en pleine forme ?»

L'égoïsme avait peut-être foutu le camp, mais la manière de se rendre utile, elle, n'avait pas changé: Paul-Émile qui ouvre tout grand son portefeuille.

N'ayant pas envie de se disputer, Rolande choisit de se taire et haussa les épaules. Il était clair que Suzanne avait déjà choisi de partir, et ce n'était pas pour la Thaïlande. Paul-Émile, tôt ou tard, n'aurait pas le choix de le comprendre, et Suzanne allait probablement s'en charger, de toute façon.

Seul petit problème au radar, cependant: Suzanne était de plus en plus faible et parlait avec difficulté. De toute évidence, elle n'avait plus l'énergie de faire comprendre quoi que ce soit à Paul-Émile. Leurs belles années passées à communiquer en se crêpant le chignon n'existaient plus. Même si, dans des moments comme celui-ci, ces années semblaient sur le point d'avoir un regain d'énergie.

« Es-tu reviré sur le *top* ? demanda Suzanne à Paul-Émile, le souffle court.

— Il paraît qu'il fait des miracles, Suzanne.

— Miracles, mon œil, répliqua-t-elle en roulant les yeux. J'irai pas perdre le peu de temps qu'il me reste en me rendant à l'autre bout du monde pour me faire tripoter par un charlatan. Je serais probablement morte en arrivant là-bas, de toute façon.

— Calme-toi, Suzanne, dit Rolande en lui versant un verre d'eau. Tu vas te fatiguer pour rien.

— Les billets d'avion sont déjà achetés, répliqua Paul-Émile, refusant de s'avouer vaincu.

— C'est ben plate, répondit Suzanne, à bout de souffle. Mais tu viens tout juste de sacrer trois mille piastres par la fenêtre. »

À ce moment-ci, Rolande crut bon d'intervenir, incapable de ne pas prendre Paul-Émile en pitié malgré la folie de sa requête.

« Pourquoi t'en profiterais pas pour faire un beau voyage ? demanda-t-elle à Suzanne. Ma belle-sœur est déjà allée en Thaïlande. Ç'a l'air que les plages, là-bas, sont de toute beauté.

— On pourrait même emmener Rolande pis Bernard avec nous autres, suggéra Paul-Émile, ayant déjà manifestement tout oublié de l'engueulade au Chéribourg.

— C'est ben fin de ta part, Paul-Émile, dit Rolande. Mais avant que t'arrives à embarquer Bernard dans un avion…

— Je suis certain qu'il va dire oui, insista Paul-Émile. Si on se met à deux, toi pis moi, on va être capables de le convaincre. »

Couchée sur un lit d'hôpital, branchée à un soluté, Suzanne ne manqua pas de relever l'ironie de la situation.

« Si quelqu'un m'avait dit, un jour, que je vous verrais, tous les deux, faire équipe pour quoi que ce soit, je l'aurais jamais cru. Il doit y avoir de l'espoir pour le Moyen-Orient, j'imagine. »

Suzanne était maigre, le teint grisâtre. La veille, elle avait demandé à Rolande de faire disparaître le petit miroir qu'elle gardait sur sa table de chevet, incapable, qu'elle disait, de voir ce que Paul-Émile voyait en la regardant. Malgré les hauts et les bas ayant ponctué leur histoire, malgré les engueulades et les séparations, Suzanne s'était toujours sentie comme la Ava Gardner que sa mère, à l'époque, ne voulait pas qu'elle devienne lorsque mon ami la regardait. Et si le regard qu'il portait sur elle ne changea jamais, les yeux de Paul-Émile renvoyaient désormais à Suzanne l'image d'une femme malade, mourante, dont elle n'arrivait pas à faire abstraction.

Paul-Émile, pour sa part, demeurait tout à fait incon-scient. Pourtant, n'importe qui regardant Suzanne pendant plus de deux secondes était en mesure de s'apercevoir que son état de santé ne lui permettrait même pas de se rendre à l'aéroport. Les nids-de-poule, bien portants un peu partout dans Montréal, la tueraient à coup sûr. Mais cette Suzanne-là, comme je l'ai dit plus tôt, mon ami ne la voyait pas. Pour lui, elle n'avait pas changé. Elle était encore et resterait toujours cette femme spectaculairement belle revenue de Québec, un jour d'été de 1960. Alors, forcément, il ne comprenait pas pourquoi elle disait non à un voyage en Thaïlande, tous frais payés. Sur cet aspect, il n'aurait pas pu être davantage le fils de Florence Marchand.

Rolande, par contre, représentait un cas plus inquiétant. Elle et Suzanne s'adoraient depuis des années, n'avaient aucun secret l'une pour l'autre et s'étaient bâti des liens familiaux comparables à ceux que j'entretenais avec Jean. Mais si Rolande fut présente à chaque instant que Suzanne passait à l'hôpital, elle ne parlait cependant pas beaucoup, semblait ignorer où se mettre les pieds et peinait à regarder Suzanne autrement que dans les yeux, comme si son corps en déchéance n'existait tout simplement pas. Rolande, et c'est tout à son honneur, accepta et respecta le choix de sa meilleure amie de partir sans se battre. Pas une seule fois n'a-t-elle cherché, comme Paul-Émile l'a souvent fait, à la convaincre de se soumettre à plus de chimio, ou encore d'essayer des cures de quarante-deux jours à base de jus de légumes. Mais est-ce que Rolande elle-même acceptait de voir Suzanne partir? La réponse à cette question comporte une nuance qui ne la fit certainement pas paraître sous son meilleur jour.

Les relations que j'ai eues au cours de ma vie, qu'elles fussent de nature amicale ou amoureuse, m'ont fait comprendre très tôt qu'il n'existe que très peu de différences entre l'amitié et l'amour. Que le type de personne choisie pour une relation amoureuse ne sera peut-être pas très différent d'une personne avec qui on se liera d'amitié. Et ce jour-là, peu avant de mourir, Suzanne dut se maudire de posséder un talent tout à fait superbe pour choisir des personnes la laissant tomber aux pires moments.

« Tu sais, Suzanne…, dit Paul-Émile d'un ton frôlant la supplication. On est pas obligés de se rendre en Thaïlande juste pour voir le guérisseur. On peut y aller pour autre chose, aussi. Je voulais te faire la surprise, mais je pourrai pas attendre jusque-là. »

Rolande, occupée à placer les nombreux bouquets de fleurs envoyés à Suzanne près de la fenêtre, regarda Paul-Émile en se demandant jusqu'où il était prêt à se rendre pour continuer d'ignorer la gravité de l'état de santé de Suzanne.

« On va se marier, dit Paul-Émile en souriant doucement. Sur le bord d'une plage, en Thaïlande. »

Plus tard, Rolande me dira qu'elle était convaincue que si Suzanne avait eu une ne scrait-ce qu'une once d'énergie, elle aurait balancé un des pots de fleurs à la tête de Paul-Émile, tout en l'insultant au point de l'envoyer en boule, dans un coin. Pourquoi maintenant ? Pourquoi pas à l'époque de la rue Wolfe, alors qu'il savait déjà que Suzanne ne lui sortirait plus jamais de la peau ? Pourquoi pas après son divorce ? Pourquoi pas après ce temps d'arrêt de six mois, où Suzanne l'obligea à garder ses distances et qu'il était revenu vers elle en courant, à la première occasion ? Mais toutes ces questions que Suzanne aurait voulu poser, Rolande ne se chargea pas de les poser à sa place, espérant, l'espace de quelques instants, que cette preuve d'amour ridiculement tardive de la part de Paul-Émile donnerait enfin à Suzanne le goût de se battre, même si ce n'était que pour quelques mois de plus.

Rolande fut évidemment déçue.

Suzanne était déjà morte, n'existait plus. Cependant, l'incapacité tenace de Paul-Émile à la laisser partir la figeait dans un état de douleur perpétuelle. Et, si elle-même comprenait parfaitement cette incapacité – en presque trente ans, elle non plus ne fut jamais en mesure de le laisser derrière –, Suzanne n'en demeurait pas moins à bout de souffle, souffrante, ne voulant rien d'autre que fermer les yeux pour ne plus se réveiller. Et alors que Paul-Émile continuait de discuter des bienfaits d'un quelconque guérisseur thaïlandais et d'une noce célébrée à l'ombre d'un palmier, Suzanne se mit à dévisager Rolande avec insistance, l'implorant silencieusement de raisonner Paul-Émile; de lui faire comprendre qu'elle était déjà partie et qu'elle n'avait tout simplement plus la force de faire comme si elle vivait encore. En gros, Suzanne supplia Rolande de faire comprendre à Paul-Émile qu'il était temps pour lui, après presque trente ans, de poursuivre son chemin tout seul.

Mais comment faire comprendre à Paul-Émile qu'il devait maintenant apprendre à vivre sans Suzanne, alors qu'il avait pris tous les moyens pour réussir et qu'il n'y était jamais parvenu ? Comment faire comprendre à un homme ne trouvant rien d'autre que de la beauté dans une femme maigre au teint grisâtre qu'il doit la laisser partir ? Écrasée sous le poids de la tâche qui l'attendait, Rolande baissa les yeux et sortit lâchement de la chambre, laissant Suzanne seule avec un homme refusant de reconnaître le fantôme qui se trouvait déjà à ses côtés.

7
Patrick... à propos de Jean

À l'exception de madame Bouchard, de Lili et, tristement, de mademoiselle Robert, je n'ai jamais cru nécessaire de faire mention des autres femmes gravitant dans l'orbite de Jean. À quoi bon ? Aucune d'elles n'arrivait jamais à faire acte de présence suffisamment longtemps pour que l'on puisse se souvenir de leur nom. Et, bien franchement, à la façon plutôt cavalière dont certaines d'entre elles furent traitées par Jean, leur présence dans cette histoire aurait été une humiliation que je refusais de leur infliger.

Certains ont souvent reproché à Jean d'avoir une faible opinion des femmes, et bien que je ne puisse les blâmer pour en être venues à croire une telle chose, je tiens toutefois à préciser que ce n'est pas du tout le cas. J'en veux d'ailleurs comme preuves ses liens extraordinairement profonds avec Lili et madame Bouchard. Jamais Jean n'accepta que qui que ce soit – lui le premier – leur refuse le respect auquel il les estimait avoir droit. D'ailleurs, encore aujourd'hui, il ne se passe jamais une semaine sans qu'il visite la pierre tombale de madame Bouchard au cimetière de l'est, elle qui mourut d'un anévrisme à l'été 1990.

Jean eut sa très large part d'aventures d'un soir, inutile de le nier ou encore de revenir là-dessus. Mais des hommes comme René Lévesque, Franklin Roosevelt ou encore Bill Clinton eurent également la leur et, tout comme pour Jean, je ne crois pas que leur réputation de misogynes finis soit entièrement méritée. D'accord, ils pouvaient faire preuve d'une suffisance révoltante et enrageante envers des conquêtes passées – et probablement présentes, aussi, dans le cas du président Clinton –, mais l'estime et le respect que Lévesque pouvait avoir pour une Lise Payette par exemple, ou que Roosevelt et Clinton avaient pour l'intelligence et le savoir-faire de leurs épouses respectives, vient quelque peu fausser la donne. À mon avis, l'attitude, disons, désinvolte de ces trois hommes à l'égard de certaines conquêtes vient davantage souligner quelques problèmes de comportement particuliers que leur opinion vis-à-vis des femmes en général. Et à ceci j'ajouterai que je ne fais qu'exprimer l'opinion d'un pauvre homme âgé et qu'il n'est guère nécessaire de me lancer des tomates en me traitant de phallocrate.

Pour en revenir à Jean, je tiens à préciser qu'il savait également faire preuve de suffisance autant avec les hommes qu'avec les femmes. Jamais je n'aurais voulu être dans les souliers d'une personne, peu importe le sexe, qu'il méprisait ou avait en aversion. En ces occasions, son fameux sourire de vendeur de voitures d'occasion dont j'ai fait mention quelquefois n'était rien en comparaison des humiliations qu'il pouvait infliger à quelqu'un qu'il n'aimait pas. Ma propre mère et le père d'Adrien, s'ils étaient encore parmi nous, seraient probablement les mieux placés pour en témoigner. Toutefois, je tiens également à souligner que je ne cherche aucunement à justifier ou à excuser certaines des actions posées par Jean au cours de sa vie. J'ai d'ailleurs toujours été très clair en ce qui a trait à la manière scandaleuse dont mademoiselle Robert fut traitée. À ce sujet, je peux garantir à tous et chacun que mon opinion ne changera jamais, et Jean le sait très bien. Mais je suis également tout aussi convaincu, comme je l'ai affirmé plus haut, que la somme ridiculement élevée de ses aventures d'un soir se voulait plus le reflet de problèmes émotifs profonds qu'une misogynie qui n'existait tout simplement pas. Ces femmes, à mon humble avis, ne faisaient que lui rappeler la toute première ayant joué un rôle significatif dans sa vie; celle l'ayant abandonné à un tout jeune âge pour la bénédiction d'un mort qu'elle n'a jamais connu. J'ignore pour messieurs Lévesque, Roosevelt et Clinton, mais pour Jean, l'explication se trouvait dans ses liens ratés avec madame Taillon et, afin qu'il puisse être en mesure d'admirer, de respecter une femme, quelle qu'elle soit, celle-ci se devait tristement d'être à l'opposé de la première qu'il ait connue. En ce sens, madame Bouchard et Lili remplissaient merveilleusement tous les critères. Jean les adorait, se serait fait couper bras et jambes pour elles. Alors, il n'était rien de moins que logique que, le jour où mon vieil ami tomberait amoureux pour la première fois, il le ferait sans retenue, s'abandonnant totalement comme il le fit toujours avec nous.

Bien franchement, nous avons longtemps cru que ce jour ne viendrait jamais. En 1986, Jean était âgé de cinquante et un ans, et la stabilité amoureuse semblait l'intéresser autant qu'une soirée passée au Musée des Beaux-Arts. Des inconnues entraient et sortaient encore de sa chambre à coucher à une vitesse étourdissante mais, imperméable aux relents de solitude vécus par tous les célibataires normalement constitués, Jean poursuivait sa route, souriant, sobre et aussi près de nous qu'il ne l'avait jamais été. Toutefois, la situation changea du tout au tout, à la très grande surprise de tous, par un doux samedi soir de l'été des Indiens de 1986, lors d'une rencontre au bistro La Mansarde, en plein centre-ville de Montréal.

Au beau milieu du trafic, du chaos ambiant de la rue Sainte-Catherine et d'un bistro plein à craquer, Jean tomba amoureux pour la toute première fois de sa vie.

Ce soir-là, il avait rendez-vous avec une dame dans la fin trentaine ayant signé ses papiers de divorce il y avait de cela quelques mois à peine. Divorce dont cette dame se remettait plutôt mal, d'ailleurs.

« Les maudits hommes ! s'exclama-t-elle, haut et fort. Gang de mangeux de marde ! Sont ben tous pareils ! Pas toi, évidemment. T'as pas l'air si pire que ça. Quoique… On sait jamais. Y a des bonnes chances que tu sois pas mieux que les autres. Mon ex aussi avait l'air d'un enfant de chœur, pis regarde où ça m'a menée.

— Serveur ?…

— Pognée à torcher les enfants toute seule pendant que monsieur joue à'branlette mexicaine avec des mannequins même pas capables de pointer le Canada sur une carte du Canada !

— Serveur ?!…

— Pis y'est même pas beau, en plus ! Il ressemble à un mélange de Bozo le Clown pis Speedy Gonzalez : le teint pâle, le pif rouge, une moustache de trois poils et demi avec un chapeau de cowboy pour cacher sa calvitie. Chapeau qu'il enlève jamais, en passant ! JAMAIS, si tu comprends ce que je veux dire !

— SERVEUR ?!… »

Ayant aperçu le regard plutôt contrarié de Jean, le pauvre serveur arriva au pas de course, probablement soucieux de ne pas mettre ses chances de pourboire en péril.

« Oui, monsieur ?

— L'addition, s'il vous plaît. »

À ces mots, la compagne de Jean se raidit le dos, regardant mon pauvre ami d'un air tout à fait éberlué.

« Comment ça, l'addition ?! On vient tout juste d'arriver! J'ai même pas encore fini ma vodka *on the rocks*!

— Ben ta vodka *on the rocks*, tu vas aller la finir *on the street* parce que moi, je m'en vais chez nous.

— Je le savais! J'aurais jamais dû venir ici! T'es un trou de cul pareil comme les autres! Dérange-toi mêmc pas de payer mon verre, je veux rien savoir de ton argent! Je m'abaisserai sûrement pas au même niveau que les Filles du Roi de mon ex qui couchent avec lui juste pour son *cash*!

— Parfait! Ça va compenser pour le gaz que j'ai brûlé en venant ici.

— Toi, tu perds rien pour attendre! Attends que je me mette à raconter à gauche pis à droite ce que tu m'as fait! Je connais ben du monde pis je te garantis que tu pourras pus jamais avoir une seule *date* avec personne dans tout Montréal! Je vais m'en assurer personnellement!

— Sais-tu, pas besoin de perdre ton temps pis ta salive! T'es tellement folle que t'as réussi à m'écoeurer des femmes à tout jamais! C'est pas des farces! En partant d'ici, j'embarque dans mon char, je m'en vais directement à Oka pis j'entre au monastère!»

Au bord de l'hystérie, la compagne de Jean jeta dix dollars sur la table et quitta le bistro sans demander son reste. Jean, quant à lui, roula les yeux, secoua la tête en soupirant lourdement et se leva de table. C'est alors qu'une dame, riant aux éclats, se dressa debout devant lui. Surpris et irrité à la fois, Jean se mit à la regarder, sur le point de lui demander qui elle était et ce qu'elle voulait, mais la dame, incapable de dire un mot, continuait de rire.

«Oui? finit par demander Jean, légèrement irrité. C'est pas que je veux couper court à votre fun, mais est-ce que je peux savoir ce que vous trouvez de si comique?»

Une fois de plus, la dame essaya d'ouvrir la bouche, mais rien d'autre qu'un fou rire arrivait à en sortir. Jean, pour sa part, se croisait les bras et regardait autour de lui.

«Bon ben… Si ça vous dérange pas, j'étais sur le point de partir. C'est pas que je veux ruiner vot'fun, mais vous comprendrez que j'ai autre chose à faire que de vous regarder pisser dans votre culotte.

— Attendez…», dit la dame en mettant sa main sur l'épaule de Jean.

La dame était belle, avait le regard rieur, le sourire engageant et semblait avoir à peu près le même âge que Jean. Lui qui n'en avait pourtant que pour les femmes bien plus jeunes se surprit à la trouver splendide.

«Je m'excuse, dit-il en roulant les yeux, inhabituellement gêné. Je voulais pas être bête. C'est juste que…

— Je sais, répondit la dame, essayant encore et toujours de contrôler ses ricanements. Je tiens à m'excuser, moi aussi. Je devrais pas rire comme ça, mais moi et mes amies, on est assises à la table voisine et… Écoutez, on n'a pas fait exprès mais on a tout entendu. Pauvre vous! Cette femme-là est tellement débile qu'on rit à en avoir mal aux côtes.»

Lentement, Jean se tourna vers la table pointée du doigt par la dame et aperçut lesdites copines qui riaient elles aussi et le saluaient en faisant aller leurs doigts.

«Je suis content de savoir que je vous ai donné un bon show, dit-il en esquissant un sourire, sentant sa bonne humeur lui revenir. Mais bien franchement, je m'en serais passé. C'est à se demander, des fois, pourquoi on tombe sur telle ou telle personne. C'est pas comme si je vais sortir particulièrement grandi de cette *date*-là…

— Ben justement… J'étais en train de jaser avec mes

chums de filles quand vous êtes entré pis depuis ce temps-là, je me demande où je vous ai déjà vu. Je suis certaine qu'on s'est déjà rencontrés quelque part. »

Comment pourrais-je mettre en mots cette musique annonçant une misère supplémentaire du coyote dans sa quête sans fin de mettre la main sur le *road runner* ? Jean, souriant comme un bel abruti, se mit espérer fortement que cette femme ne fut pas l'une de ses trop nombreuses conquêtes ayant été cavalièrement sommées de quitter son appartement au lever du soleil. La soirée avait déjà suffisamment mal débuté comme ça.

« Hmm… Euh… Est-ce qu'on s'est déjà rencontrés… Me semble que non. C'est quoi, votre nom ?

— Mireille Doucet. »

Bouche bée et le cœur battant, mon vieil ami s'est mis à rire. Curieusement, le souvenir de Paul-Émile ne lui est pas du tout venu à l'esprit, la voie étant obstruée, j'imagine, par son très grand soulagement de ne pas savoir Mireille bien en vedette sur son tableau de chasse.

Ce soir-là, lorsque Jean expliqua à Mireille qu'ils s'étaient effectivement déjà rencontrés – il fut même présent à son mariage en 1961 – et en quelles circonstances, celle-ci, toujours souriante, eut toutefois un léger mouvement de recul. Comme elle en avait toujours, semble-t-il, lorsqu'elle était susceptible de se faire regarder comme si elle n'était encore rien d'autre que la fille d'Albert Doucet ou l'épouse de Paul-Émile Marchand. Lorsque Jean et Adrien m'ont raconté la rencontre de Mireille avec la pauvre Veronica Quinlen – que je connaissais, à leur grand étonnement, les connaissances de ma mère de la culture américaine s'étendant jusqu'à Broadway –, je n'avais pu m'empêcher de rire, bien évidemment. Mais je fus également en mesure de comprendre, contrairement à son père et à son époux de l'époque, comment une rencontre de seulement quelques minutes peut avoir d'aussi importantes répercussions sur le reste de sa vie. Veronica Quinlen, de manière différente, fut l'Agnès de Mireille et jamais celle-ci ne se permit d'oublier sa panique de s'être reconnue dans le regard d'une femme aussi malheureuse.

Jean, à l'instant où il l'a revue, ne sut jamais voir Mireille autrement que comme cette femme rieuse et chaleureuse rencontrée dans un bistro du centre-ville lors d'une belle soirée d'automne. À son très grand étonnement, il devint nerveux lorsqu'il sentit son mouvement de recul et, au-delà de cette femme qu'il avait brièvement connue autrefois, ce fut celle qui se trouvait devant lui à cet instant précis qui comptait.

Les souvenirs que Jean avait gardés de Mireille, au fil du temps, étaient si flous et impersonnels qu'il n'eut aucune difficulté à ne pas les relier à Paul-Émile. La jeune femme rencontrée, à l'époque, au parc Iberville et, plus tard, à Outremont n'eut jamais vraiment de visage, de personnalité ou même de forme physique. Elle n'avait pas de voix et ne sut pas laisser la moindre trace dans la mémoire de Jean. Par contre, celle qui se trouva devant lui des années plus tard possédait une chaleur si extraordinaire et un sourire si envoûtant que Jean eut l'air d'un total abruti à la seconde où elle avait prononcé son nom.

« Tu savais que je suis divorcée de Paul-Émile ?...

— Oui, je le savais. Le monde est petit. Mais moi, tu sais, Paul-Émile... »

Après avoir demandé au serveur de lui apporter un club

soda, Jean se rassit à sa table tout en invitant Mireille à faire de même. Ses copines, Mireille ne les revit plus de la soirée.

Sirotant un verre de vin rouge, Mireille apprit à Jean qu'elle enseignait la psychologie au cégep du Vieux-Montréal, qu'elle s'était bâti une vie sociale plutôt bien chargée, mais qu'elle vivait seule. Depuis son divorce, elle avait bien cu quelques hommes dans sa vie, mais se faisait toujours un point d'honneur de leur montrer la porte à la seconde où les choses semblaient devenir sérieuses. Jamais plus elle ne vivrait le chagrin que son mariage avec Paul-Émile lui avait causé, s'arrangeant dans tous les cas pour éviter cette situation. Cette attitude eut cours, évidemment, jusqu'au jour où la tornade Jean-Taillon lui tomba dessus.

Mon vieil ami, quant à lui, vida son sac avec une franchise totalement désarmante qui ne cadre habituellement pas avec les circonstances entourant une première rencontre: sa famille dysfonctionnelle, Adrien et moi, madame Bouchard, Lili et le docteur Lajoie, son travail, ses problèmes avec l'alcool et sa récente sobriété, et, surtout, son tableau de chasse ridiculement et scandaleusement garni. Plus tard, en se remémorant cette soirée, Mireille dira en riant que n'importe quelle femme normalement constituée se serait sauvée de là en sautant par la fenêtre. Et Jean de répondre qu'il ne l'aimerait pas autant si elle n'était, justement, rien de plus qu'ordinaire et sans éclat. Sur cet aspect, mon copain n'a jamais changé: il aimait ses femmes flamboyantes. Seulement, avec Mireille, il a fini par apprendre les vertus d'une étincelle, disons, un peu plus substantielle et surtout moins éphémère qu'une chevelure de couleur platine et qu'une poitrine de catégorie D.

Mais pourquoi cet amour est-il né à ce moment-là?

Pourquoi au début de la cinquantaine et pas avant ? Quelques hypothèses faciles me viennent évidemment à l'esprit : la sobriété de Jean; sa toute nouvelle capacité à accepter qui il était avec ses forces et ses faiblesses plutôt que ce qu'il n'était pas; les révélations de Blanche, qui permirent à Jean de faire disparaître pour de bon le dernier bastion d'obscurité morbide l'empêchant d'avancer depuis l'enfance... Ce début de réponse, quoique fondé, ne répond toutefois pas entièrement à ma question. D'accord, il vient mettre en lumière les circonstances qui permirent à Jean, pour la première fois de sa vie, de se montrer intéressé par une relation à long terme, mais ces hypothèses ne disent absolument rien sur la longévité de cette relation; sur le succès de celle-ci, alors que tant de femmes, par le passé, avaient tenté de passer Jean au lasso sans jamais y arriver.

En 1986, Mireille ne ressemblait plus en rien à cette jeune fille passive, presque soumise, que Paul-Émile avait épousée. Rieuse, énergique et libre, elle avait appris à la dure à mettre à profit le respect de soi plutôt que de carburer à l'admiration des autres en les regardant en soupirant comme une groupie, comme Adrien l'a déjà expliqué. À l'aube de la cinquantaine, elle imposait le respect par son assurance et son intelligence, tout en attirant les gens vers elle en raison de sa chaleur et de son énergie. Elle était née la fille d'Albert Doucet, pour ensuite devenir l'épouse de Paul-Émile, mais, par peur de s'éteindre, par peur de devenir la Veronica Quinlen d'Outremont, elle eut à se redéfinir, se réinventer de la même manière que Jean eut à le faire pour ne pas se noyer dans le brandy. Sur cet aspect, lui et Mireille ont su se reconnaître et se comprendre en l'espace de quelques minutes seulement. Tous deux pouvaient s'admirer et se respecter mutuellement sans risquer de perdre une partie d'eux-mêmes. Avec l'amour qui s'est pointé très, très rapidement, Mireille et Jean furent soudés dès le départ et ne se sont jamais laissé partir. Ce soir-là, ce fut à très grand regret que mon copain la raccompagna à sa voiture.

De toute ma vie, je n'ai jamais connu le grand amour. L'amour charnel, transcendant, sublime m'a toujours échappé. Bien franchement, je ne suis pas certain de l'avoir déjà cherché et, pour cette raison, je ne crois pas être la personne idéale pour raconter l'amour de Jean et de Mireille comme il mérite très certainement de l'être. Et comme je l'ai raconté antérieurement, Adrien, Lili, le docteur Lajoie, madame Bouchard ainsi que moi-même étions convaincus que, le jour où Jean aimerait d'amour, il saurait le faire avec l'abandon total et la loyauté qui caractérisèrent toujours sa profonde affection pour nous. Évidemment, il ne nous a pas déçus.

J'y reviendrai, d'ailleurs.

8
Adrien... à propos de Paul-Émile

La sonnerie d'un téléphone retentit toujours différemment lorsqu'elle est porteuse de mauvaises nouvelles. Même lorsque l'on ne s'attend à rien, même lorsque tout baigne supposément dans l'huile, la tonalité sera différente, plus grave. Alors, forcément, lorsqu'une mauvaise nouvelle est attendue, la sonnerie émet un son atroce, insupportable. Le cœur arrête de battre, les oreilles bourdonnent à nous en faire perdre l'équilibre et l'on serait prêt à tout donner pour retourner en arrière, ne serait-ce que pour retrouver les quelques secondes bénies avant que le téléphone ne se mette à sonner. Ça peut paraître bizarre à dire, mais lorsque je me remémore ce jour où ma fille Claire m'annonça au téléphone que mon fils Daniel était mourant, c'est la sonnerie entendue à ce moment-là qui me vient le plus rapidement à l'esprit. La sonnerie, le son différent qu'elle a émis et mon cœur qui n'a fait qu'un bond.

Je n'ai jamais oublié.

Il était près de minuit lorsque le téléphone se mit à sonner chez les L'Heureux, et Rolande ne voulut pas répondre. Les yeux baissés, les épaules voûtées, elle fit semblant de ne rien entendre, choisissant d'ignorer cette fin à laquelle elle aurait pourtant à faire face. Rolande avait choisi d'ignorer, de se mettre la tête dans le sable, depuis déjà un bon moment. Depuis cet instant, en fait, où elle se défila pour ne pas avoir à expliquer à Paul-Émile, comme Suzanne l'avait suppliée de le faire, qu'il devait apprendre au plus vite à réaliser qu'elle ne s'en sortirait pas. Étant lâchement sortie de la chambre au lieu de soutenir le regard de supplication que son amie lui envoyait, Rolande n'y retournait que lorsqu'elle était certaine que Suzanne dormait.

Paul-Émile, quant à lui, continuait de faire parader des naturopathes, ostéopathes et autres spécialistes de la médecine alternative dans la chambre de Suzanne, au grand dam de celle-ci, évidemment, mais aussi de ses médecins traitants.

«Vous pensez accomplir quoi en faisant ça? demanda l'un d'entre eux à Paul-Émile.

— Ce que vous autres, vous êtes pas foutus de faire comme du monde: sortir Suzanne de l'hôpital sur ses deux jambes.

— Et l'intégrité du patient? Y avez-vous songé, monsieur Marchand? Vous êtes vous arrêté, cinq secondes, pour voir le visage de la pauvre mademoiselle Desrosiers chaque fois que vous vous mettez à parler d'un remède miracle inventé par un charlatan du fin fond de Bombay?

— Servez-vous pas de moi pour cacher votre propre incompétence. Est-ce que c'est clair? Je perdrai pas Suzanne parce qu'elle a le malheur de se faire soigner par des abrutis qui ont probablement passé leurs examens d'université par la peau des fesses.

— Vous êtes dangereux! Je vous jure: être capable, je vous ferais interdire l'accès à l'hôpital.

— Essayez donc. Juste pour voir.»

Suzanne, par contre, essayait de faire comprendre à tous qu'elle ne voulait plus rien d'autre que de partir. La lâcheté de Rolande, jumelée au refus constant de Paul-Émile d'accepter une réalité confirmée par pratiquement tout le corps médical d'Amérique du Nord, vint lui enlever ce qu'il lui restait de culpabilité à l'idée de ne pas se battre et de laisser derrière les gens qu'elle aimait. Et elle aimait Paul-Émile.

Aussi profondément et intensément que le jour où elle avait accepté de sacrifier une grande partie de sa vie pour être en mesure de jouir d'un si petit morceau de la sienne. Mais il n'y avait plus rien à sacrifier, maintenant. Suzanne n'avait plus de vie et, conséquemment, n'arriverait plus jamais à donner à Paul-Émile ce qu'il lui avait toujours pris. Épuisée, agonisante, elle acceptait enfin ce qu'elle ne put jamais se résoudre à faire en vingt-six ans : tourner le dos à Paul-Émile pour de bon et le laisser à lui-même; partir là où il ne pourrait plus se rendre jusqu'à elle avec ses idées de la vie, la sienne surtout, qu'elle n'avait tout simplement plus la force d'assumer.

Au fil du récit, nous quatre avons souvent fait mention de l'importance de nos origines, de nos racines. Moi peut-être plus que les autres en raison de l'entêtement de Paul-Émile à ne pas les reconnaître à leur juste valeur. Si la mort de madame Marchand vint atténuer grandement – quoique pas totalement – son acharnement à ne pas se reconnaître en nous, celle de Suzanne vint achever le travail. Toutefois, dans une ironie aussi suprême que tragique, Paul-Émile sut reconnaître l'importance de ses racines au moment même où l'on les lui arracha à froid. Suzanne ayant toujours été cette partie de lui dont il cherchait à se débarrasser, je trouve épouvantable de constater qu'il y est arrivé au moment où il a pris conscience non seulement de la futilité de son geste, mais aussi du fait que ce même geste allait lui coûter son âme si jamais il y parvenait. C'est pour ça, d'ailleurs, qu'il s'est accroché au moindre espoir de guérison, aussi improbable soit-il : parce qu'il venait enfin de comprendre, après vingt-six ans, qu'il n'existerait tout simplement plus si Suzanne mourait.

Finalement, Suzanne est morte seule, presque à la sauvette, profitant d'un rare moment où Paul-Émile sortit de la chambre pour aller se chercher un café.

«Je reviens tout de suite», lui a-t-il dit en lui embrassant le front.

Et, après l'avoir regardé partir, Suzanne a tout simplement fermé les yeux et s'est laissé mourir, seule, abandonnée dans ses dernières volontés, mais se permettant toutefois une liberté sacrifiée pendant des années.

Je ne sais pas pourquoi, mais lorsque ma mère m'a appris la mort de Suzanne Desrosiers, j'ai figé, et mon cœur s'est alourdi d'un coup. Nous avions pratiquement le même âge, membres de la même génération, et elle fut la première personne, parmi tous ceux que j'ai côtoyés pendant mon enfance, à partir. Ce constat, honnêtement, m'a porté un sérieux coup. Une fois de plus, une porte me ramenant vers un passé qui n'existait plus se refermait, m'obligeant, par le fait même, lorsque je voulais revenir en arrière, à utiliser des souvenirs qui se brouillaient de plus en plus. Par contre, je savais également que, si la mort de Suzanne venait refermer une porte, celle-ci, pour Paul-Émile, devait sûrement avoir des allures de fondations en train de s'écrouler. Quand ma mère m'a appris la nouvelle, c'est à lui que j'ai pensé.

La mort de Suzanne, Paul-Émile l'a sue lorsqu'il a vu, son café à la main, les médecins et infirmières qui entraient et sortaient de sa chambre. Accélérant le pas, il n'eut même pas le temps de l'apercevoir une dernière fois avant de se faire dire, par un médecin qu'il s'était joyeusement appliqué à faire suer, que tout était fini. Secouant la tête, Paul-Émile n'arriva pas à prononcer un seul mot ou à émettre le moindre son. Ironiquement, ses jambes se sont tournées en guenilles, comme ça lui était arrivé si souvent depuis Suzanne mais, cette fois, les sentiments étaient épouvantablement différents. Comme si, pour la première fois, plus rien n'arrivait à le soutenir et à le garder debout. Comme si ses jambes étaient littéralement devenues deux insignifiants morceaux de tissu.

À la seconde près où il sut que Suzanne était morte, Paul-Émile est devenu un homme brisé, anéanti. Lui qui avait toujours su décider de sa vie, de ses émotions et de celles des autres n'était même plus capable de contrôler son corps qui tremblait violemment. De peine et de misère, Paul-Émile s'est assis sur une chaise, le regard effroyablement vide. Dans toute l'horreur de la situation, il comprenait enfin, alors que c'était trop tard, les fondements réels de son âme, de cette personne qu'il était et qui fut si solidement définie par un amour dont il n'avait pourtant pas voulu.

Encore aujourd'hui, avec nos cheveux gris, nos petits, nos gros bobos et la jeunesse disparue depuis tellement longtemps que l'on se demande si on ne l'a pas plutôt rêvée, je ne sais toujours pas si Paul-Émile nous a déjà vus ou considérés comme une part importante de ses racines. Ce que je sais, par contre, c'est qu'avec le temps, nous le sommes devenus par procuration, qu'il l'ait voulu ou non. Parce qu'il avait besoin de rendre sa réalité conforme à un passé qu'il avait rejeté mais que nous n'avons jamais oublié, parce qu'il avait besoin de parler de Suzanne au temps présent sans avoir à expliquer son absence, parce qu'il avait besoin de côtoyer des gens l'ayant connue étant en mesure de comprendre pourquoi il l'a tellement aimée, Paul-Émile n'a eu d'autre choix que de revenir vers nous. Et avec ce retour, Paul-Émile m'a aussi démontré que le poids de mes regrets concernant mon fils, malgré la douleur qui en découlera toujours, est moins lourd à porter que le poids d'une âme brisée.

Ce soir-là, cependant, alors qu'il se terrait dans la chambre d'hôpital vide de Suzanne, Paul-Émile était encore très, très loin de penser à nous. Assis sur une chaise, son corps, qui tremblait toujours autant, était plié en deux comme s'il essayait de soulager un mal de ventre. Le regard vide, la bouche ouverte, il n'a pas remarqué la présence de cet homme ayant ouvert la porte, un bouquet de fleurs à la main, manifestement pas encore au courant des derniers développements.

Apercevant Paul-Émile dans un coin de la pièce, complètement défait, monsieur Marchand, son père, s'est lentement approché de lui et a mis une main sur son épaule. Tristement, ç'aura pris la mort de Suzanne pour que tous les deux en viennent à se rapprocher; pour que le ressentiment nourri par les chimères de madame Marchand et qui a atteint son point culminant lorsqu'elle est décédée, s'estompe enfin.

Encore aujourd'hui, je demeure éberlué par le prix ridiculement élevé payé par Paul-Émile – quelquefois de son plein gré – pour les quelques leçons apprises au cours de sa vie. Si l'entêtement dont il a toujours fait preuve l'aura remarquablement bien servi au cours de sa carrière, il lui aura par contre coûté épouvantablement cher sur le plan personnel. Et tandis que monsieur Marchand, lui-même ébranlé par le décès d'une femme qu'il connaissait depuis le berceau, regardait Paul-Émile en silence, celui-ci, épuisé, s'est mis à le regarder à son tour comme s'il le suppliait; comme s'il avait cherché à lui demander de prendre le relais parce qu'il n'avait plus rien à donner; comme s'il lui avait dit, en silence, qu'il n'était plus capable d'apprendre quelque leçon que ce soit parce que les autres apprises auparavant l'ont tout simplement ruiné. Ébranlé par la souffrance à l'état quasi sauvage émanant de son fils, monsieur Marchand s'est assis près de lui, en silence.

Ce fut d'ailleurs monsieur Marchand qui, à la demande de Paul-Émile quelques heures plus tard, téléphona à Rolande pour lui apprendre le décès de Suzanne. N'étant même pas en mesure de décrocher elle-même le combiné, comme je l'ai raconté plus tôt, c'est à son mari Bernard que monsieur Marchand a transmis la nouvelle.

« C'est fini ? demanda Rolande, le dos encore courbé.

— Oui.

— Est-ce que Paul-Émile était avec elle ?

— Non. Il était descendu à la cafétéria pour se chercher un café. J'ai parlé à son père; il m'a dit que tout s'est passé ben vite. »

Plus tard, Rolande me dira qu'elle a réagi à la nouvelle en s'effondrant tout bonnement dans les bras de son mari. Pleurant autant la perte de sa meilleure amie que sa propre lâcheté de l'avoir laissé tomber lorsqu'elle a détourné les yeux en sortant de la chambre, elle a tout de suite demandé pardon à Suzanne, lui jurant qu'elle referait les choses différemment si l'occasion lui était donnée de revenir en arrière.

Plus tard, Rolande me dira avoir aussi pleuré parce qu'elle ne croyait pas tout à fait ce qu'elle venait de jurer, même si elle passa des années à essayer de se convaincre du contraire.

9
Paul-Émile... à propos d'Adrien

Peut-être parce que je n'en suis jamais vraiment parti – même si je passais beaucoup de temps à Ottawa –, peut-être parce que j'étais trop occupé à ne me concentrer que sur mes propres affaires, je n'ai pas vu Montréal changer. Ayant la manie de ne lier les événements historiques s'y étant déroulés qu'aux personnes impliquées – la Saint-Jean 1975, par exemple, ne sera toujours pour moi que Ginette Reno –, je ne me suis pas attardé aux changements que cela a provoqués dans la ville en tant que telle. Je ne parle pas de nouveaux bâtiments, de nouveaux lampadaires ou d'un nouveau maire. Je parle plutôt d'atmosphère, d'environnement, d'ambiance... Ayant quitté le Québec au lendemain du référendum de 1980, Adrien a pu suivre de loin ce qui se passait au Québec, mais n'a pas vécu l'éclipse de la ferveur, du bouillonnement qui animait Montréal pendant les années soixante-dix. Il n'a pas vu la ville devenir apathique à mesure que les années quatre-vingt s'installaient. Plus tôt dans l'histoire, Jean a parlé des gens qui, au tournant de la décennie, ont sonné la fin de la récréation en ne voulant rien d'autre qu'aller se coucher. Ce désir était palpable, dans l'air, et donna à Montréal des airs de quasi-ville-dortoir qui s'étendirent rapidement à tout le Québec. Et, si je ne surprendrai personne en affirmant que je ne ressentais pas du tout l'enthousiasme nationaliste des années soixante-dix, j'ai fortement déploré, par contre, la passivité qui a suivi. Mais bon. Je me découvre des talents pour le babillage dignes de quelqu'un n'ayant plus besoin de présentation.

Et parlant d'Adrien...

Il s'écoula un bout de temps, après son retour de France, avant qu'Adrien puisse revoir Montréal. Puisqu'il faisait constamment l'aller-retour entre le logement de sa mère – qui vivait toujours sur la rue Montcalm – et l'hôpital Saint-Luc, son univers était plutôt restreint. Cet univers, justement, eut l'occasion de s'élargir un peu lorsque Adrien, accompagné de sa mère, de Jean et Patrick, dut se rendre au cimetière Côte-des-Neiges pour l'enterrement de Daniel. Enterrement qui ne se déroula pas sans anicroche, soit dit en passant.

Alors que famille et amis – étonnamment nombreux pour un garçon aussi réservé que Daniel – se réunissaient à l'endroit où la tombe serait mise en terre, Claire aperçut du coin de l'œil Gilles, le copain de Daniel qui s'était pratiquement désintégré lorsque le diagnostic du sida était tombé.

« Ah! Ben! Simonac! » s'exclama-t-elle.

Adrien, ignorant ce qui se passait, regardait autour de lui pour essayer de comprendre la cause de l'irritation soudaine de sa fille.

« Y'a du front, lui, de se pointer ici! s'exclama madame Mousseau.

— Fiez-vous sur moi, grand-maman. Il restera pas ici longtemps. »

Le port altier, Claire se dirigea vers le copain en question, essayant très fort de garder son calme. Elle était dans un cimetière, après tout. Déjà que les Flynn avaient fait un spectacle d'eux-mêmes au salon funéraire lors du décès de leur père, Adrien eut soudainement peur de se retrouver au même niveau. Mais Claire fit les choses avec dignité.

J'aime bien la fille d'Adrien. Lui et Denise l'ont bien élevée.

« Veux-tu ben me dire pourquoi t'as pensé que tu serais le bienvenu ici, aujourd'hui ? demanda-t-elle, d'une colère retenue.

— Claire…

— Je veux ben croire que c'est un endroit public, mais nous, ici, on est en famille et t'as pas ta place. Est-ce que c'est assez clair et net à ton goût ? Parce que si tu comprends pas, je t'avertis, je file pas pantoute pour te faire un dessin pis c'est cul par-dessus tête que tu vas partir d'ici.

— Pas besoin de faire des menaces.

— Qui te parle de menaces ? C'est un cadeau que je me ferais. Après avoir passé deux ans à t'endurer pour pas faire de peine à Daniel, je pense que je le mérite amplement. Qu'est-ce que t'en penses ?

— …

— Daniel est mort tout seul. Tu l'as abandonné comme si y'avait été un chat de ruelle, pis après t'avoir aimé autant, mon frère méritait pas ce que tu lui as fait. Je te souhaite pas de souffrir comme y'a souffert, mais je veux que tu saches que je pleurerai pas du tout si la même chose t'arrive un jour. »

Et l'ex-copain de partir sans demander son reste. Cet épisode, en tout et pour tout, ne dura même pas trois minutes. Une tache d'ombre sur une journée déjà noire. Adrien garda longtemps en mémoire le visage de sa fille ordonnant à Gilles de foutre le camp. Cet homme, arrivé au cimetière sans le moindre avertissement, Adrien ne le connaissait pas. Gilles s'était sauvé de la vie de Daniel après deux ans, mais cela en faisait six que le père et le fils ne se voyaient plus. Déjà abattu par la mort de Daniel, Adrien le fut encore plus en voyant Claire défendre son frère. Ce n'était pas à elle de le faire. Ce n'était pas son rôle. C'était le sien. La tâche lui revenait d'imposer le respect de la mémoire de son fils en catapultant le vaurien au pied du mont Royal. Adrien échoua lamentablement. Pourtant, personne ne lui a tenu rigueur de n'avoir rien fait. Comment aurait-il pu? Avoir croisé le gars sur la rue, il ne l'aurait probablement même pas regardé. Il ne savait pas qui était Gilles, mais c'était justement ça, le problème. Pendant des années, Adrien n'a rien voulu savoir, choisissant de se mettre la tête dans le sable si profondément qu'il s'était non seulement assuré de ne rien voir, mais aussi de ne rien entendre. Et, pendant que Denise, madame Mousseau et quelques autres félicitaient Claire pour son geste, la perte d'Adrien s'approfondit. Au deuil de son fils s'ajoutait le deuil de ce père qu'il aurait voulu être, qu'il savait avoir voulu être mais qu'il ne serait jamais. Pas avec Daniel, en tout cas. Et pour le reste de ses jours, mon vieil ami devra vivre avec les regrets et la douleur de savoir qu'entre lui et son fils, il n'y aura rien de plus qu'un silence digne de monsieur Mousseau.

Après l'enterrement, Denise invita tout le monde chez elle pour le café et les traditionnels sandwiches pas de croûte. Adrien n'y est pas allé. L'idée de revoir le bungalow de la rue Robert, même de loin, ne l'inspirait pas du tout et, après s'être excusé auprès de sa mère, de sa fille, de Jean et de Patrick, il est parti en marchant, les mains dans les poches.

Il est fréquent, pour quiconque ayant longtemps vécu ailleurs, de se sentir perdu au milieu d'un endroit ayant autrefois été familier. Pour mon vieil ami, ce sentiment différait sensiblement. Oui, il avait changé. Aucun doute là-dessus. Mais Montréal aussi avait changé, faisant disparaître des points de repère auxquels il aurait pu s'accrocher. Et aux aspects géographiques et sociaux de son désarroi s'ajouta aussi un élément temporel. Si Montréal et Adrien ne se reconnaissaient plus parce que Paris s'était interposé, les liens avaient aussi été coupés parce que tant de choses et de personnes ayant déjà donné à la ville son caractère familier n'étaient simplement plus là. Je parle de Daniel, bien sûr. Mais aussi des visages qui viennent forger cette vision que l'on peut en avoir; des gens nous ayant vus grandir et qui sont décédés, et d'autres personnes de notre génération qui, pour leur part, sont parties trop tôt.

Après l'enterrement de Daniel, Adrien quitta le mont Royal pour se diriger vers la rue Saint-Denis. De là, il descendit jusqu'à la rue Sainte-Catherine et tourna à gauche. Vers l'est. Vers le faubourg à mélasse de notre enfance qu'il ne reconnaissait plus, malgré des airs encore vaguement familiers. Le cœur lourd, il constata que ses années passées à Paris lui avaient enlevé sa capacité de voir le Montréal d'autrefois. Tout comme elles lui avaient enlevé cette capacité de pouvoir encore s'y reconnaître. Refusant de quitter une ville qu'il ne connaissait plus, Adrien prit plutôt la décision de repartir de zéro, de se bâtir une nouvelle histoire et de refaire pousser des racines qu'il avait lui-même coupées. Jean et Patrick, pour leur part, ne se firent pas prier pour lui donner un coup de main.

Mais comment arriver à avancer lorsque l'on doit laisser quelqu'un derrière ? Comment écrire une histoire quand on sait qu'il en manquera toujours une grande partie ? Sur cet aspect, Adrien et moi nous sommes rejoints. Dans la tragédie, nous sommes redevenus les frères que je ne nous avais pas crus être. Malgré nos divergences politiques, malgré ma défection d'il y a longtemps, malgré notre existence similaire mais vécue de manière si différente, notre amitié est devenue dans la douleur plus forte qu'elle ne l'était à l'époque de notre jeunesse. Ami, je le suis redevenu aussi avec Patrick et Jean. Évidemment. Nos souvenirs venant en paquet de quatre, il aurait été impossible d'aller vers Adrien sans que les deux autres viennent aussi vers moi. Par contre, j'ai quelque chose en commun avec lui que je n'ai pas avec Patrick et Jean. Et le plus beau, c'est que je n'ai pas à en parler. Il sait. Je sais, moi aussi. Au-delà des conversations, des babillages – je parle d'Adrien, après tout –, des débats, des points de vue différents et de tout le reste, ce sont nos non-dits, ironiquement, qui nous rapprochent le plus. C'est lui et moi qui ne voulons ou ne pouvons pas parler. Ce silence, mon vieil ami n'en a pas peur. Parce que contraire-ment au mutisme de son père qui ne contenait que du vide, le nôtre se définit par un soutien dans la douleur. Par une compréhension des difficultés d'avoir à vivre l'invivable que représente pour nous la perte d'un proche, pour le reste de nos jours.

Mon retour eut lieu peu de temps après les funérailles de Daniel. Je laisserai par contre à Adrien le soin de tout raconter.

Pas que je n'en aie pas envie, mais bon. Je n'aime pas vraiment parler de moi. Ou de cette période de ma vie.

Je m'en excuse.

10
Jean... à propos de Patrick

La vingt-troisième coupe Stanley des Canadiens, en 1986, m'a redonné momentanément mes vingt ans. Mo-men-ta-né-ment ! Ayant eu la très grande joie et la très grande chance d'avoir vu à l'œuvre les clubs des années quarante, cinquante, soixante et soixante-dix, est-ce que je peux vous dire que j'ai l'impression d'être au pain sec et à l'eau depuis trop long-temps à mon goût ? Depuis 1980, année où le Canadien a levé le nez sur Denis Savard, je regarde les choix de première ronde et je pleure. Pour un Petr Svoboda, combien de Brent Bilodeau ? *@!%&#

Regardons toutefois le verre à moitié plein plutôt qu'à moitié vide, voulez-vous ? En 1986, je suis devenu un fan fini de Patrick Roy, ayant pour lui la même admiration aveugle que j'en ai eu pour Bert Olmstead il y a longtemps. Admiration qui ne s'est jamais démentie, soit dit en passant, et le jour où Roy fut échangé à l'Avalanche du Colorado, je ne me suis pas gêné pour envoyer une lettre de bêtises à Ronald Corey et Réjean Houle en leur disant qu'ils seraient plus à leur place dans une cuisine de Burger King à flipper des boulettes de viande hachée. Adrien, d'ailleurs, en rit encore.

Mais, au début de la saison de hockey 1986, Patrick Roy était un héros à la grandeur du Québec, et votre humble ser-viteur, heureux détenteur d'un abonnement de saison depuis les années soixante-dix, voulut lui rendre un hommage à la hauteur de son talent. J'en ai d'ailleurs parlé à Yves, qui me donna tout de suite son appui, et à Patrick – juste avant son départ pour le Cameroun –, qui refusa catégoriquement.

Bien évidemment, j'ai essayé de le faire changer d'idée.

« Il nous manque le Y, lui dis-je.

— Non.

— Envoye donc, Patrick. Il nous manque juste une lettre ! Une seule !

— J'ai dit non, Jean.

— Tu peux pas dire non ! Roy a gagné la coupe quasiment à lui tout seul, cette année !

— Brian Skrudland a compté le but gagnant dans le dernier match. Je te vois pas te fendre en quatre pour le remercier.

— Skrudland !… Neuf lettres, simonac ! Je serai jamais capable de me trouver neuf gars !

— Non, pis t'en trouveras pas trois non plus. C'est pas vrai que je vais aller au Forum, torse nu, parader devant vingt mille personnes avec un gros Y peinturé sur le ventre.

— Comme si personne a jamais fait ça avant ! Patrick, t'es notre seul espoir ! Je peux quand même pas demander à Adrien de venir avec nous autres ! »

Adrien qui, bien sûr, était en deuil de Daniel. Pourtant, curieusement, je crois qu'il aurait voulu qu'on le lui demande. Pour se changer les idées, j'imagine. Pour essayer d'oublier, le temps de trois périodes, le visage éteint de son fils. Moi qui connais Adrien comme je connais le fond de mes poches, j'aurais dû savoir. Mais vous connaissez mon talent inné pour gérer la mort…

« Pourrais-tu m'expliquer, demanda Patrick, comment ça se fait que quelqu'un d'intelligent comme le docteur Lajoie est prêt à s'humilier publiquement de cette façon-là ? Toi, ça m'étonne pas. Et tu sais que je dis pas ça méchamment. Mais lui…

— C'était ça ou se peinturer la face en bleu, blanc et rouge. J'ai gagné à pile ou face.

— Doux Jésus !…

— Envoye ! Viens, on va se faire du fun ! »

Le nono que j'étais – et que je ne suis plus, j'ose l'espérer – ne comprenait pas les réticences de Patrick. Entre vous et moi, ce n'est pas comme s'il n'avait jamais rien fait de débile entre les quatre murs du Forum. Et en quoi se promener torse nu avec une lettre peinturée dessus était pire que le lancer d'une grenade ? Avec les années, j'ai fini par comprendre que le geste posé le soir du 17 mars 1955 comportait plusieurs significations; se voulait un appel à l'aide à l'égard de tellement de choses qu'il fut difficile pour Paul-Émile, Adrien et moi de comprendre réellement ce que l'on aurait pu faire pour lui porter secours. Tout le contraire, finalement, du geste farfelu et vide de sens que je lui demandais de faire.

Au bout du compte, Patrick est venu avec nous au Forum, mais est demeuré habillé, roulant les yeux à la vue d'Yves, de moi-même et d'un collègue que j'ai réussi à recruter spécialement pour l'occasion. Si Patrick est toujours demeuré un grand fan de hockey, Agnès et le Cameroun lui ont par contre enseigné un sens des priorités qu'il n'oublia jamais. Et s'il aimait autant que moi regarder Patrick Roy faire des miracles et parler à ses poteaux, mon vieux copain ne démontra jamais la moindre trace de frustration à la suite d'une défaite des Canadiens; ne se porta jamais volontaire pour péter des vitrines lorsque l'équipe se faisait sortir des séries éliminatoires. Pour paraphraser Stéphane Richer, il n'y a pas que le hockey dans la vie. Même si on se permet de l'oublier souvent.

Le lendemain du match, seulement quelques heures après mon numéro des Trois Mousquetaires à la sauce Sainte-Flanelle, fut le moment où Patrick s'est rendu à une agence de voyages pour acheter ses billets d'avion pour le Cameroun. Pendant quelques minutes, j'ai cru que ce fut mon… exubérance qui l'avait poussé à poser le geste.

« Je t'ai quand même pas découragé du Québec à ce point-là ? » lui ai-je demandé.

Patrick répondit par la négative en riant, même s'il m'avoua avoir eu sincèrement honte de marcher à mes côtés ce soir-là.

« Pis de toute façon, même si mon billet est acheté, je pars pas tout de suite. Avoir voulu partir à cause de ton show d'hier soir, je serais déjà plus là. »

Je sais que ce n'est pas du tout mon genre, mais je n'ai pu m'empêcher de regarder Patrick en souriant tristement. Oui, nous aurions à le partager avec Agnès, avec cette partie de lui-même enracinée au Cameroun. Pourtant, j'espérais quand même qu'il réussirait à les ramener ici. À construire pour Agnès l'avenir qu'elle n'a pas eu à Yaoundé. Encore une fois, je n'ai pas su comprendre la profondeur de son amour et de son dévouement pour elle. Et cet amour, même si je n'ai pas été foutu d'en déchiffrer le sens, souligne la grandeur d'âme tout à fait exceptionnelle de Patrick Flynn. Jamais n'a-t-il laissé le temps brouiller ses souvenirs, ou diminuer la douleur ressentie à ce moment-là, bien que tout eût été tellement plus facile s'il l'avait fait. Et comme Patrick ne fut jamais reconnu pour prendre des raccourcis…

Avec la cinquantaine vient toujours l'inévitable bilan plat d'une vie qui, même si elle n'est pas terminée, s'est toutefois déroulée beaucoup trop vite. Je n'ai jamais oublié cette phrase dite par je ne sais plus trop qui – ironiquement – et qui venait résumer l'écoulement tout relatif du temps : quand tu as vingt ans, tu as l'impression que six mois, ça dure un an. Quand tu en as soixante, tu as l'impression qu'un an, ça dure six mois. Je me rappelle, un jour, avoir dit cette phrase devant Lili, qui me regarda comme si je m'étais tout à coup transformé en mois de novembre.

« Veux-tu ben me dire qu'est-ce qui te prend ? me dit-elle en soupirant, s'affaissant dans son fauteuil roulant. Doux Jésus que t'es déprimant aujourd'hui ! »

Pourtant, loin de moi l'idée d'être déprimant. Vous me connaissez ! Pour moi, la vie doit absolument avoir des airs de danse en ligne, sinon je m'emmerde et quand je m'emmerde, je ne suis pas beau à voir. Mais il faut tout de même regarder la réalité en face : nous en étions malheureusement rendus à l'heure des bilans, à cet âge où l'on regarde derrière pour mieux savoir quoi faire avec ce qui vient devant. Et pour Patrick, son bilan lui fit comprendre qu'Agnès, jusqu'à maintenant, n'avait que très peu fait partie de son avenir tel qu'il se l'était promis lorsqu'elle est morte dans ses bras. De toute évidence, ses années passées à essayer de changer le monde n'auront abouti à rien, et Patrick finit par comprendre non seulement qu'il n'avait pas réussi à se rendre digne d'elle, mais qu'il avait aussi complètement dénaturé ce que cette enfant-là représentait pour lui. De ce que j'en sais, Agnès ne fut pas Marie-Yvette, tout comme elle ne fut certainement pas Judith. Elle ne fut jamais colère et n'eut sûrement pas des airs de révolution sanguinaire. À moins que Patrick en fît à sa mort le même être humain exempt de tout défaut et de toute faiblesse, comme nous avons souvent tendance à faire – Jean Ier, *anyone* ? –, ce dont je doute fortement. Même les plus grosses fabulations ne peuvent rien contre la force du temps, alors qu'il y a toujours des moyens moineaux comme moi qui se chargent, volontairement ou non, de faire sortir la vérité. Et entre vous et moi, j'ai un peu de misère à croire que Patrick aurait été prêt à revirer le Québec à l'envers comme il a essayé de le faire, en hommage à une enfant à qui il aurait donné un faux visage. Jamais je ne pourrai croire qu'il était aussi hystérique que le clan Taillon au grand complet.

Même si je me suis brièvement blâmé pour l'achat du billet d'avion, j'ai rapidement compris que je n'avais rien à y voir. Ni moi, ni Adrien d'ailleurs. Oui, nous avons changé avec les années. Mais pas au point, pour Patrick, de ne pas nous reconnaître lorsqu'il est véritablement revenu vers nous après la mort de Judith. Ce jour-là, il nous a clairement fait comprendre que nous étions ses frères; que nous étions cette partie de lui-même capable de bonté, d'humour et, surtout, de s'attacher aussi profondément à quelqu'un. C'est vrai, au fond. Loin de moi l'idée de sonner fendant, mais de qui l'aurait-il appris ? De Marie-Yvette, qui l'envoya à la prêtrise pour se donner un paradis plus attrayant que son quotidien haï à en hurler à travers les rues du bas de la ville ? De James Martin, qui buvait comme un trou pour oublier sa lâcheté devant ses malheurs ? De Maggie, Tom et Gavin qui faisaient pareil ? De Teresa ?

Si notre quatuor s'est reformé pour plusieurs raisons différentes les unes des autres, Patrick est, pour sa part, revenu vers nous comme un enfant revient vers ses parents après une adolescence prodigieusement turbulente: en sachant que nous serions là pour lui, mais pas à la manière d'un tapis d'entrée comme Adrien et moi le lui avons fait savoir, il y a si longtemps, aux funérailles de James Martin. Patrick est revenu vers nous en sachant que nous serions toujours liés par une amitié indéfectible et que ces liens lui auront donné une force émotive que sa propre famille ne sut jamais lui donner. Et à la même manière qu'un jeune adulte vis-à-vis de ses parents, Patrick est aussi revenu pour mieux repartir, allant se bâtir ailleurs des racines, tout en n'oubliant jamais celles que nous avons partagées.

Tous les quatre, à un moment ou à un autre, avons été un enfant que les trois autres ont dû protéger. Que ce soit contre le bonhomme Mousseau, contre Jean Ier ou contre le cirque de la rue de la Visitation – oui, je sais; je n'ai pas mentionné Paul-Émile, mais vous comprendrez pourquoi plus tard –, nous nous sommes tous tenus debout, avec les moyens du bord, pour défendre cette vision que nous avions de nous-mêmes et de ce que nous étions ou pouvions être appelés à devenir. Et Patrick, à cinquante et un ans, devint finalement l'homme que nous avons toujours vu en lui. Délaissant pour de bon ses airs d'ado attardé voulant faire sauter l'Occident dans l'unique but de se venger, arrêtant de bouder parce qu'il n'y était pas arrivé, il a enfin laissé tomber ses gardes pour libérer cet être drôle, généreux et attachant rencontré en culotte courte, assis sur le bord du trottoir devant chez lui.

Je n'ai jamais trop su quoi faire du temps. Bien franchement, je crois que le temps lui-même ne sait pas trop quoi faire de lui. Est-ce qu'il détruit ? Est-ce qu'il renforce ? Avec les années, j'ai appris à ne pas me fier à lui pour quoi que ce soit. Je me souviens avoir entendu quelqu'un dire un jour que le temps ne respectait jamais ce qui était fait sans lui. Peut-être bien, mais je préfère quand même m'en tenir à moi-même et à mes instincts. Honnêtement, je ne crois pas que le temps ait quelque chose à voir avec l'intensité de l'amitié qui me lie, encore aujourd'hui, à mes quatre amis d'enfance. Paul-Émile a coupé les liens en se disant que de laisser l'eau couler sous les ponts permettrait d'effacer le passé et, malgré tous ses efforts, ce n'est jamais arrivé.

Avec la vieillesse, avec le sablier qui coule maintenant beaucoup plus vite que ce que l'on voudrait – surtout maintenant, alors que j'ai l'incroyable chance de me dire comblé et serein –, je préfère regarder en arrière en me disant que le destin a joué un rôle bien plus pondérant dans nos vies que le temps ne le fit jamais. Tout comme maman Muriel, qui disait que le bon Dieu – s'il existe vraiment – a fait une erreur en m'envoyant chez les Taillon, alors qu'elle seule était ma véritable mère, je crois solidement que Paul-Émile, Adrien, Patrick et moi sommes demeurés liés parce que nos vies sont meilleures ainsi; pas en raison d'une bête habitude temporelle. Je suis d'accord avec vous: les vieilles habitudes ne meurent pas facilement, et nos années de jeunesse ont certainement contribué à leur donner une force incroyable. Cependant, je pense qu'aucun de nous ne serait devenu ce qu'il est aujourd'hui sans le soutien que nous nous sommes toujours apporté. Sans cette amitié née dans un faubourg à mélasse qui n'existe plus, mais que nous avons néanmoins contribué à garder vivant à travers la force de nos liens. De cette manière, notre rencontre, relevant complètement du hasard, transcende le temps qui arrive normalement à venir à bout de tout. Des gens disparaissent... Des quartiers sont transfigurés ou carrément charcutés... Des visages et des souvenirs se brouillent... Mais nous sommes encore là. Quatre petits morveux qui auraient pu naître à Outremont,

Saint-Léonard, Verchères ou n'importe où ailleurs en d'autres circonstances, mais qui se sont rencontrés dans un quartier suffisamment présent dans notre mémoire pour en arriver à arrêter le temps.

Si ce n'est pas le destin, voulez-vous bien me dire ce que c'est ?

Encore aujourd'hui, je ne sais pas si Patrick est un homme heureux. Serein, oui. Aucun doute là-dessus. Et de partager sa vie entre Montréal et Yaoundé y fut pour beaucoup. Mais heureux ? Dans mon livre à moi, le bonheur et la sérénité sont deux choses différentes. On peut accepter de ne pas être bien, de savoir que notre vie ne sera jamais ce que l'on aurait voulu qu'elle soit. Une paix d'esprit, par contre, n'est pas forcément synonyme de grandes joies.

Je ne sais pas trop comment mettre un terme à son histoire. Bien franchement, je n'en ai pas du tout envie, mais comme il sera le premier d'entre nous à partir, je n'ai pas le choix de trouver un quelconque point final. De raconter comment se terminera sa vie. Encore une fois, je n'en ai aucune idée et je suis très, très loin de vouloir imaginer un semblant de réponse. Ce que je sais, par contre, c'est que nous serons là jusqu'à la fin, l'air baveux et en culotte courte, parcourant les rues du faubourg à mélasse pour échapper à Marie-Yvette et son rouleau à pâte. Nous serons là même lorsqu'il se sera fait prendre, attendant qu'il revienne d'une quelconque manière. Parce qu'il est toujours revenu. Du Cameroun en 1968 et nombre de fois, des années plus tard. Pourquoi cette fois-ci serait-elle différente ?

Je sais. Pas besoin de me faire un dessin, je sais très bien ce qui s'en vient et, surtout, ce qui ne s'en vient pas. Ce qui ne reviendra plus, en fait. Mais faites-moi au moins cadeau de cette illusion que rien ne va changer. Parce qu'avec son départ, c'est le faubourg à mélasse, le nôtre, qui s'apprête à disparaître pour la toute première fois.

Comment voulez-vous que je me fasse à l'idée ?

11
Patrick... à propos de Jean

Oui, Jean est heureux, même si j'ai longtemps cru que ce ne serait pas possible tellement les Taillon l'ont massacré mentalement. Oh! Il compte encore quelques séquelles, mais rien d'important. Rien, en tout cas, étant en mesure de compromettre sa sobriété et sa sérénité.

Le lendemain de sa rencontre avec Mireille, Jean se présenta chez elle avec un bouquet de roses et une invitation à souper avec lui. Mireille accepta en riant, avouant par le fait même qu'elle espérait recevoir de ses nouvelles depuis le moment où elle était sortie du lit.

Ils ne se sont plus jamais quittés.

J'ai affirmé, un peu plus tôt, que Jean fit les choses en grand avec Mireille. Je n'ai pas menti. Deux semaines jour pour jour après leur première rencontre – qui n'était pas vraiment la toute première, mais comme je n'ai pas le temps de m'encombrer dans les détails –, Jean l'invita chez lui à manger un rôti de porc au miel. J'ai beau chercher de fond en comble, je ne me souviens pas, en plus de quarante ans, avoir déjà vu mon ami feuilleter un seul livre de recettes, ou de l'avoir aperçu à moins de deux mètres d'un fourneau. Et alors que tous deux étaient à table en train de manger, Jean posa LA question que personne, absolument personne ne croyait qu'il demanderait un jour à qui que ce soit. À sa façon, bien évidemment.

«Sais-tu, Mireille, je me suis réveillé à matin en réalisant quelque chose qui m'a fait tomber en bas de mon lit: je veux te marier. Pis pas l'année prochaine, là. Maintenant. Qu'est-ce que t'en penses?»

Mircille demeura muette pendant plusieurs secondes. Depuis son divorce avec Paul-Émile, elle ne s'était pas montrée intéressée par un engagement à long terme avec aucun des hommes qu'elle avait rencontrés. Ayant longtemps cru être la seule femme dans la vie de Paul-Émile, elle était tombée de haut lorsqu'elle apprit qu'elle se trouvait plutôt loin derrière Suzanne Desrosiers, et ce constat lui enleva toute confiance envers ceux qui s'approchèrent d'elle par la suite. Paul-Émile était allé jusqu'à la marier alors qu'il aimait une autre femme qui, soit dit en passant, était présente au moment où Mireille et Paul-Émile avaient récité leurs vœux de mariage. Comment s'y prendre, après une telle mise en scène, pour faire preuve de confiance envers quiconque lui comptant fleurette ? Comment faire autrement que de montrer la porte à tous ceux qui lui proposeraient un engagement à long terme ?

De façon tout à fait ironique, ce fut le pire coureur de jupons que j'ai connu de toute ma vie qui réussit à convaincre Mireille que tous les hommes n'étaient pas des tricheurs potentiels comme Paul-Émile le fut avec elle. La candeur époustouflante affichée par Jean lors de la première soirée, son instinct l'ayant tout de suite poussé à mettre cartes sur table auront fait germer chez Mireille, j'en suis convaincu, une confiance et un désir d'abandon comme elle n'en avait jamais connu jusqu'à ce jour. De plus, le seul fait qu'elle ne s'était pas volatilisée lorsque Jean fit la grande demande le porta à croire que la moitié du chemin était déjà fait. Il n'eut pas tort.

« Es-tu fou ?! répondit Mireille en riant. Ça fait juste deux semaines qu'on est ensemble !

— À l'âge où je suis rendu, j'ai pas besoin de plus que ça. Pourquoi attendre ?

— Voyons donc, Jean ! Regarde-moi !... J'ai quasiment cinquante ans ! Je veux ben admettre que je parais bien, mais ça fait quand même un bon bout de temps que je ressemble plus aux minettes que t'es habitué de fréquenter.

— Mireille Doucet, à la manière que j'ai de te regarder, t'es pas capable de comprendre qu'à mes yeux, t'as tout simplement pas d'âge ?

— Jean...

— Écoute... Je suis pas aveugle. Des belles femmes, y en a partout. Mais ça m'intéresse pus, moi, de courir à droite pis à gauche. Toi pis moi, on rit tout le temps, on se parle de tout pis quand je te regarde, j'ai juste envie de t'arracher ton linge pis de m'enfermer dans ma chambre avec toi pendant un mois !

— Même avec mes varices pis mes seins qui me descendent jusqu'aux genoux ? »

À noter que le ton employé par Mireille se voulait léger et très rieur. Je ne crois sincèrement pas qu'elle se diminuait vis-à-vis des jeunes filles que Jean était effectivement habitué à fréquenter jusqu'au moment où il la rencontra à La Mansarde. Et bien franchement, je ne me souviens pas avoir jamais aperçu la moindre trace de varice lorsqu'elle se promenait en robe ou en short. Au bout du compte, cet argument traduisait selon moi davantage son ahurissement à ne pas avoir envie de s'enfuir alors qu'en d'autres circonstances, elle serait partie depuis déjà longtemps.

« Je sais pas de quelles varices tu parles, répliqua Jean en riant. Si t'en as, je les ai pas vues. Pis Dieu sait que je t'ai examinée en long et en large ! Mais si jamais t'en as, je te jure que ça me dérangera pas. »

Et Jean, d'une voix à en faire écailler la peinture sur ses

murs, improvisa une chanson dont le titre – provisoire, j'ose l'espérer – fut *Remontant le cours de tes varices, je t'aimerai*, expliquant essentiellement à la pauvre Mireille qu'il promettait de l'aimer comme elle ne l'avait jamais été jusqu'à ce jour, inconditionnellement et sans la moindre retenue.

Ce fut en riant aux larmes que Mireille, pliée en deux, accepta la demande en mariage de mon vieux copain.

Le lendemain, Adrien, madame Bouchard, le docteur Lajoie, Lili et moi avons été sommairement pressentis pour faire acte de présence chez Jean, sur la rue Sherbrooke. Ce fut d'ailleurs par un sourire Pepsodent on ne peut plus glorieux que nous fûmes accueillis, assorti de quatre pizzas extra-larges bien chaudes déjà installées sur la table de la salle à manger. Exit, le chef cuisinier ayant concocté la veille un rôti de porc à sa promise.

«Une chance que tu nous as appelés, dit Lili à Jean, le ton empreint de reproches. Ça fait deux jours que tu donnes plus de nouvelles! Vingt-quatre heures de plus, pis Yves envoyait une ambulance!»

Trop excité, Jean ne répliqua rien là où, deux semaines auparavant, il aurait sauté à pieds joints dans le ring où Lili et lui adoraient s'enquiquiner comme le frère et la sœur qu'ils étaient devenus il y a longtemps. Madame Bouchard et Adrien furent d'ailleurs les premiers à le remarquer.

«T'as l'air d'un ti-cul de huit ans qui s'en va chez le père Noël, dit Adrien. C'est quoi, la grande nouvelle?»

Aucun de nous n'aurait pu deviner la réponse à cette question. Pour ma part, je me suis demandé si la bonne humeur manifeste de Jean n'était pas attribuable à l'apparition d'un tout nouvel Aurèle Collard. Avait-il conclu un accord d'exclusivité pour représenter en cour tous les membres de la pègre du grand Montréal ? Si tel était le cas, je ne me serais pas cru capable de partager son bonheur. Je m'étais rapproché, d'accord, mais pas au prix de remettre en question mon retour au Cameroun.

Pour sa part, madame Bouchard crut que Jean avait cet air jovial parce que sa fille s'était enfin manifestée, tandis que Lili, le docteur Lajoie et Adrien étaient d'avis que notre vieux copain était sur le point d'annoncer qu'il avait réussi à soutirer un rendez-vous à Denise Filiatrault, son fantasme ultime malheureusement jamais assouvi.

Évidemment, nous étions tous dans l'erreur à un degré tout à fait stupéfiant.

«Je me marie.»

À ce moment-ci, nous avons littéralement entendu une mouche voler. Jean nous regardant en souriant, aussi heureux de sa nouvelle que de l'effet qu'elle eut sur nous tous, personne ne réussit à émettre le moindre son. Les bouches étaient ouvertes, les yeux semblaient sur le point de sortir de leur orbite, mais aucun mot ne fut prononcé. Nous en étions tout simplement incapables.

Un besoin de liberté recherchée toute sa vie avait donné à Jean des airs quasi fantomatiques; des airs de mort en attente. Et on aurait presque dit qu'il aurait accepté d'emblée cette mort si cela signifiait qu'il aurait eu à se lier à une seule personne. Et pourtant, alors qu'il nous annonça son désir de monogamie aussi soudain que stupéfiant, Jean ne nous est jamais apparu aussi vivant. C'était à n'y rien comprendre.

«Dites quelque chose!» s'exclama Jean.

D'accord! Mais quoi ? Je n'en avais malheureusement pas la moindre idée. Heureusement, Adrien fut le premier à parler.

« Euh… O.K.… Et c'est quoi le nom de la nymphette qui t'a donné le goût de te marier ? »

Jean baissa les yeux en riant, sans toutefois répondre à la question.

« Elle sort d'où, cette fille-là ? demanda madame Bouchard, ahurie. Ça fait des années que je vis dans le même immeuble que toi pis je me souviens pas avoir déjà vu la même fille monter chez vous plus qu'une fois !

— Est-ce qu'elle est en âge de se marier, au moins ? dit Lili, un sourire en coin.

— Non seulement elle est majeure, répondit Jean en riant, pas insulté le moins du monde, mais en plus, elle a mon âge ! »

Deuxième annonce consternante en moins de cinq minutes ! Au moins, nous savions maintenant que Jean n'était pas aux prises avec une seconde grossesse non désirée. D'instinct, Adrien et moi nous sommes rapprochés, échangeant en silence nos notes sur le langage corporel de notre vieux copain. Malgré ses liens profonds avec madame Bouchard, Lili et le docteur Lajoie, personne ne le connaissait mieux que nous deux. Personne ne serait davantage en mesure de déchiffrer l'incompréhensible. La vie de Jean venait de prendre une tournure si inattendue – pour ne pas dire utopique – qu'une vue d'ensemble était nécessaire afin de bien comprendre. Forcément, Adrien et moi étions les seuls capables d'en fournir une qui se voudrait détaillée et complète.

Jean, toutefois, ne nous laissa pas le temps d'analyser grand-chose. Ressemblant en tous points à ces femmes ayant si souvent perdu les pédales lorsqu'il se trouvait près d'elles, notre ami se mit à déblatérer sur cette merveille rencontrée il y a à peine deux semaines, sur sa chaleur contagieuse qui lui donnait enfin l'impression d'être à la maison et sur ce morceau de lui-même lui ayant toujours manqué et qu'il venait, après des années, non seulement de retrouver mais aussi de placer au bon endroit.

« Je l'aime, nous dit-il en riant. J'ai jamais pensé que je dirais ça un jour, mais je l'aime. J'ai cinquante-deux ans, j'ai bamboché comme un fou pendant une bonne partie de ma vie pis ben franchement, je sais pas combien de temps je me suis volé à boire comme un trou comme je l'ai fait. Mais le temps qui me reste, je veux le passer avec elle. Et pourriez-vous, s'il vous plaît, arrêter de me regarder comme si vous étiez une meute de chevreuils devant mon char, à trois heures du matin ?

— Mets-toi à notre place ! s'exclama Adrien. Tu nous annonces que tu vas te marier !... Toi ! Tu peux quand même pas nous demander de faire comme si tu venais juste de nous dire que le soleil va se lever demain matin !

— Mais je vous demande rien ! Enfin... Quasiment rien. Tout ce que je vous demande, c'est d'être contents pour moi. Y a eu un temps où jamais j'aurais pensé être bien comme ça. Je veux pas être fleur bleue. Vous le savez que ça me pue au nez. Si je suis encore en vie à l'âge que j'ai, c'est en grande partie grâce à vous autres. Mais cette femme-là, elle me donne le goût de me lever, le matin. De rire, de me regarder dans le miroir pis d'être content de ce que je vois.

— Elle te donne le goût d'être heureux, finalement... », dit madame Bouchard en souriant tristement.

Jean demeura muet pendant quelques secondes, comme s'il essayait de comprendre la signification réelle d'un mot – *heureux* – qu'il n'aurait jamais cru, un jour, pouvoir appliquer à sa vie. Pour ma part, je n'ai pu empêcher mon cœur de se serrer à la vue de madame Bouchard, regardant Jean comme s'il était un jeune de vingt ans annonçant son départ de la maison familiale. Son fils allait partir, être heureux ailleurs et sans elle. Pendant quelques brefs instants, madame Bouchard se crut laissée derrière, elle qui, tout comme Adrien et Lili, aura su tenir Jean à bout de bras lors des pires moments de sa vie. Mais mon ami, sensible à la tristesse du sourire de cette mère tombée du ciel, n'eut qu'à la regarder pour lui faire comprendre qu'il ne s'en allait nulle part. Madame Bouchard lui en fut profondément reconnaissante.

Lili, quant à elle, cessa d'enquiquiner Jean pour lui démontrer à quel point elle était heureuse pour lui et qu'elle le serait avec lui. Les souvenirs ayant suivi la tentative d'assassinat étaient demeurés trop présents, trop vifs pour qu'elle se permette de mettre en doute l'authenticité d'un sourire qu'aucun d'entre nous n'avait jamais vu sur le visage de Jean auparavant. Ayant pleuré infiniment le besoin que celui-ci avait eu de la rejeter pour ne pas se souvenir d'elle autrement que dans un fauteuil roulant, n'ayant pas oublié l'humiliation de Saint-Germain, alors qu'il l'avait forcée à se tenir sur ses jambes mortes, ayant sincèrement eu peur de ne pas le voir survivre à ses orgies de brandy, Lili reçut le bien-être de Jean comme une validation de son refus de n'avoir jamais voulu le laisser tomber, même lorsqu'elle aurait été amplement justifiée de le faire. Seulement pour ça, jamais je ne me sentirai son égal. Elle et Adrien, au fil des années, firent preuve envers Jean d'une loyauté qui me fit souvent défaut, et je refuse de l'oublier. Je ne permettrai certainement pas au temps d'effacer mes moments de faiblesse. Sur ce plan, j'aurai au moins été cet ami que j'ai voulu être, mais que je n'ai pas toujours été.

Adrien, pour sa part, se jura d'accueillir à bras ouverts qui que ce soit provoquant chez Jean une envie aussi forte d'offrir à la terre entière le meilleur de lui-même. Seulement, voilà. Cette femme n'était pas n'importe qui. Et lorsqu'elle se pointa chez Jean une quinzaine de minutes après la nouvelle de son mariage prochain, les yeux d'Adrien se sont ouverts aussi grands que s'ils eurent été deux globes terrestres. Personnellement, je n'ai pas du tout reconnu Mireille. Jusqu'à ce jour, je ne me souviens pas l'avoir déjà rencontrée, même si je me suis fait raconter le contraire en long et en large. Mais Adrien, lui, l'a reconnue. Et alors que Lili, le docteur Lajoie, madame Bouchard ainsi que moi-même accueillions Mireille comme ce membre de la famille qu'elle allait devenir, il attira Jean à l'écart pendant quelques instants.

« L'ex-femme de Paul-Émile ? !

— Non, répondit Jean. Mireille Doucet, point à la ligne.

— Ça te dérange pas pantoute de savoir à qui elle a déjà été mariée ?

— Si tu savais à quel point je m'en sacre comme de l'an quarante !… Premièrement, ça fait des années qu'on a pas eu des nouvelles de Paul-Émile. Pis de ce que je me souviens, c'est pas lui qui était le plus à cheval sur ses vœux de mariage… »

J'ignore comment Mireille est perçue à ce stade-ci de l'histoire. Pour ma part, j'espère sincèrement qu'elle est vue comme deux personnes à part entière. Ce qu'elle est bel et bien, au fond, lorsque l'on s'y attarde. La femme que Jean épousa quelques mois plus tard avait bien peu de choses en commun avec la jeune fille impressionnable que Paul-Émile avait mariée vingt-cinq ans plus tôt. Cette fille-là, Jean ne l'aurait même pas remarquée.

« Je suis en amour pour la première fois de ma vie, Adrien. Mireille aurait pu avoir été mariée à l'Ochestre symphonique de Montréal au grand complet que ça m'aurait passé cent pieds par-dessus la tête. Si Paul-Émile a été assez innocent pour la laisser partir, c'est pas mon problème. Pis fie-toi sur moi que je ferai pas la même gaffe que lui.

— Es-tu ben sûr de ton affaire, Jean ? On se connaît depuis l'âge de six ans pis le mariage t'a jamais intéressé. Me semble que c'est vite en simonac…

— Sais-tu…, répliqua Jean en souriant. Je trouve que je suis très constant avec moi-même. Je suis tête de cochon, Adrien. Depuis le temps, tu devrais le savoir. Quand je me décide à faire quelque chose, je le fais jusqu'au bout. Y a quarante-cinq ans, j'ai décidé que j'allais être dans ta face jusqu'à la fin de tes jours. Toi pis moi, on va avoir recommencé à mouiller nos sous-vêtements pis on va être encore des chums. Je l'ai décidé pis ça changera pas. Avec Mireille, c'est la même chose. J'ai pas eu besoin de plus que deux semaines pour savoir qu'elle allait être prise pour m'endurer jusqu'à ce que je me retrouve entre quatre planches. À l'âge où je suis rendu pis avec le temps que j'ai perdu, j'attendrais quoi, au juste ? J'attendrais parce que c'est ça qu'il faut que je fasse ? Parce que c'est ça que le monde pense que je devrais faire ? Dis-moi donc, Adrien… Depuis quand je fais les choses comme tout le monde ? »

Ému, Adrien serra la main de Jean en lui offrant ses plus sincères félicitations. Du coin de l'œil, je les observais tout en éprouvant une pointe d'envie. Malgré l'affection que je les savais avoir pour moi, je savais également que mes années de galère m'enlevaient cette proximité qui les liait tous les deux, et c'est la même chose pour Paul-Émile. Nous ne saurons jamais si Jean aurait rejeté du revers de la main une hypothétique contestation de la part de l'ex-mari si celui-ci avait été encore dans le décor à cette époque. Mais voilà. Parmi nous, Paul-Émile ne l'était pas, ce qui, aux yeux de Jean, lui enleva toute légitimité. Il n'allait certainement pas s'empêcher pareil bonheur pour quelqu'un lui ayant déjà un jour tourné le dos. De plus, même si Paul-Émile avait été encore présent et s'était objecté à ce mariage, je ne crois sincèrement pas que Jean aurait cédé. Son amour pour Mireille faisant germer en lui une béatitude ayant pris racine dans les jours heureux de notre jeunesse passée ensemble, je suis persuadé qu'il serait venu à bout des réticences présumées de Paul-Émile en lui susurrant à l'oreille toute sa gratitude d'avoir mis sur sa route une femme réunissant à elle seule tout le bien-être que nous pouvions lui apporter. Jean en aurait suffisamment beurré épais pour flatter l'ego de Paul-Émile dans le bon sens du poil.

De toute façon, de telles hypothèses, au bout du compte, étaient inutiles. Comme Adrien le racontera tout de suite après, Paul-Émile était beaucoup trop absorbé par la mort de Suzanne Desrosiers pour émettre quelque opposition que ce soit. Et puis, comme Paul-Émile lui-même l'affirmera plus tard, il aurait fait preuve d'un manque de classe sidérant s'il s'était opposé au remariage d'une femme qu'il a trompée sans relâche pendant quinze ans et qu'il n'a, somme toute, jamais vraiment aimée.

J'ai affirmé un peu plus tôt que Jean fut celui, entre nous quatre, qui réussit à se rapprocher le plus d'une sérénité parfaite. Mireille y fut pour beaucoup. Tout comme Lili, le docteur Lajoie et madame Bouchard, bien évidemment. Mais la présence d'Adrien, de moi et, bientôt, de Paul-Émile lui apporta une paix d'esprit, un calme qui n'aurait tout simplement pas existé si nous n'avions pas été là. Parce qu'à travers tous les souvenirs que nous partageons, Jean pouvait se rappeler cet enfant misérable et traumatisé qu'il fut pendant longtemps. Le saluant et lui souriant d'un signe de la main, il pouvait le rassurer en lui annonçant qu'il y avait bel et bien une vie après Jean Ier, les Taillon et sa soif insatiable de brandy.

Si Mireille représenta l'avenir de Jean, Adrien, Paul-Émile et moi-même étions cette part de lui-même, perdue quelque part dans le temps, devant lui montrer que notre vie bâtie ensemble allait toujours prédominer sur celle, insupportable, que lui avait réservée son père. Nous serions à jamais le sang coulant dans ses veines, permettant à Jean de rester debout pour apprécier et aimer cette personne qu'il était devenu.

Ma mort prochaine, j'en suis convaincu, ne changera rien à tout ça. Avec le temps qu'il nous reste, quelle force peuvent bien avoir quelques années pour se battre contre les souvenirs de toute une vie entière ?

12
Adrien... à propos de Paul-Émile

Je n'ai jamais été le plus religieux des hommes. Ce n'est d'ailleurs pas la première fois que j'en parle, si je me souviens bien. Et lorsque mon fils Daniel est décédé, ma mère eut beau m'inonder de citations bibliques, je n'en ai tiré absolument aucun réconfort. Pas parce que je ne crois pas en Dieu, mais plutôt parce que, n'ayant jamais fait de gros efforts pour être près de Lui, j'avais l'impression de recevoir des encouragements de quelqu'un que je ne connaissais pas.

Contrairement à moi, Denise trouva, à l'instar de ma mère, un immense réconfort en allant à l'église et en se disant que le bon Dieu avait rappelé Daniel auprès de lui pour une raison ou une autre. Mais Claire, qui me ressemblait beaucoup plus, chercha davantage à garder son frère vivant à travers elle; en refusant de l'oublier. Ce fut d'ailleurs une citation encadrée sur un des murs de son salon qui me procura le soutien que je n'ai jamais trouvé dans la religion : « La mort n'est pas la plus grande perte dans la vie; la plus grande perte, c'est ce qui meurt en nous pendant que nous sommes encore vivants. » Ces mots, je ne les ai jamais oubliés et refuserai toujours de le faire. Une façon comme une autre de prouver mon dévouement à la mémoire mon fils.

Cette citation, j'ignore si Paul-Émile la connaît. Si c'est le cas, je serais prêt à parier qu'il ne l'a pas retenue plus que cinq secondes, parce que tout ce qui a suivi la mort de Suzanne entre et sort de son cerveau comme on entre et sort d'un moulin. Rien ne reste, rien ne colle, laissant ainsi toute la place à une partie de sa vie qui n'existe plus.

Paul-Émile est, depuis longtemps, redevenu l'un de mes

bons amis. Mais malgré notre proximité, malgré notre grand plaisir à nous être retrouvés, je n'aime pas vraiment parler de lui et de ce que sa vie est devenue. Pas qu'il n'y ait rien d'intéressant ou d'heureux à raconter. Récemment fait grand-père pour la cinquième fois, je lui envie beaucoup l'amour profond qui le lie à ses petits-enfants, chose que je ne connaîtrai jamais. Aussi, sa nomination au Sénat par Jean Chrétien en 1997 est venue couronner une brillante carrière politique qui se poursuit encore aujourd'hui. Mais ce qui me rend la tâche si pénible est de le voir faire comme si nous n'avions pas changé; de le voir s'accorder la permission de revivre éternellement cette période de sa vie où Suzanne était vivante, sans qu'il ait à se souvenir de l'avoir un jour rejetée.

Ce fut lorsqu'il commença à vivre de cette manière – tout de suite après la mort de Suzanne, en fait – que Patrick, Jean et moi sommes entrés en scène. Ou revenus dans le décor, pour être plus précis.

Je ne possède que très peu d'informations sur les funérailles de Suzanne. Paul-Émile refuse catégoriquement d'en parler, les Desrosiers et monsieur Marchand sont morts depuis longtemps et je ne me sens pas suffisamment à l'aise avec aucun des frères et sœurs de Suzanne pour leur demander si l'enterrement du bébé de la famille s'est bien déroulé. Alors, je n'ai pas eu d'autre choix, encore une fois, que de demander à Rolande de me dire tout ce qu'elle savait, si je voulais être en mesure de raconter les funérailles de sa meilleure amie. Malheureusement, elle ne savait pas grand-chose. Pleurant comme une borne-fontaine pratiquement du début à la fin, elle eut cependant la vision suffisamment claire pour voir que Suzanne ne fut pas exposée – l'une de ses rares volontés à avoir été respectées – et que Paul-Émile, même si présentement physiquement, ne semblait tout simplement pas là.

Ça n'apporte peut-être rien à l'histoire, mais je tiens à souligner que les funérailles de Suzanne eurent lieu une semaine après celles de Daniel.

Enfin…

Pendant un mois, monsieur Marchand est demeuré auprès de Paul-Émile comme si son fils était redevenu un enfant. Préparant les repas, répondant aux appels de collègues convaincus que le travail était le meilleur remède contre le deuil de Paul-Émile, monsieur Marchand discutait aussi avec ses petits-enfants des différents moyens pour tenter de ramener leur père parmi les vivants. La vente de la maison de la rue Pratt, toutefois, ne fut jamais considérée, et chacun d'entre eux eut bras et jambes sciés lorsque mon vieux copain annonça son intention de s'en départir, étouffant entre les murs d'une maison dont les souvenirs ne lui servaient plus à rien. Lui qui nous était tellement tombé sur les nerfs avec sa foutue cabane de la rue Pratt, qui nous avait tous emmerdés souverainement en nous traînant à Outremont et en nous décrivant en détail le destin glorieux qui l'y attendait, en était rendu à suffoquer parce qu'il n'y retrouvait aucune trace d'un quelconque moment passé avec Suzanne.

« Il faut que je sorte d'ici, murmura Paul-Émile à monsieur Marchand. Je vais virer fou si je pars pas de cette maison-là. »

Le père de Paul-Émile n'aimait plus la rue Pratt depuis longtemps et pour plusieurs raisons que je n'ai pas à répéter. Mais Paul-Émile ?… Lui qui était allé jusqu'à lécher le derrière d'Albert Doucet pour financer son hypothèque ?

« Qu'est-ce que tu veux dire ? demanda monsieur Marchand, pas du tout certain d'avoir bien compris. Tu veux vraiment partir ?

— J'ai pus d'affaire ici, répondit Paul-Émile, le regard vide. Faut que je parte. Je vais perdre les pédales si je sacre pas mon camp. »

À la fin de la journée, un agent immobilier avait été contacté et une pancarte « À vendre » fut installée sur le terrain. Paul-Émile, après avoir mis quelques vêtements dans une valise, sortit de la maison avec son père, démarra sa voiture et quitta sa résidence des vingt-cinq dernières années sans jamais se retourner. Il n'y remit jamais les pieds.

Le lendemain matin, un dimanche, je me suis rendu chez ma mère pour l'emmener déjeuner. Attendant que la messe finisse et que ma mère sorte de l'église, j'ai stationné ma voiture sur le boulevard Dorchester et, mains dans les poches, je me suis dirigé à pied vers la rue Wolfe pour aller remercier monsieur Marchand et madame Rudel, qui avaient eu l'amabilité d'envoyer des fleurs lors des funérailles de Daniel. Par ma mère, qui était aussi la grande amie de madame Rudel, j'avais également appris la mort de Suzanne et je voulais aussi demander à monsieur Marchand comment allait Paul-Émile.

Je n'ai pas eu le temps de demander quoi que ce soit.

En tournant le coin, je l'ai vu, une main dans une poche et une tasse de café dans l'autre, regardant l'immeuble où il avait vécu son enfance, avec ce même ravissement dont il avait toujours fait preuve lorsque nous étions sur la rue Pratt. Pendant quelques instants, ma vue s'est brouillée et je me suis senti perdre l'équilibre.

Le passé est soudainement venu me déstabiliser comme je

l'ai rarement été dans ma vie. Pendant quelques secondes, je fus persuadé que le temps n'avait pas bougé et que le faubourg à mélasse de notre enfance était toujours là. Que j'allais entrer chez moi et voir mon père assis au salon; que Marie-Yvette Flynn allait sortir dehors pour hurler à Patrick de venir souper; que Jean allait râler sur son grand-père qui ressemblait apparemment au géant Beaupré; que monsieur et madame Marchand allaient trotter sur la rue Sainte-Catherine, main dans la main, et que Paul-Émile et Suzanne s'engueuleraient comme du poisson pourri, une fois de plus, sur Patti Page ou Germaine Dugas. Mais soudainement, une vieille Chevette passa un peu trop près de moi et redessina complètement le paysage, m'obligeant à me souvenir que je me trouvais quelque part en 1986. J'en ai eu le cœur lourd pendant plusieurs secondes.

Paul-Émile s'est tourné vers moi au moment où j'ai commencé à m'approcher de lui. J'ai beau avoir engraissé, les années n'ont pas dû avoir beaucoup d'impact sur moi parce qu'il m'a tout de suite reconnu. Me souriant comme si on s'était laissés la veille, il mit sa tasse de café dans sa main gauche et me tendit la droite. Ses yeux, exprimant un réel plaisir à me voir venir vers lui, étaient totalement dénués de ce détachement ayant défini pendant des années son attitude envers le bas de la ville. Paul-Émile semblait heureux d'être sur la rue Wolfe et, bien honnêtement, je crois que c'est ça qui m'a le plus étonné. Bien plus que de le retrouver devant moi après seize ans.

« Si c'est pas Adrien Mousseau !…

— Salut, Paul-Émile.

— Ça fait combien de temps qu'on s'est pas vus ? Vingt-cinq ans ?… Au moins. »

Paul-Émile ne semblait pas du tout se souvenir de cette soirée où Jean et moi étions allés le voir à Rockliffe pour le convaincre de sortir Patrick de prison. Pour être franc, je n'avais pas trop envie de le lui rappeler. Son sourire du moment contrastait de manière plutôt spectaculaire avec le coup de poing que Jean avait reçu sur le menton au beau milieu de son salon.

Bien lâchement, je n'ai pas osé lui parler de Suzanne. Peut-être parce que je refusais de céder le monopole de mon propre deuil, ou peut-être parce que je n'avais plus aucune idée de ce qu'aurait été sa réaction si je l'avais fait. De toute façon, je devais rejoindre ma mère devant l'église dans peu de temps, alors je ne pouvais pas me lancer dans une conversation dont je n'aurais pas connu d'avance la durée.

Semblant sincèrement désolé de me voir partir, Paul-Émile me demanda si j'étais disponible pour aller prendre une bière d'ici la fin de la journée. Étonné, j'ai répondu par l'affirmative et, aussitôt arrivé au restaurant après être passé chercher ma mère, j'ai pris le chemin de la cabine téléphonique la plus proche.

« Es-tu ben assis ? demandai-je à Jean.

— Couché. Est-ce que ça fait pareil ?

— Tu devineras jamais avec qui je m'en vais prendre une bière tantôt.

— Le pape ?…

— Sais-tu ? Je pense que tu serais moins surpris. Je m'en vais prendre une bière avec Paul-Émile. »

Pour Jean, le retour de Paul-Émile parmi nous n'eut pas le même effet. S'il fut heureux de voir le passé nous revenir, il refusait, toutefois, de perdre de vue l'avenir que lui et Mireille voulaient vivre ensemble. Jean ne s'était pas préoccupé une seule seconde de la réaction de Paul-Émile lorsque le temps était venu de lui annoncer qu'il allait marier son ex-femme. Par amour pour Mireille, évidemment, mais aussi parce qu'il n'a jamais oublié que Paul-Émile, un jour, n'a pas hésité à nous rayer de sa carte, parce que cela l'arrangeait. J'y reviendrai, d'ailleurs. Alors pour Jean, l'amitié entre les deux a pris racine dans un présent librement inspiré du passé, plutôt que dans les souvenirs que Paul-Émile voulait retrouver. De toute façon, je ne crois pas qu'il s'en soit déjà rendu compte. D'une manière que sa mère n'aurait certainement pas reniée, Paul-Émile s'efforçait – et s'efforce encore – de revoir des visages issus d'un passé où c'était au tour de Mireille de ne pas exister. Alors, comme Patrick le racontera un peu plus tard, ce fut en offrant ses vœux de bonheur les plus sincères à Jean et à son ex-femme que Paul-Émile réagit à l'annonce de leur mariage. Pour lui, à l'exception de ses enfants et du Parlement, le monde ne tournerait jamais plus qu'autour d'un quartier dont l'âme est disparue depuis longtemps.

Quand j'y pense, je me dis que Paul-Émile, au fond, a vécu sa jeunesse à l'envers de la nôtre. Alors qu'il se planifiait un avenir à des années-lumière du faubourg à mélasse, Jean, Patrick et moi étions occupés à y cultiver un dévouement quasi enfantin pour nous assurer que les souvenirs que nous étions en train d'accumuler ne disparaissent jamais; que la vie telle que nous la connaissions entre nous quatre ne se transforme pas en un quotidien ayant un peu trop les airs de celui de nos parents.

Ce dévouement, Paul-Émile l'a plutôt vécu la cinquantaine passée, alors qu'il prit tous nos souvenirs pour les ériger en un quelconque monument à la gloire d'un bas de la ville perdu, mais qu'il voulait, par amour pour Suzanne, désespérément retrouver. À cet égard, personne ne comprit jamais plus que lui le sens de cette citation que j'ai lue, un jour, dans le salon de ma fille Claire.

Ce jour-là, en fin d'après-midi, j'ai rejoint Paul-Émile chez son père pour un verre de bière, tel que convenu. Je sais que ça peut paraître stupide, mais j'en ai presque pleuré lorsque j'ai monté l'escalier menant au petit logement. Parce que si le décor avait tout de même changé un peu, l'odeur menant à la porte d'entrée, elle, était toujours la même : une espèce de mélange de rose et de muguet ayant empreint les murs si profondément que le parfum survit encore aujourd'hui, non pas comme une preuve d'un passé anonyme, mais plutôt comme une trace de notre histoire qui saura résister au temps, même lorsque nous ne serons plus en mesure de le faire.

M'accueillant avec le sourire, Paul-Émile m'a invité à m'asseoir au salon. Monsieur Marchand et madame Rudel étant partis pour l'une de leurs innombrables parties de bingo, je me suis retrouvé tout seul à jaser avec un ami d'enfance dont je ne connaissais presque rien de la vie d'adulte. Bien franchement, je n'ai pas appris grand-chose. En dehors de ses enfants et de ses activités professionnelles – dont j'étais déjà au courant –, Paul-Émile ne semblait intéressé que par Jean, Patrick et moi. Et s'il était curieux de savoir ce que nous étions devenus, il l'était surtout par ce que nous étions encore et toujours : des amis ; des frères. Quelque part, Paul-Émile avait besoin de savoir que nous allions être en mesure de combler ses désirs d'années quarante et cinquante. Et même s'il ne mentionna pas une seule fois le nom de Suzanne, j'arrivais tout de même à la sentir, presque à la voir, dans tout ce qu'il disait et faisait. Je ne savais pas encore, à ce moment-là, à quel point sa mort fut l'élément moteur venant nourrir son amour soudain pour le bas de la ville, mais tout en lui criait ce même deuil que je vivais à l'époque; cette difficulté identique à garder le dos droit sous le poids d'une douleur qui ne disparaîtra jamais. Pour calmer sa douleur, Paul-Émile avait besoin de Suzanne, mais incapable d'aimer une morte, il s'évertuait – comme il le fait encore aujourd'hui – de la faire revenir à la vie par tous les moyens mis à sa disposition. Et même par ceux qui ne l'étaient pas encore.

« Je veux racheter la bâtisse, me dit-il, un verre de bière à la main.

— De quelle bâtisse tu parles ?

— Celle-là. Ici. Je veux la racheter pour revenir m'établir dans le coin. »

J'ai voulu répliquer quelque chose, mais je n'en ai pas été capable. Ayant encore en mémoire nos après-midi passés sur la rue Pratt à bâiller d'ennui à en avaler mouche après mouche, je n'arrivais pas à comprendre pourquoi Paul-Émile voulait revenir sur la rue Wolfe. Après quelques minutes où j'essayais de trouver un sens alors qu'il continuait de parler, j'ai fini par en déduire que Paul-Émile cherchait probablement à se rapprocher de son père. Déduction un peu trop facile, ce que j'aurais compris si je m'étais donné la peine d'analyser la question pendant plus de deux secondes. Parce que sans jamais vouloir minimiser son attachement à monsieur Marchand, Paul-Émile n'avait jamais pris la moindre décision en tenant compte de son père. Pourquoi commencerait-il maintenant ?

En fin de compte, c'est le temps qui m'a permis de comprendre pourquoi Paul-Émile racheta – à prix fort, soit dit en passant – l'immeuble de la rue Wolfe; en le voyant payer une vraie fortune pour le préserver – en dedans comme en dehors – tel qu'il l'était lorsque nous étions enfants, lorsque le faubourg à mélasse se vivait au quotidien et pas encore dans nos souvenirs. À quelques reprises, Paul-Émile a même gagné des prix décernés par des organismes voués à la conservation du patrimoine et, chaque fois, j'ai ri à en avoir mal aux côtes. Ces prix, Paul-Émile n'aurait pas pu s'en foutre davantage et les recevait de la même façon qu'il recevait des circulaires avec les spéciaux de la semaine. La seule préservation qui l'intéressait, de toute façon, était le souvenir du visage de Suzanne. De son odeur, de son rire, de sa posture, de sa façon de se vêtir et, surtout, de cette manière qu'elle avait de le regarder. Et pour lui, de posséder l'immeuble où tous les deux ont grandi allait l'aider à atteindre son but.

Pour le reste de ses jours, Paul-Émile essaiera de recréer cette impression d'avoir les jambes molles qu'il ressentait chaque fois que Suzanne se trouvait près de lui. Il n'y arrivera jamais, évidemment, et il le sait très bien. Mais le simple fait d'essayer, malgré l'échec, contribue à lui rendre la vie un peu moins pénible.

Comme je l'ai déjà dit, Paul-Émile ne parle pas souvent de Suzanne. En fait, oui, il en parle, mais jamais avec des mots. Il en parle avec les murs de son logement – celui ayant autrefois été occupé par les Desrosiers – qui sont tapissés de photos d'elle; il en parle avec son incapacité chronique à regarder n'importe quelle femme pendant plus de deux secondes; et il en parle, surtout, en se refusant quelque regret que ce soit. Parce que pour avoir des regrets, cela impliquerait, pour mon vieux copain, une certaine reconnaissance du présent tel qu'il est réellement. Ce que Paul-Émile s'évertue à ne pas faire. Pour lui, Suzanne sera toujours vivante et n'aura jamais rien d'autre que les traits de la magnifique jeune femme revenue de Québec il y a si longtemps. En s'enfermant dans cette bulle où il n'y a que lui, Patrick, Jean et moi-même qui y avons accès, il peut ainsi se faire croire qu'il n'a jamais détourné les yeux d'elle, que Mireille et Guy Drouin n'ont jamais fait partie de leur histoire et qu'il l'a réellement aimée d'un amour à la hauteur de ce besoin d'elle qu'il aura jusqu'au jour de sa mort.

Bien franchement, je dois admettre qu'il ne nous est pas toujours facile de regarder Paul-Émile vieillir. Il y a une différence énorme, selon moi, entre revisiter le passé – ce que la plupart des gens font à mesure que l'on avance en âge – et faire tout en son pouvoir pour le revivre. À l'exception, évidemment, du silence décrété chez nous par mon père, j'ai adoré ma jeunesse passée dans les rues du faubourg à mélasse, et rien ne me fait davantage sourire que de me retrouver sur la rue Sainte-Catherine, de m'asseoir sur un banc et de fermer les yeux. Pendant quelques minutes, je peux presque réussir à me convaincre que j'ai à nouveau onze ou douze ans et à me prendre pour Butch Bouchard ou Elmer Lach, comme sur une photo de nous quatre que j'ai toujours gardée et qui trône aujourd'hui sur ma table de chevet. Mais, lorsque j'ouvre les yeux, je reviens au temps présent, laissant le passé à ce qu'il est tout en espérant que le paradis, s'il existe, ait des airs du parc Berri au mois de janvier quelque part dans les années quarante. Et si je regarde devant, tout en emmenant avec moi mon fils que je refuserai toujours de laisser derrière, je suis incapable de vivre l'avenir en faisant semblant d'avancer plutôt que de reculer. La douleur serait trop grande. La déception aussi. Alors, seulement pour ça, je ne pourrai jamais comprendre cette capacité de Paul-Émile à se tenir debout devant son logement de la rue Wolfe, s'attendant véritablement à ce que Suzanne, jeune et en pleine santé, vienne rejoindre le vieil homme qu'il est devenu.

Suzanne fut mal aimée même après son décès. J'espère qu'elle n'en est pas trop découragée. À supposer qu'il existe une vie après la mort, bien sûr.

Plus je vieillis, plus je le souhaite de tout cœur.

Malheureusement, je n'ai toujours pas de preuves.

13
Patrick... à propos de Jean

Je n'ai jamais trop su quoi penser du temps. Avec l'existence que j'ai vécue, j'ai toujours eu la désagréable impression de le voir me tourner le dos, m'obligeant à lui courir après alors que je ne savais même pas à quoi ressemblait son visage. Les quelques mois passés auprès d'Agnès il y a très longtemps, ainsi que mon besoin intense de changer le monde par amour pour elle ont fait en sorte que je n'ai jamais voulu m'arrêter pour dissćquer le passé, alors que l'avenir restait à construire. Et aujourd'hui, encore plus maintenant que mon temps est compté, la dernière chose dont j'ai envie est de retourner en arrière pour tenter de comprendre un avenir que je n'aurai pas, même si je suis en mesure de comprendre parfaitement le besoin de le faire.

Ce que je m'apprête à raconter, d'ailleurs, en constitue une preuve éclatante.

J'ignore s'il existe quelque chose de plus fort que des racines. Même lorsqu'elles sont coupées, même lorsqu'elles semblent mortes, le printemps revient et elles reprennent vie après une période de jachère, de silence, de répit. Toutefois, il existe aussi des racines que l'on ne voit pas; des fondements d'une solidité incroyable, mais dont on ignore même la présence.

En 1986, la fille de Jean et de mademoiselle Robert était âgée de vingt-cinq ans. Depuis sa tentative pour la retrouver au début des années quatre-vingt, mon vieil ami n'avait jamais eu de ses nouvelles. Sa fille était vivante, et c'est tout ce qu'il en savait. Quel était son nom? À quoi – ou à qui – ressemblait son visage? Que faisait-elle de sa vie? Jean l'ignorait complètement. D'une manière que je n'aurais certes pas reniée vingt ans auparavant, cette jeune femme s'était appliquée à garder au loin ce père qu'elle ne voulait pas connaître. Jean l'avait rejetée, reniée, et elle n'arrivait pas à l'oublier. Bien franchement, qui aurait bien pu le lui reprocher ?

Par contre, un événement se produisit dans la vie de la jeune femme qui vint mettre en échec cette haine envers Jean ressentie pendant longtemps : en 1985, elle donna naissance à un fils prénommé Vincent.

Il est à noter qu'en 1986, mademoiselle Robert n'allait pas mieux qu'à l'époque où Jean entreprit de la retrouver. Les séjours en hôpitaux psychiatriques étaient plus fréquents. Plus longs, également, et quiconque la rencontrant pour la première fois n'arrivait pas à croire qu'il fut un temps où on la considérait comme l'une des plus belles femmes du Québec. L'arrivée d'un petit-fils, tristement, ne changea rien à son état. Cependant, cette arrivée vint donner naissance à une relation entre un père et sa fille. Celle-ci, d'ailleurs, ne put s'empêcher de penser à Jean – même si brièvement – lorsqu'elle prit son fils dans ses bras pour la première fois. L'amour éprouvé à cet instant précis fut si puissant, si fulgurant, qu'elle en vint à se demander comment Jean s'y était pris pour lever le nez sur quelque chose de si intense et merveilleux. Aucune réponse ne venant, Jean sortit des pensées de sa fille aussi vite qu'il y était entré. Mais au fil des mois, à mesure que les traits du petit Vincent se précisaient, ses parents le regardaient et ne reconnaissaient personne. L'enfant ne ressemblait ni à son père ni à sa mère ; ne ressemblait pas à mademoiselle Robert, ou encore aux grands-parents paternels. Alors à qui pouvait-il ressembler ?

Tout doucement, ce fut en regardant le visage de son fils que la fille de Jean, presque malgré elle, chercha à toucher, à voir, à sentir cette partie d'elle-même offerte par son père quelque temps auparavant et qu'elle avait refusée. En observant son fils, en aimant les traits d'un enfant ressemblant à un homme qu'elle démonisa pendant des annécs, cette jeune femme n'arrivait plus à détester Jean. Du même coup, un fort besoin de connaître les origines de son fils – et les siennes aussi, forcément – la poussa à entrer en contact avec son père.

La jeune femme se présenta au cabinet de Jean à l'automne 1986 pratiquement sur la pointe des pieds, presque à reculons. Comme si elle ne voulait pas vraiment de cette rencontre, mais que quelque chose d'irrésistible la poussait néanmoins à avancer. Et lorsque la nouvelle secrétaire de Jean lui demanda qui elle était, la jeune femme fut incapable de prononcer le moindre mot.

« Est-ce que vous avez rendez-vous avec maître Taillon ? » demanda la secrétaire, essayant de venir en aide à la pauvre muette se trouvant devant elle.

Au bout de quelques secondes de silence, Jean ouvrit la porte de son bureau, une pile de dossiers sous le bras. Ce fut à ce moment que la fille de mon vieil ami, toujours bouche bée, aperçut le visage de son père pour la toute première fois. Estomaquée par cette impression de voir son fils cinquante ans plus tard, elle se mit à trembler violemment et s'agrippa au bureau de la secrétaire pour ne pas tomber.

Confus et inquiet à la fois, Jean, aidé de sa secrétaire, s'élança pour soutenir la jeune femme et l'entraîna vers un des fauteuils de la salle d'attente.

« Attendez-moi… dit-il. Je vais aller vous chercher un verre d'eau. »

La jeune femme, toujours anonyme aux yeux de Jean, tentait en vain de contrôler ses tremblements et luttait pour ne pas pleurer. Et lorsque Jean revint avec un verre d'eau à la main, elle l'avala d'un trait tout en fixant son père droit dans les yeux, essayant de trouver le monstre qu'elle s'était imaginé pendant toutes ces années, alors qu'elle n'arrivait à voir rien d'autre que le visage de son fils.

« Je vous imaginais pas comme ça, dit-elle d'un souffle saccadé. J'ai vu des photos, pourtant… Je sais pas… Je vous imaginais pas comme ça. »

Son cœur faisant un bond prodigieux, Jean comprit instantanément qu'il se trouvait en présence de sa fille. En six ans, il s'était imaginé mille fois à quoi elle pouvait bien ressembler. Avait-elle les cheveux bruns ou blonds ? Roux, peut-être ?… Avait-elle les yeux de mademoiselle Robert ? Avait-elle le teint légèrement basané comme lui ? Toutes ces questions, en cet instant, lui revinrent en tête avec comme unique réponse qu'au fond, il s'en balançait complètement. Sa fille était là. Et elle était tout simplement la plus belle enfant sur terre.

Jamais il ne me l'a dit, mais Jean, à la seconde où il comprit que cette femme pétrifiée était sa fille, comprit enfin comment j'ai pu aimer Agnès aussi profondément en si peu de temps.

« Seigneur, dit-il d'une voix tout en douceur. Je sais même pas comment tu t'appelles. »

Ordonnant à sa secrétaire d'annuler ses rendez-vous pour le reste de la journée, Jean invita sa fille à entrer dans son bureau. Se tenant debout devant elle, les bras le long du corps, il réprima une forte envie de la prendre dans ses bras et d'agir avec elle comme avec cette enfant qu'elle n'était plus. Toutefois, le regard que sa fille lui lançait, empreint d'anxiété, de curiosité, mais aussi d'un peu de colère, lui fit rapidement comprendre qu'elle ne le laisserait pas faire.

« Si tu savais à quel point j'attends ça depuis longtemps !... dit Jean en souriant. Je sais que tu voulais pas me voir. Mais j'espérais quand même... »

Ayant enfin réussi à contrôler ses tremblements, la jeune femme n'en demeura pas moins muette.

« Est-ce que je peux au moins savoir comment tu t'appelles ? Je connais même pas ton nom...

— Je m'appelle Anne. »

Jean hocha la tête en souriant, craintif mais heureux.

« Est-ce que tu veux encore un peu d'eau ? » demanda-t-il.

Au moment où il posa la question, Jean, sans trop y songer, mis son bras autour des épaules de Anne. Devant ce tout premier contact paternel, la jeune femme devint aussi tendue qu'une corde de violon. Brusquement, elle se dégagea du bras de son père et ouvrit la porte du bureau de Jean, quittant les lieux en courant.

« Il faut que je parte, dit-elle avant de sortir. Je m'excuse de vous avoir dérangé. Je vais essayer de vous rappeler bientôt. »

Jean regarda sa fille partir sans arriver à prononcer le moindre mot. Pourtant, malgré l'aspect déroutant ayant teinté cette première rencontre, mon vieux copain ne fut absolument pas démoralisé par la manière plutôt abrupte dont elle prit fin. Anne ayant fait les premiers pas, il était parfaitement à l'aise de la rencontrer à mi-chemin.

Sur ce, il téléphona à tout le monde pour annoncer qu'il venait de rencontrer sa fille pour la première fois.

14
Paul-Émile... à propos d'Adrien

Dans la deuxième moitié des années quatre-vingt, le Parti québécois n'en menait pas large. Le départ – forcé – de René Lévesque a donné au parti un sérieux coup dans les dents et, selon moi, il ne s'en est jamais complètement remis. Opinion personnelle qu'Adrien ne partage pas. Évidemment.

Lorsque Adrien est revenu de Paris, tout l'état-major du PQ s'est lancé sur lui afin qu'il reprenne ses anciennes fonctions d'organisateur en chef. Mais la mort de Daniel l'ayant profondément secoué, le cœur n'y était pas, et Adrien fit poliment savoir qu'il n'était pas intéressé. Rien ne l'intéressait, en fait. Et son avenir immédiat lui paraissait aussi flou que s'il l'avait contemplé à travers le fond d'une bouteille vide. Ayant emménagé dans un appartement au nord du parc Maisonneuve, il passait ses journées à marcher jusqu'au parc Lafontaine – une randonnée de presque quinze kilomètres, aller-retour! – et à s'asseoir sur un banc, occupé à regarder des passants qu'il ne voyait pas, essayant plutôt de déceler une trace d'un présent qui le fuyait. Ses remords vis-à-vis de Daniel étaient si forts qu'Adrien n'arrivait pas à se sortir d'un passé figé, marqué par un silence qui ruina non seulement sa relation avec son père, mais aussi sa relation avec son fils.

Dans les semaines ayant suivi nos retrouvailles, Adrien se questionnait souvent à voix haute: qu'allait-il faire de sa vie? Il n'était plus certain de vouloir poursuivre sa carrière en politique et il avait abandonné l'enseignement depuis si longtemps qu'il se plaisait à répéter qu'il ne pourrait même pas apprendre à un adulte à réciter l'alphabet correctement.

« Tu pourrais venir travailler avec moi, suggéra Jean, sourire en coin. J'ai justement besoin d'une nouvelle secrétaire. »

Adrien répondit par un rire signifiant plutôt qu'il n'en était pas question.

Et puis un jour, le téléphone sonna alors qu'Adrien était occupé à déjeuner et à lire le journal. Un ancien collègue du PQ, un dénommé André, l'invitait à venir le rencontrer aux locaux de la permanence à Montréal. Une offre était sur la table et le collègue insista fortement pour qu'Adrien vienne au moins en discuter.

« Écoute…, dit Adrien. Je suis vraiment pas certain que ça me tente de redevenir organisateur. Pis fie-toi sur moi : c'est pas parce que j'ai pas besoin d'argent.

— C'est pas pour ça que je veux te rencontrer.

— C'est pour quoi, d'abord ?

— Franchement, ça me tente pas d'en parler au téléphone. Dépêche-toi donc de venir ici pour qu'on puisse en jaser. »

Ce fut à contrecœur qu'Adrien prit le chemin de la permanence. Tout avait tellement changé depuis son départ pour la France – lui le premier – qu'il se demandait sincèrement pourquoi il avait accepté d'y remettre les pieds. S'il demeurait un indépendantiste fini – ma bonne influence de fédéraliste n'eut malheureusement jamais effet sur lui –, la politique active ne semblait plus du tout l'intéresser. Et pourtant, à son arrivée à la permanence, il fut accueilli comme s'il y travaillait encore. Les gens, manifestement heureux de le revoir, lui donnaient l'accolade et lui serraient la main. Et puis après quelques minutes à parler de tout et de rien, attendant qu'André, l'ancien collègue, vienne à sa rencontre, Adrien se retourna lorsqu'il entendit la porte d'entrée s'ouvrir derrière lui.

Alice, venue de nulle part, venait de faire son apparition.

Les élections générales de 1985, pour le PQ, furent catastrophiques. Robert Bourassa et son parti firent élire quatre-vingt-dix-neuf députés sur une possibilité de cent vingt-deux, mais Alice se trouva parmi les chanceux ayant résisté à la vague libérale. Élue en 1976 dans ce qui sera appelé à devenir une forteresse péquiste, elle aurait pu faire campagne avec le slogan « Votez pour moi, je ne vous promets rien » que ses électeurs lui seraient quand même demeurés fidèles.

Lorsque Adrien aperçut Alice, il fut pris de court par cette sensation de l'avoir quittée la veille. Pour lui, c'est comme si les six dernières années n'avaient pas encore eu lieu et, par conséquent, le temps n'avait pas pu agir sur les sentiments qu'il avait toujours eus pour elle. Oubliant le mariage d'Alice, oubliant la peine qu'il lui avait causée en choisissant de retourner auprès de Denise, Adrien la regarda en s'avançant doucement pour la serrer dans ses bras. Alice, par contre, eut un mouvement de recul et se contenta de tendre la main droite à Adrien, faisant comprendre, par le fait même, qu'une poignée de main serait amplement suffisante.

« Salut, Adrien. Ça fait longtemps. »

Adrien se raidit devant le ton distant d'Alice. Son sourire était toujours aussi engageant. Son regard n'avait rien perdu de sa chaleur. Mais l'amour qu'elle avait pour lui – et qu'Adrien avait toujours perçu de manière palpable – n'était plus là.

Pendant de longues secondes, mon copain eut la sensation désagréable d'avoir reçu une chaudière d'eau froide sur la tête.

Lors de ses années passées en France, Adrien a fréquenté

un certain nombre de femmes. L'une d'elles, une dénommée Colette, avait fait rire Jean aux larmes pendant un voyage à Paris lorsqu'elle téléphona à Adrien et insista pour qu'il chante « Joyeux Anniversaire » à son chat Burger. Le refus d'Adrien d'obtempérer sonna le glas de leur relation.

« Si tu ne veux pas de mon chat, alors ça signifie que tu ne veux pas de moi ! s'exclama Colette. Alors ?…

— Alors, rien du tout ! Si tu penses que je vais faire le zouave en chantant bonne fête à un chat au téléphone !… Veux-tu que je lui cuisine un gâteau, un coup parti ? ! »

Adrien raccrocha le combiné en roulant les yeux, indifférent à la rupture instantanée décrétée par la maman de Burger.

« Cette relation-là…, dit Adrien en se tournant vers Jean. Ça allait nulle part, de toute façon. »

Cette relation n'était pas la seule à aller nulle part. Aucune des copines parisiennes d'Adrien ne fut en mesure de le tolérer pendant plus de six mois. Les rencontres étaient ennuyantes. Les conversations étaient monotones, mais Adrien, constant avec lui-même, n'était jamais celui qui prenait le taureau par les cornes pour mettre fin à une relation de front. Par contre, il était si détaché, si peu amouraché que les Colette, Marion, Michèle et autres se demandaient toutes pourquoi mon ami s'était montré intéressé, au départ. Malheureusement pour elles, la réponse ne viendra pas. Parce que pour ça, il aurait fallu qu'elles soient présentes au moment où Alice et Adrien se sont trouvés face à face pour la première fois en six ans. Si elles l'avaient été, elles auraient compris ce qu'Adrien lui-même a compris à l'instant où il aperçut Alice : les années avaient passé, mais il ne l'avait pas oubliée. Onze ans après leurs retrouvailles éphémères et six ans après leur dernière rencontre, elle restait la seule femme ayant compté à ses yeux.

«Toutes mes condoléances pour Daniel, dit Alice, les deux mains dans les poches. J'ai eu beaucoup de peine quand j'ai appris sa mort.

— Merci, répondit Adrien, mal à l'aise comme il l'était toujours lorsque quelqu'un lui parlait de son fils.

— Je garde un beau souvenir de lui. C'était vraiment un bon petit garçon.»

Avalant sa salive, serrant la mâchoire pour combattre les larmes qu'il sentait venir, Adrien ne dit rien, faisant ainsi connaître son souhait de changer de sujet.

«Pis?... dit Alice, ayant compris le message. Si t'es ici, j'imagine que c'est parce que tout est réglé.

— Je comprends pas.

— Y a rien à comprendre. T'acceptes de te présenter comme candidat ou non. C'est pas plus compliqué que ça. Pis dans un comté en or, en plus... Tu peux pas dire non.»

Sous le choc, Adrien regarda Alice pendant quelques secondes, la bouche ouverte, avant de poser lentement les yeux sur tous ses anciens collègues qui l'entouraient toujours.

«C'est pour ça qu'André m'a appelé?! Pour que je me présente comme candidat?! Êtes-vous sérieux?!»

Tous se mirent à rire en voyant l'air incrédule d'Adrien. Alice, les mains toujours dans les poches, se contenta de le regarder avec un sourire en coin.

«Tu t'attendais à ce qu'André te demande de venir ici pour quoi, au juste? Pour préparer le café? Pour faire le ménage?

— Je sais pas!... Mais je pensais sûrement pas que c'était pour me demander d'être candidat.

— Tiens déjà pour acquis que tu vas être député, Adrien. Le comté qu'André veut t'offrir, c'est un comté imprenable pour le parti libéral. Même les stratèges libéraux le reconnaissent.

— "Tiens déjà pour acquis que tu vas être député"!... On se calme les nerfs, hein?! J'ai pas dit oui!

— Pas encore, mais ça va venir, répliqua Alice. Comme organisateur, Adrien, t'as fait le tour du jardin. Il faut que tu passes à la prochaine étape. Pis tu sais comme moi qu'un pays, ça se bâtit pas tout seul. »

Devant cette quasi-répétition de leur première rencontre, Adrien ressemblait à un trousse-pet de première année à qui la plus belle fille de la classe adressait la parole pour la première fois. Essayant d'avoir l'air en contrôle, Adrien ne réussit qu'à avoir l'air du contraire. Et alors qu'il tentait de baragouiner quelque chose de cohérent, Alice haussa les épaules et partit discuter avec quelqu'un d'autre. À mi-chemin entre le choc de l'offre qu'il venait de recevoir et la peine causée par l'attitude distante d'Alice, Adrien n'arrivait pas à mettre un pied devant l'autre et gardait sa bouche ouverte, espérant pouvoir camoufler son inconfort en babillant comme il le faisait depuis toujours. Mais rien n'arrivait à sortir.

Adrien Mousseau, honorable député à l'Assemblée nationale du Québec.

Misère...

Si au moins, c'était pour le parti libéral...

15
Adrien... à propos de Paul-Émile

Si l'histoire de Paul-Émile fut marquée par un départ, elle se terminera toutefois par un retour. Un retour encore plus violent et définitif que ne l'a été son désir de disparaître du faubourg à mélasse, il y a si longtemps.

Je ne l'ai jamais dit, mais je dois admettre que j'ai été très ému lorsque Patrick, Jean, Paul-Émile et moi nous sommes retrouvés ensemble pour la première fois en presque trente ans. Patrick étant déjà parti pour le Cameroun lorsque Paul-Émile s'est marié, un long, très long moment s'était écoulé avant que nous puissions retrouver la proximité de nos années de jeunesse. Pourtant, à l'instant où Patrick, Jean et moi sommes arrivés sur la rue Wolfe, nous y fûmes accueillis comme si l'absence n'avait pas encore eu lieu. Et si Patrick et moi étions prêts à faire comme si de rien n'était, Jean, toutefois, exprima une certaine résistance.

«Te souviens-tu de ce qui s'est passé, la dernière fois qu'on l'a vu ? me demanda-t-il.

— Oui, je m'en souviens. Paul-Émile t'avais sacré une volée. Mais ça fait tellement longtemps, Jean...

— ...

— T'as jamais été rancunier, pourtant, répliqua Patrick. Comment ça se fait que tu réagis comme ça ? Est-ce que c'est à cause de Mireille ?

— Pantoute, répondit Jean. Savez-vous quoi ? Mireille pense que je devrais y aller. Que plus tôt la glace va être brisée, mieux ça va être pour tout le monde.

— Ben y'est où le problème, d'abord ? demandai-je.

— Le problème, c'est que j'ai pas envie de revoir

quelqu'un qui pète de la broue comme c'est pas permis pis qui nous traite comme s'il nous faisait une faveur, juste parce qu'il a la bonté de nous adresser la parole. Te souviens-tu, Adrien, de son air fendant quand il s'est marié ? Moi, je m'en souviens. On aurait été engagés pour torcher la place qu'il se serait pas comporté différemment.

— Paul-Émile a changé, Jean. Comme toi, t'as changé. Comme moi. Comme toi aussi, Patrick. Pis tu l'as peut-être oublié, Jean, mais Patrick aussi, pendant un bon bout de temps, a agi en trou de cul. Explique-moi donc pourquoi t'as été capable de lui pardonner, mais que t'es pas capable de faire la même chose avec Paul-Émile.

— La situation était pas la même, Adrien. Tu le sais. Patrick a eu un choc nerveux. Sa folle de mère... Le Cameroun... Agnès... Judith... N'importe qui aurait viré fou. Mais l'air chiant de Paul-Émile, par exemple, date du temps où on faisait encore dans nos couches. Il s'est toujours pensé meilleur que tout le monde, pis il s'est jamais gêné pour nous le faire savoir. Ça fait que tu m'excuseras, mais j'ai autre chose à faire que d'aller prendre le thé chez monseigneur qui va nous regarder de haut comme si on était trois crétins. »

Ce n'est qu'après lui avoir expliqué l'immense coup de massue que fut la mort de Suzanne pour Paul-Émile que Jean accepta de nous accompagner, Patrick et moi. Mais de la même façon qu'il eut à réinventer sa relation avec Lili pour oublier qu'il l'avait déjà connue autrement qu'assise dans un fauteuil roulant, Jean eut à reconstruire également la vision qu'il avait de Paul-Émile, et ce, pour deux raisons : la première, pour être en mesure de ne pas sauter sur l'homme ayant fait souffrir pendant des années sa future épouse ; la deuxième, pour être en mesure de mettre de côté cette image de Paul-Émile datant d'octobre 70 et qui nous renvoyait pratiquement en crachant tout le mépris que le faubourg à mélasse – et nous aussi, forcément – lui avait toujours inspiré.

Ce nouveau visage que notre ami voulait lui donner, Paul-Émile l'accepta sans problème tout simplement parce que la présence de Jean était nécessaire afin qu'il puisse vivre sa vie comme si Suzanne était toujours là et qu'il ne l'avait pas encore rejetée. Jean devait absolument compléter ce quatuor que nous formions depuis l'enfance, et Paul-Émile, par conséquent, ne pouvait se permettre de lever le nez sur nous comme il l'a fait pendant des années. Patrick, Jean et moi étions nécessaires au bon fonctionnement de son plan.

Pourtant, lorsque nous nous sommes retrouvés à l'intérieur du logement des Marchand, rien dans le comportement de Paul-Émile ne transpirait la manipulation. Rien ne semblait indiquer une quelconque stratégie visant à se reconstruire une vie dans le bas de la ville comme il l'avait fait sur la rue Pratt, il y a si longtemps.

Paul-Émile était heureux de nous voir, tout simplement. Et lorsque nous nous sommes assis tous les quatre au salon, ne sachant pas encore tout à fait ce qu'il fallait faire de ces retrouvailles, il poussa un long et profond soupir. Comme s'il venait de faire un effort immense lui ayant demandé toute son énergie et qu'il pouvait enfin se reposer. Depuis la mort de Suzanne, c'est comme si Paul-Émile avait la tête constamment sous l'eau et que notre présence lui permettait de respirer pour la première fois depuis longtemps. À travers nous, à travers monsieur Marchand – même si brièvement; monsieur Marchand mourra en 1989 –, il réapprendrait à vivre en se terrant dans le passé, en s'appropriant l'immeuble où sa famille et celle de Suzanne habitaient, pour en faire pratiquement un lieu de pèlerinage où il serait en mesure de se convaincre que les années quarante et cinquante ne représentaient pas une époque disparue. Et les seules excursions en dehors de cet univers que Paul-Émile allait se permettre ne l'emmèneront jamais ailleurs qu'à Ottawa, ou encore vers le lieu de résidence de ses enfants. Autrement, Paul-Émile ne vivait – et ne vit toujours – que pour cette quête de remonter le temps en se servant de nous comme échelons. D'ailleurs, Patrick, Jean et moi l'avons toujours laissé faire, n'ayant jamais eu le cœur de lui faire comprendre qu'il commettait la même erreur que sa mère, qui s'était acharnée à retourner en 1929. De toute façon, à la manière dont Paul-Émile regarde n'importe quelle photo de Suzanne, je mettrais au défi quiconque ayant la moitié d'une âme d'expliquer à Paul-Émile qu'il faisait fausse route.

Enfin…

Au point où en est rendue l'histoire, je n'ai pas le choix de parler de la mort de Patrick, même si je sais que ce n'est pas à moi de le faire. Atteint d'un cancer de la prostate depuis des années, ça fait mal de réaliser qu'il est sur le point de perdre son combat. Seulement, je crois que Patrick fait face à sa mort de manière beaucoup plus sereine que Paul-Émile n'arrive à le faire. De nous quatre, c'est lui qui accepte avec le plus de difficulté que l'un de nous va mourir et, ceci étant dit, sans la moindre trace de sarcasme ou de moquerie, il se bat contre le cancer de Patrick avec la même énergie futile dont il fit preuve lorsque Suzanne était malade. Avec les années, j'en suis venu à comprendre que Paul-Émile craint comme la peste d'être le dernier d'entre nous à partir. Monsieur Marchand étant décédé depuis quelques années,

Marie-Louise et Simonne ne lui adressant plus la parole depuis longtemps, Patrick, Jean et moi sommes les dernières personnes dans l'entourage de Paul-Émile à se dresser entre lui et ce miroir lui renvoyant une image de ce que fut réellement sa vie et qu'il ne veut pas voir. Parce que s'il est le dernier d'entre nous à partir, il ne restera, pour Paul-Émile, que des visages lui rappelant à quel point sa vie ne fut pas tout à fait ce qu'elle aurait dû être. Ses enfants par exemple, ne seront jamais ceux de Suzanne et, même si nous avons tous appris à voir Mireille autrement que comme une Marchand, Lisanne, Marie-Pierre et Louis-Philippe resteront toujours des preuves vivantes d'un mariage qui n'a jamais eu sa raison d'être. Ces enfants-là – malgré tout l'amour qu'ils inspirent à leur père – rappelleront toujours à Paul-Émile qu'avec la liberté qu'il s'est donnée vient aussi la possibilité d'avoir des regrets; que, rendu à la fin de sa vie, ceux-ci se font de plus en plus bruyants et douloureux, lui rappelant qu'il aurait parfaitement pu choisir la liberté, mais l'exercer autrement. Lui donner un autre visage, surtout.

Ainsi se termine l'histoire de Paul-Émile. Quoique je ne sois pas certain que *histoire*, en ce qui le concerne, soit un terme approprié. Parce qu'une histoire fait obligatoirement référence à ce qui s'est passé, et non à ce qui ne s'est pas encore produit. Parce que le mot *histoire*, au sens noble du terme, rappelle tout simplement qu'il ne faut pas oublier ce qui est figé dans le temps, alors que Paul-Émile fait tout ce qu'il peut pour y retourner. Et de le voir vivre ses années d'âge d'or en faisant comme si le passé était toujours à venir est, pour tous ceux qui l'aiment, d'une tristesse inqualifiable. Mais Paul-Émile n'a jamais pu vivre sans Suzanne. Si seulement il l'avait reconnu alors qu'elle vivait encore.

16
Patrick... à propos de Jean

De retour à Montréal pour la première fois depuis que j'avais fait le choix de diviser ma vie entre le Québec et le Cameroun, j'ai prolongé mon séjour pour assister au mariage de Jean, qui eut lieu en décembre 1986. N'ayant jamais cru voir de mon vivant mon vieil ami jurer à une femme amour et fidélité devant Dieu et les hommes – ou un juge, dans son cas –, il était tout à fait hors de question que je rate cet événement.

Il fut entendu dès le départ que la cérémonie de mariage allait être chaleureuse, conviviale, mais tout de même intime. Ayant déjà vécu l'expérience d'un mariage digne de ceux de la famille royale britannique, où le marié était aussi entiché d'elle que le prince Charles l'était de Diana, Mireille, avec l'accord de Jean – qui aurait été prêt à la marier à l'hôtel de ville, dans une mosquée, une synagogue ou à l'oratoire Saint-Joseph –, refusa catégoriquement l'offre de ses filles d'organiser une immense fiesta.

«Je vais être avec cet homme-là jusqu'à la fin de mes jours, dit-elle à ses filles. J'ai pas besoin d'un carnaval pour me convaincre de ça. Je le sais déjà.»

Peu de temps avant le mariage, Paul-Émile, Adrien, Jean et moi étions allés manger dans un restaurant de la rue Beaubien dont je ne me souviens plus le nom et, pendant la soirée, alors que Jean se trouvait à la salle de bains, Paul-Émile nous avoua, l'air franchement dégoûté, qu'il avait reçu la veille un appel d'Albert Doucet, le père de Mireille.

«Qu'est-ce qu'il te voulait? demanda Adrien.

— Me dire qu'à ses yeux, je serais toujours son seul et

unique gendre. Je trouve ça assez *cheap* comme chose à dire. Pis Jean, là-dedans ? »

Adrien s'apprêtait à dire quelque chose, mais garda le silence en apercevant Jean qui revenait vers la table et qui, ayant tout entendu des propos de Paul-Émile, riait aux éclats en se tapant dans les mains.

« Le vieux maudit ! s'exclama Jean. Il m'a appelé à matin pour me dire exactement la même chose ! Dieu merci, sa fille est pas comme lui ! »

Jean, qui riait toujours, s'assit à table et continua de manger son repas. En l'observant du coin de l'œil, je ne pouvais m'empêcher de me dire qu'il y avait quelque chose de différent à propos de lui. Depuis quelque temps, il semblait plus réservé. Plus préoccupé, aussi. Dans la mesure où mon vieil ami pouvait, évidemment, sembler de cette façon. Parce que, même lorsqu'il faisait preuve de réserve, Jean était beaucoup plus… expressif, disons, que l'immense majorité des gens.

Avant toute chose, je tiens à préciser que ce qui préoccupait Jean n'avait absolument rien à voir avec Mireille. Il irradiait de bonheur lorsqu'il parlait d'elle, qu'elle soit à ses côtés ou non, à un point tel qu'il en était parfois irritant. Et la décision de la demander en mariage, même si elle nous parut impulsive, fut parmi les meilleures décisions de sa vie. Jean et elle s'aimaient et voulaient être ensemble. Tout le reste ne les intéressait absolument pas.

Étonnamment – et Paul-Émile était d'accord avec moi sur ce point –, la réserve dont Jean faisait preuve avait plutôt à voir avec Adrien. Pas qu'il semblât en colère contre lui, ou quoi que ce soit de cet ordre. Absolument pas. Jean était profondément attaché à Adrien – nous le sommes tous –, le considérait très certainement comme son frère. Seulement, Jean ne semblait plus savoir comment se comporter avec lui; ne semblait plus savoir lorsqu'il devait rire, lorsqu'il devait parler ou lorsqu'il devait exprimer la moindre émotion. Alors, un soir, tandis que nous étions tous réunis chez Jean pour la traditionnelle partie de cartes du vendredi soir – qui survécut même après la cure de désintoxication –, Paul-Émile et moi nous sommes autorisés à en glisser un mot à Mireille, Lili et madame Bouchard, alors qu'Adrien, Jean et le docteur Lajoie n'étaient pas encore arrivés du travail.

Regardant tour à tour Lili et madame Bouchard, Mireille se mit à sourire tristement.

«Jean se sent coupable, nous dit-elle. Depuis que sa fille est venue le voir, il est pas capable de se sortir de la tête que quelqu'un, quelque part, a enlevé quelque chose à Adrien pour le lui donner.

— Tu trouves pas que c'est faible comme raisonnement? répliqua Paul-Émile. Sa fille est venue le voir une seule fois. Ça fait des semaines que Jean a eu aucune nouvelle d'elle.

— Jean est certain qu'elle va revenir, ajouta madame Bouchard. Il sait pas quand, mais il croit dur comme fer qu'il va la revoir.

— O.K., dis-je. Mais c'est quoi le rapport avec Adrien?

— Daniel est mort presque au même moment où Anne s'est manifestée, dit Lili. Adrien est encore en deuil pis Jean est fou comme un balai parce qu'il vient de retrouver sa fille. En quelque part, il se sent comme s'il avait dû sacrifier lui-même Daniel en échange d'elle.

— Complètement ridicule, répliqua Paul-Émile, les mains dans les poches, avec sa franchise habituelle.

— C'est peut-être ridicule pour toi, mais ça l'est pas pour

Jean, ajouta Mireille. Il a réellement peur qu'Adrien soit en maudit le jour où Anne va revenir pour de bon.

— Pourquoi ? demandai-je, trop ignare pour comprendre ce qui aurait pourtant dû nous sauter aux yeux, à Paul-Émile et moi.

— Parce qu'Adrien a pas tourné le dos à Denise quand y'a appris qu'elle était enceinte. Jean, lui, l'a fait, mais il se retrouve quand même avec sa fille pendant qu'Adrien est en deuil de son garçon. »

Anne, la fille de Jean, se manifesta effectivement peu de temps après, exactement comme Jean l'avait prévu. Moins d'une semaine seulement après la soirée de cartes, elle se rendit à nouveau au cabinet de Jean, rue Saint-Hubert. Pas du tout étonné de la revoir, mon vieil ami n'en fut pas moins profondément heureux et ému.

« Je le savais, dit-il en souriant. J'étais certain que t'allais revenir.

— Hmm… Je suis pas sûre de vouloir rester, mais j'ai trop de questions à vous poser.

— Pose-les-moi toutes. Je te jure que je vais te répondre honnêtement. Je te cacherai rien pis je serai même pas fâché si tu décides de me lancer des tomates. Tu peux faire ce que tu veux, en autant que tu repartes pas. »

Infiniment mal à l'aise, Anne choisit de s'asseoir, regardait autour d'elle, jouait avec son anneau de mariage et cherchait désespérément quelque chose à dire, à raconter afin de meubler ce silence inconfortable. Jean sourit intérieurement en se disant qu'Adrien allait l'aimer.

« Pour être franche avec vous, dit-elle en regardant droit devant, je suis étonnée que vous ayez pu me retrouver.

— Comment ça ? demanda Jean.

— Parce que Anne, c'est pas mon vrai nom. Vous le saviez pas ?

— Non, je savais pas. C'est quoi, ton vrai nom ? »

Lorsque la jeune femme murmura qu'elle fut baptisée sous le nom de Bonnie Blue Robert – Doux Jésus ! –, Jean se leva, se versa un verre d'eau et l'avala d'un trait, essayant de réprimer un énorme fou rire que sa fille n'aurait assurément pas apprécié.

« Ma mère est une maniaque d'*Autant en emporte le vent*, poursuivit Anne. Vous devez vous en souvenir… Elle m'a donné le nom de la fille de Scarlett O'Hara. »

Jésus, Marie, Joseph ! Comme si ce n'était déjà pas suffisant, de la part de mademoiselle Robert, de donner à sa fille ce qui aurait très bien pu être un nom de cheval, fallait-il absolument qu'elle ajoute l'insulte à l'injure en lui donnant, par-dessus le marché, le nom d'une fillette qui meurt à la fin d'un film ?

« Je… Je savais pas que c'était ton vrai nom », répliqua Jean, tenant encore son verre d'eau entre les mains.

Cette obsession de mademoiselle Robert pour *Autant en emporte le vent*, Jean ne s'en souvenait pas du tout, ne lui ayant jamais particulièrement accordé d'attention lorsqu'elle ouvrait la bouche pour parler. Quelque peu honteux, il baissa les yeux.

« Quand j'ai eu dix-huit ans, poursuivit Anne, je me suis payé un cadeau : j'ai fait changer tous mes papiers pour remplacer le prénom de Bonnie Blue par celui de Anne. J'en pouvais plus de me faire regarder par des gens qui se retenaient pour pas rire, ou qui trouvaient que je faisais pitié. Pis soyons francs : Bonnie Blue Robert, ça me prédestinait pas à devenir autre chose que danseuse *topless* dans un trou, sur le bord de la 132. Pis moi qui mesure à peine cinq pieds… On s'entend-tu que j'ai pas vraiment le *body* pour ça ? »

Le premier véritable lien entre Anne et Jean se créa à cet instant précis, alors que mon vieil ami éclata d'un rire gras, franc, comme tous ceux ayant marqué notre jeunesse et dont nous nous souvenons encore aujourd'hui. Ces mots qu'Anne venait de prononcer, cette blague qu'elle venait de faire, étaient du Jean Taillon dans tout ce qui se faisait de plus beau. Aussi, l'éclat de rire qu'elle provoqua chez son père sembla donner à la fille suffisamment de confiance et de force pour arriver à regarder Jean, pour la toute première fois, directement dans les yeux sans avoir à lutter pour ne pas s'enfuir.

« Pourquoi avoir choisi le prénom de Anne en particulier ? demanda Jean.

— Parce que c'est en partie le prénom de ma grand-mère. Elle s'appelait Marianne. C'est elle, au fond, qui m'a élevée. Ma mère était tout le temps trop occupée à essayer de s'ouvrir les veines ou à entrer et sortir de cliniques psychiatriques. »

Comme n'importe quel alcoolique le dira, la tentation d'un verre n'est jamais bien loin. Et si je suis immensément heureux de dire une fois de plus que Jean n'a jamais rechuté, son envie d'engourdir ses neurones, en quelques occasions, fut suffisamment forte pour qu'il se rende à des réunions des Alcooliques Anonymes. L'immense tristesse émanant de sa fille alors qu'elle parlait de cette tragédie qu'a été la vie de mademoiselle Robert fut très certainement l'une de ces occasions. Mais le passé étant immuable, pourquoi s'acharner à lui donner des traits qu'il n'aura jamais ? Cette phrase, Jean se la rappellera souvent lorsqu'il se trouvera en présence de sa fille.

« Je sais pas comment j'ai fait, poursuivit Anne, regardant toujours son père droit dans les yeux, mais je me suis jamais sentie moins bonne, ou moins digne, parce que vous avez pas voulu de moi. C'est vous qui avez mal agi. Pas moi. Dans ma tête, ç'a toujours été très clair. Mais je vous en ai tellement voulu !… Je vous en veux encore. À cause de la façon dont vous avez traité ma mère… À cause de l'enfance que j'ai pas eue… Mais y'a trop de choses que j'ai besoin de savoir.

— Pourquoi je suis parti, par exemple ? demanda Jean, le cœur battant.

— Non. Parce que pour partir, y aurait fallu que vous soyez là, au départ. Vous étiez même pas là quand je suis née. »

Plus tard, Jean nous dira, à Paul-Émile, à Adrien et à moi, que cette première conversation avec Anne compta très certainement parmi les pires moments de sa vie. Sa lâcheté passée, jumelée au ressentiment évident de sa fille qui semblait hésiter entre l'envie de l'aimer et son habitude, tenace, de le détester, vinrent le mettre au-devant de tout ce qu'il avait été un jour prêt à faire pour être en mesure de fuir les ténèbres de Jean Ier. Même l'accident de Lili n'avait pu le pousser jusqu'à ce point, alors qu'il n'avait ménagé aucun effort pour se convaincre qu'il ne la connaissait pas autrement qu'en fauteuil roulant. Mais la douleur manifeste dans les yeux de sa fille forçait Jean à demeurer immobile, à se rappeler que sa sobriété des sept dernières années l'avait outillé pour se regarder dans le miroir et reconnaître que, s'il avait déjà agi de façon répréhensible, il ne le ferait certainement plus aujourd'hui et que l'homme qu'il était devenu se voulait suffisamment fort pour ne pas l'oublier.

L'envie de brandy n'en fut pas moins foudroyante.

« Écoute…, dit Jean, doucement, essayant de chasser de son esprit son envie de boire. Je pourrais te sortir cinquante-six justifications. Je pourrais essayer de dorer la pilule ou d'embellir les choses, mais je veux pas faire ça. La vérité, c'est que j'ai agi comme un lâche. Purement et simplement. Pendant longtemps, j'étais même pas capable de regarder mon ombre dans le miroir. J'aurais été encore moins capable de me voir dans tes yeux, à toi. Je me serais haï encore plus, et t'aurais été la première à souffrir à cause de ça.

— …

— C'était beaucoup plus facile, pour moi, de faire comme si t'existais pas. Ou de me dire, comme je l'ai fait plus tard, que t'allais être bien mieux si j'étais pas là. J'ai jamais pensé, même pas une seconde, que ton enfance aurait pu être pire que celle que je t'aurais donnée. »

À cet instant, le père et la fille étaient incapables de se regarder. Anne luttait pour que le ressentiment qu'elle éprouvait envers son père ne prenne pas le dessus et la fasse partir pour de bon avant d'avoir obtenu les réponses à ses questions. Jean, pour sa part, rassemblait ses forces pour être en mesure de tenir ses promesses et de dire l'entière vérité, sans la maquiller d'aucune façon. Ce qu'il réussit à faire, malgré une envie presque aussi forte que l'alcool de changer quelque peu son histoire. Mais Anne ne l'aurait jamais accepté, et Jean refusa de prendre ce risque. Même s'il n'était pas à blâmer pour les problèmes d'ordre mental de made-moiselle Robert, il avait tout de même abandonné sa propre fille sans jamais se retourner, et rien ne saurait justifier une telle action.

« C'était beaucoup plus facile, pour moi, de me dire que

t'allais être bien mieux si j'étais pas là. Jamais je me suis imaginé que ton enfance aurait pu être pire.

— Et vous auriez fait quoi si vous l'aviez su ?

— Je le sais pas, répondit Jean, luttant toujours aussi fort pour ne dire rien d'autre que la vérité. Probablement rien. Ça me prenait tout mon petit change pour pouvoir sortir du lit, le matin. J'ai été une loque humaine pendant longtemps.

— Avez-vous arrêté de boire ?

— Oui, répondit Jean avec fierté. Ça fait six ans que j'ai pas touché à une seule goutte d'alcool.

— C'est bien.

— C'est dur. Mais je suis bien entouré. »

Jean ne s'en est pas aperçu, mais ces mots eurent pour effet d'irriter sa fille quelque peu. Elle-même n'eut pas ce luxe d'être bien entourée. Comme Jean l'apprendra plus tard, Anne n'avait personne en dehors de sa grand-mère et dut se battre avec énergie pour arriver à se bâtir une vie heureuse et satisfaisante, à la portée de n'importe qui ayant eu une enfance normale. Cette bataille, le père et la fille l'avaient en commun. Mais Anne ne l'apprendrait que lorsqu'elle serait prête à reconnaître que Jean, aussi, avait souffert.

« Je vais être franche avec vous, avoua-t-elle à Jean. Je pense pas que j'aurais pu venir vous voir si j'avais su que vous aviez d'autres enfants. Ça, j'avoue que j'aurais eu de la misère à l'avaler.

— Pourquoi ? Avec ce que je t'ai dit sur moi, c'est clair que j'aurais pas fait une faveur à ces enfants-là en choisissant de pas partir. Mais des enfants, j'en ai pas eu d'autres. Pas que je sache, en tout cas. Ça règle le problème. »

En fait, le problème n'était pas tout à fait réglé. Pas tant que Anne chercherait dans les propos de Jean la moindre trace pouvant nourrir cette colère, cette amertume qu'elle ressentait pour lui depuis toujours. Ce qui fut le cas pendant encore un certain temps, mais Jean, ayant espéré retrouver sa fille depuis si longtemps, ne se laissa jamais démonter.

« Je suis content que tu sois revenue, lui dit-il. Je t'ai attendue pendant tellement longtemps !... Mais est-ce que je peux savoir ce qui t'a fait revenir sur ta décision ? »

Doucement, Anne prit son sac à main et en sortit une photo de son fils qu'elle montra à Jean. Pour mon ami, le choc fut instantané et fulgurant, tout comme il le fut pour nous lorsqu'il nous montra la même photo peu de temps après. Le petit Vincent, le fils de Anne, n'était rien de moins qu'une reproduction parfaite de cet enfant en culotte courte ayant fait les quatre cents coups en notre compagnie dans les rues du bas de la ville, il y a si longtemps.

Devant l'incapacité manifeste de Jean à prononcer le moindre mot, Anne choisit de briser le silence, affirmant qu'elle avait voulu donner des racines à son fils. Sa grand-mère étant décédée, et mademoiselle Robert n'étant pas du tout en état de jouer ce rôle dans la vie de son petit-fils, le seul port d'attache de cet enfant, du côté maternel, résidait chez ce grand-père qu'il ne connaissait pas; qu'il ne devait pas connaître.

« Pendant des années, c'était clair, dans ma tête, que vous feriez jamais partie de ma vie. Mais quand Vincent est arrivé, ç'a changé ben des choses. Je voulais le reconnaître chez quelqu'un que j'aimais : mon mari, ma grand-mère, ma mère… Mais j'y arrivais pas. C'est là que l'idée de vous contacter m'est venue. Quand je vous ai vu, la première fois, j'en revenais tout simplement pas. Vincent est votre portrait tout craché. »

Incapable de détourner les yeux de cette image lui renvoyant en tous points cet enfant qu'il avait déjà été, Jean prit rapidement la décision que les racines de son petit-fils ne seraient jamais celles que les Taillon lui avaient données. Au bord des larmes, il jura en silence de garder au loin le fantôme de Jean Ier, ainsi que l'effroyable folie de son père l'ayant marqué au fer rouge pendant plus de la moitié de sa vie. Les racines que Jean donnerait à sa fille et à son petit-fils auraient plutôt les traits de cette famille qu'il s'était bâtie avec les années : Mireille, qu'il était sur le point d'épouser ; Lili et le docteur Lajoie ; Adrien, Paul-Émile et moi, qui n'étions rien de moins que ses frères ; et madame Bouchard qui, pour Anne et Vincent, serait la seule et unique mère dont ils entendraient parler.

De la famille Taillon, Jean ne garderait plus que le nom, s'efforçant de faire disparaître ses souvenirs d'eux avec la même fougue dont son père fit preuve pour garder les siens vivants. Et nous tous l'avons aidé à ancrer sa fille et son petit-fils au sein de notre histoire, de notre réalité et de cette vision de Jean, la nôtre, qu'Anne n'avait pas encore eu la chance de découvrir.

Très rapidement, la fille de Jean fut en mesure de constater l'extraordinaire complicité unissant son père à Adrien. Ayant été mise au courant par madame Bouchard que Daniel était mort peu de temps auparavant, elle se trouvait tout près de Jean lorsqu'il fit part, finalement, de sa peur de voir Adrien le prendre en grippe parce que sa fille s'était manifestée peu de temps après la mort de Daniel. Souriant tristement, Adrien répondit à Jean qu'il ne fut pas le seul à avoir rejeté son enfant. Seulement, son rejet de Daniel s'était produit au moment où celui-ci était assez vieux pour comprendre cet abandon en regardant les yeux de son père; en entendant un ton de voix ne laissant aucun doute sur la distance qu'Adrien s'apprêtait à mettre entre les deux.

«Je t'envie la deuxième chance que t'as avec ta fille, avoua Adrien. Même si je suis prêt à tout donner pour que ça arrive, j'aurai jamais ça avec Daniel. Mais je te jure, Jean, que je suis sincèrement heureux pour toi. Mireille… Anne… Ton petit-fils… Ton bonheur, Dieu sait que tu l'as pas volé. »

Profondément émue, Anne regarda son père sourire à Adrien en lui serrant énergiquement la main, témoin pour la toute première fois des liens incroyablement profonds qui les unissaient. L'amertume qu'elle ressentait toujours pour Jean venait alors de subir son premier coup dur.

Je n'ai aucune difficulté – ou amertume – à répéter que Jean et Adrien représentent les maillons forts de notre amitié. Depuis notre retour, Paul-Émile et moi nous astreignons à rattraper le temps perdu, tout en sachant que nos efforts seront toujours vains. Comment rattraper une vie entière de loyauté indéfectible? Et pourtant, alors que je suis sur le point de quitter la scène, je suis convaincu que cette amitié nous unissant ne faiblira pas. Aidés par Paul-Émile, Jean et Adrien sauront garder mon souvenir vivant, comme ils ont su le faire lorsque je les ai désertés quarante ans auparavant.

Au bout du compte, cette indéfectible loyauté dont Jean fit toujours preuve envers ses proches sera l'élément principal venant à bout des réticences de Anne à devenir purement et complètement la fille de son père. Le processus fut long et ardu. Mais ce fut lorsqu'elle prit conscience que Jean, par sa patience, faisait autant preuve de dévouement envers elle qu'envers tous les autres qu'Anne baissa les bras pour de bon. En un sens, elle eut à apprendre à séparer Jean de ce père détestable qu'elle s'était imaginé pendant des années, comme Jean eut à le faire avec Lili après l'attentat pour arriver à se convaincre qu'il ne l'a jamais connue autrement qu'assise dans un fauteuil roulant et, surtout, qu'il n'avait strictement rien à y voir.

Anne est devenue la fille de Jean jusqu'au bout des doigts. Pas une Taillon. Pas unc Robert. Seulement la joie immense de se dire, enfin, la fille de son père.

17
Paul-Émile... à propos d'Adrien

Adrien accepta de se porter candidat pour le Parti québécois. Élu lors d'une partielle, il est même devenu ministre en 1994, lorsque le PQ est revenu au pouvoir, et l'est resté jusqu'en 2002, année où il annonça son retrait définitif de la vie publique.

À l'époque, Adrien et moi avons longtemps discuté avant et après qu'il eut pris la décision de se porter candidat. Moi qui considère le mouvement indépendantiste aussi attrayant qu'Adrien considère le fédéralisme, nous avons établi dès le départ que la politique était un sujet dont nous n'allions pas discuter. Pas besoin de dire que cette promesse fut difficile à respecter au temps du lac Meech et du référendum de 1995. Nous y sommes arrivés, cependant. L'amitié était trop importante. Et même si nous souhaitions farouchement la victoire de notre équipe respective lors du deuxième référendum, l'ambiance à l'époque n'avait plus grand-chose à voir avec celle des années soixante-dix, où toute chose politique paraissait être une question de vie ou de mort. Tout le monde savait que la Terre allait continuer de tourner, que le Québec se sépare ou non.

Si Adrien discuta beaucoup, avec Jean, Patrick, Claire, sa mère et moi-même, de la possibilité qu'il devienne député, nous n'avons pas été un facteur déterminant dans sa décision. Claire et madame Mousseau étaient contre, alors que Patrick et moi (surprise) étions en faveur. Jean, pour sa part, demeura fidèle à lui-même en ce qui concerne la politique:

« Si ça te rend heureux, fais-le, dit-il à Adrien. Sinon, je vois pas pourquoi tu te ferais chier à travailler sept jours par semaine, dix-huit heures par jour. Pis pour quoi, au juste ? C'est tellement glorieux, la manière dont René Lévesque s'est fait sacrer dehors de son propre parti. »

L'élément décisif dans son choix, Adrien aurait voulu qu'il vienne d'une conversation avec Alice. Conversation qui fut longue à venir, soit dit en passant, parce qu'il était clair que, si Adrien voulait parler à Alice, Alice, elle, ne voulait pas parler à Adrien. Pendant un bon bout de temps, il lui téléphona à la maison, à son bureau de comté et à Québec, mais sans jamais réussir à lui parler. Elle était toujours trop occupée. Ou absente. Ou alors, elle venait tout juste de partir pour une destination qu'apparemment, elle était la seule à connaître. Et si Adrien fut vite à comprendre qu'Alice ne voulait pas lui parler, il n'avait toutefois pas encore saisi jusqu'à quel point. Ce qui fut fait environ deux mois après l'offre faite à Adrien, alors qu'il se présenta à la permanence du PQ et qu'Alice s'y trouvait déjà, discutant avec le directeur du parti dans le bureau de celui-ci.

« J'ai fait ma part ! dit Alice en parlant d'Adrien. Je lui ai dit qu'il devrait accepter de se porter candidat. S'il est pas encore décidé, c'est pas mon maudit problème ! Je t'ai dit, au départ, que je voulais pas lui parler. J'ai accepté de le faire une fois; demande-moi pas de le faire une deuxième. »

Le silence et l'air embarrassé du directeur firent comprendre à Alice qu'Adrien se trouvait derrière elle et qu'il avait, bien sûr, tout entendu de ses propos.

« Ah !… *Shit !* » dit-elle en regardant mon copain qui se tenait debout sans dire un mot.

Visiblement inconfortable, le directeur sortit de son bureau en refermant la porte derrière lui, prenant la sage décision de laisser Adrien et Alice laver leur linge sale en famille.

«Salut, Adrien, dit Alice en mettant les mains dans ses poches.

— Tu sais, si tu voulais pas me parler, t'avais juste à me le faire savoir. Ç'aurait probablement été moins pénible que d'entendre ta secrétaire inventer au fur et à mesure que t'étais trop occupée à te laver les cheveux ou à faire du bénévolat à'popote roulante pour me parler.

— Je veux pas te parler. Là, tu le sais.

— C'est tout ce que t'as à dire? Coudon!... T'as quel âge?

— J'ai le droit de pas vouloir te parler.

— Est-ce que je peux au moins savoir pourquoi?»

Désirant manifestement être ailleurs, Alice ne dit rien, se contentant de hausser les épaules.

«Tu sais, continua Adrien, je t'ai appelée seulement parce que je voulais te jaser de ma candidature. C'est tout. Tu pensais que je t'appelais pour quoi, au juste? T'es mariée.»

Mariée, Alice ne l'était plus depuis deux ans, son époux ayant demandé le divorce après quatre ans de mariage. Mais Alice s'assurait toujours d'avoir les mains dans ses poches lorsqu'elle se trouvait en présence d'Adrien, histoire de ne pas avoir à répondre aux questions qu'il lui poserait à coup sûr s'il s'apercevait qu'elle ne portait plus son alliance.

C'est d'ailleurs par l'une des secrétaires à la permanence qu'Adrien a fini par apprendre qu'Alice était divorcée. Une des employés qui, autrefois, s'était fait une joie de potiner sur la vie sentimentale de mon vieux copain. Adrien, en apprenant la nouvelle, fut sincèrement désolé.

«Pourquoi ils ont divorcé? demanda-t-il à la secrétaire.

— Aucune idée. Alice a jamais voulu en parler. Tout ce que je sais, c'est que du jour au lendemain, son ex a fait ses boîtes pis qu'il s'est loué un appartement à l'autre bout de la ville en lui disant que c'était fini. J'ai jamais réussi à en savoir plus. Pis c'est pas parce que j'ai pas essayé ! »

Par un samedi matin du mois de décembre, Adrien se pointa à la maison d'Alice, dans le quartier Ahunstic, ignorant si elle y habitait encore. Toutefois, la pelouse, qui ne semblait pas avoir été tondue une seule fois de l'été précédent, lui permit de croire que c'était toujours le cas. Cognant à la porte, Adrien obtint sa confirmation en moins de dix secondes.

« Est-ce que je peux savoir ce que tu fais ici ? demanda Alice, visiblement irritée.

— Pourquoi tu m'as pas dit que t'étais divorcée ?

— Pourquoi je te l'aurais dit, répliqua Alice, hésitante. Ça te regarde pas. »

L'hostilité d'Alice déstabilisa Adrien. En dix-huit ans, jamais elle ne lui avait paru aussi fermée. Mais Adrien n'est pas parti. Il voulait discuter avec Alice. Et plus seulement de politique.

« Simonac, Alice !… Je te demande pas de rendre publique ta pointure de brassière ! Je veux juste savoir pourquoi tu m'as pas dit que t'étais divorcée.

— Je pense que j'aimerais encore mieux mettre ma pointure de brassière en *front page* de tous les journaux de la province !

— ALICE !

— Va-t'en, Adrien ! Pis ben franchement, j'aimerais mieux que tu te portes pas candidat. Pas si ça veut dire que je vais être pognée pour te voir la face tous les jours.

— Jésus, Marie ! Veux-tu ben me dire qu'est-ce que je t'ai fait ?! Veux-tu ben me dire pourquoi tu me haïs tant que ça ?!

— Parce que tu m'as jamais apporté rien d'autre que de la merde! Parce que si j'avais le choix de revenir en arrière pis de changer quoi que ce soit à ma vie, je me serais arrangée pour être ailleurs le jour où je t'ai rencontré!»

Pour l'une des rares fois de sa vie, Adrien était bouche bée. Honnêtement, n'importe qui l'aurait été devant une telle animosité.

«Je t'avertis, Adrien. Si tu te présentes comme candidat, je lèverai pas le petit doigt pour t'aider.

— Je t'ai rien demandé!

— Continue comme ça pis ça va bien aller. Et là, me ferais-tu le plaisir de retourner d'où tu viens? J'ai autre chose à faire. Me laver les cheveux, par exemple.

— Tu penses sincèrement qu'en quasiment vingt ans, tout ce que je t'ai apporté est mauvais?

— À l'exception des deux jours et quart que t'as osé me consacrer, Adrien, t'as jamais rien fait d'autre pour moi que de me faire brailler.

— C'est pas juste, ça, Alice. Penses-tu que c'était plus facile pour moi?

— Pauvre petit chou! répondit Alice, le ton caustique. Ta souffrance, Adrien, tu l'as choisie. Mais moi, y a fallu que je subisse! J'ai jamais eu mon mot à dire pour quoi que ce soit! Pis à cause de ça, j'ai tout perdu! Mon temps!... Mon mariage!...

— De quoi tu parles?

— De quoi je parle? Tu veux savoir de quoi je parle?! Sais-tu pourquoi mon mari m'a sacrée là, Adrien?!

— Non! Tu veux pas me le dire!

— Mon mari a demandé le divorce parce qu'il en pouvait plus de tout le temps se faire rappeler que même s'il était le meilleur des maris, il serait jamais le grand Adrien Mousseau! Mon mariage a foiré à cause de toi, pareil comme toutes les autres relations que j'ai eues après le jour maudit où je t'ai rencontré! Tu voulais savoir pourquoi je suis divorcée?! Ben là, tu le sais! Es-tu content?!»

S'il est difficile de faire la paix avec nos mauvaises décisions, j'ai appris avec le temps qu'il est encore plus douloureux d'accepter les bons choix qui n'ont pas été faits. Pour Adrien, Daniel et Alice en seront toujours deux parfaits exemples.

«Je veux pas te parler, Adrien, soupira Alice. J'aurais préféré que tu restes en France. Retournes-y donc, tiens… Ben franchement, tu peux aller où tu veux. En France… Au Kenya… À Cuba… En autant que j'aie pas à te voir la face.»

Je n'aime pas raconter des histoires à l'eau de rose. Des histoires tellement dégoulinantes de miel que le cœur lève en moins de cinq minutes. Mais une histoire qui se termine bien n'est pas forcément synonyme de gros violons. À mesure que j'avance en âge, je me surprends d'ailleurs à les rechercher. Probablement pour me prouver qu'elles existent vraiment étant donné que je n'y aurai pas droit.

Je suis heureux du bonheur de Jean; de la sérénité de Patrick. Sincèrement. Mais la plaie béante que laissa la mort de Daniel dans le cœur de son père fit en sorte que je souhaite une fin heureuse pour Adrien plus que je ne l'ai fait pour n'importe qui. Personne ne devrait avoir à vivre la perte d'un enfant, en plus de subir le poids considérable des regrets de toute une vie. Et Dieu sait qu'en ce qui concerne les regrets, Adrien s'est plutôt bien choyé.

Je n'ai pas la larme facile. Pourtant – et je surprendrai

peut-être en disant ceci –, j'aurais été très affecté de savoir Adrien malheureux jusqu'à la fin de sa vie. Celle-ci, il me semble, aurait paru insignifiante, et la mort de Daniel, carrément inutile. Comme s'il n'avait rien appris de sa peine et que ses remords n'avaient servi à rien.

Je suis soulagé de dire que ce n'est pas ce qui s'est passé.

Adrien refusa sagement de voir l'histoire se répéter en laissant la possibilité de regrets prendre le dessus. Par amour pour ses enfants, par amour pour Alice, il se promit d'empêcher ses erreurs passées de disparaître dans le temps pour ainsi laisser la place à de nouvelles erreurs et, par conséquent, à de nouvelles excuses. Le dos droit, il affronterait son passé comme Patrick, Jean et moi avions eu à le faire. Face à Alice, face à un bonheur rejeté du revers de la main parce que trop différent du silence de son père, mon copain se permit enfin de mettre le passé derrière lui. Tout en prenant soin de ne pas oublier. Jamais.

«Pour ce que ça vaut, je suis sincèrement désolé, Alice, s'excusa-t-il. J'ai jamais voulu te faire mal.

— Tu veux jamais faire mal, Adrien. Mais tu le fais pareil. Ça fait que tes excuses, tu peux te les mettre où je pense. Ça vaut rien.

— C'est pas seulement des excuses, Alice. Tous les jours qui passent me rappellent que quasiment toutes les décisions dans ma vie ont été mauvaises. J'aurais jamais dû retourner auprès de Denise. J'aurais jamais dû faire vivre ça à mes enfants. Comme j'aurais jamais dû te laisser pis que j'aurais jamais dû abandonner Daniel.

— C'est ben beau tout ça, Adrien, répliqua Alice. Mais ça efface pas les années gaspillées. Ça efface pas toutes les larmes que j'ai pleurées à cause de toi. Pis ça enlève pas la douleur d'avoir entendu mon ex me dire que s'il avait su, il m'aurait même jamais regardée.

— C'est vrai. T'as raison. Et le fait que je suis venu jusqu'ici aujourd'hui ?… Ça compte pas ? On est plus ensemble depuis quinze ans. On s'est pas vus depuis six ans. Pis malgré ça, on est en train de s'obstiner sur quelque chose qui ne devrait même plus être un sujet de discussion. Pourtant, ça l'est encore. Pourquoi, tu penses ?

— S'il te plaît, Adrien !… Pourrais-tu ne pas me faire le numéro du gars qui crève d'amour pour moi ? Ce serait indécent.

— J'étais certain de plus t'aimer jusqu'à ce que je te voie à la permanence. À ce moment-là, j'ai compris que j'étais complètement dans le champ. Pis tu peux pas savoir à quel point ton air bête m'a fait l'effet d'un coup de poing en pleine face… »

Certaines femmes auraient fondu en entendant Adrien se repentir – avec, en prime, ses airs de chien battu –; ce ne fut pas le cas d'Alice. Plus Adrien parlait, plus elle se mettait en colère.

« Fais de l'air, Adrien ! Pis vite ! Dieu sait que j'ai perdu assez de temps avec toi ! C'est pas vrai que je vais me laisser embarquer dans tes niaiseries encore une fois !

— Parce qu'il pourrait y avoir un "encore une fois" ? » demanda Adrien, souriant tristement.

Alice répondit à la question d'Adrien en lui claquant la porte au nez. Par contre, mon copain ne bougea pas, s'asseyant sur le perron malgré le froid, espérant qu'Alice revienne.

Mon enfance fut différente de celle d'Adrien. Je n'ai pas grandi avec un père qui ne voulait pas de moi et avec une mère trop faible pour jouer le rôle de deux parents à la fois. Contrairement à lui, je n'ai jamais cru que le bonheur n'était pas pour moi, alors je n'ai pas eu, comme ce fut son cas, à faire un apprentissage de ce côté. Ce qui explique, j'imagine, l'impatience dont j'ai pu faire preuve en racontant sa vie. Mais ce jour-là, assis sur le perron d'Alice, Adrien se permit pour la première fois ce bonheur que je n'ai jamais voulu me refuser; acceptant, comme il ne sut pas le faire autrefois, que, si ce bonheur passait par nous et par sa fille, il passait aussi par Alice. Ce qu'il a toujours su, à mon avis. Mais bon… Quand on n'est pas prêt à être heureux…

Le jour où il quitta Denise pour la première fois, Adrien s'était donné le droit de survivre. Le jour où il quitta le Québec pour Paris, Adrien reconnut d'emblée le besoin de penser à lui et de se reconstruire. Toutefois, ce fut en revenant, en reconnaissant le passé sans ne jamais y retourner qu'Adrien se donna enfin le droit d'être heureux.

Il y a plusieurs années, Alice s'était confiée à une amie en disant qu'elle avait beaucoup souffert de savoir qu'elle aimait Adrien plus que lui l'aimait. Je n'ai jamais été d'accord avec elle sur ce point et je me souviens avoir affirmé que, si j'étais convaincu qu'Adrien l'aimait tout autant, je n'étais toutefois pas certain que cet amour allait au-delà de sa haine pour Denise. À l'automne 1986, la question ne se posait plus. À sa grande surprise, son amour pour Alice était toujours là, ayant survécu non seulement à sa haine pour Denise, mais aussi à l'ombre de son père; ayant eu le dessus sur les grands regrets de sa vie et ayant eu assez de force pour résister au poids des années. Sans qu'elle le sache, Alice avait gagné. Adrien devait maintenant lui faire comprendre que son vœu d'être heureux avec elle était, en soi, une grande preuve d'amour. Lui pour qui le bonheur n'est jamais venu facilement.

Ce jour-là, Alice ne rouvrit pas la porte. Pas plus qu'elle ne le fit le lendemain. Ou le surlendemain. Mais Adrien s'en fichait comme de sa première chemise, à la poursuite d'un bonheur ayant les airs d'une souverainiste brouillonne, toujours dans la lune, ressemblant comme deux gouttes d'eau à Carole Lombard[32].

J'ai déjà entendu quelqu'un dire qu'il fallait apprendre des erreurs des autres parce que l'on ne vivra jamais assez vieux pour toutes les faire soi-même. Cette phrase, je l'ai appliquée à ma vie pendant longtemps. Surtout aux dépens d'Adrien. Pourtant, je crois qu'un homme qui apprend de ses propres erreurs mérite plus d'admiration que quelqu'un comme moi, qui s'est tout bonnement contenté de prendre des notes en observant les autres. Ça prend une grande force intérieure pour regarder derrière, reconnaître ses torts, s'arrêter en cours de route et emprunter un nouveau chemin. Surtout lorsqu'il faut s'arrêter après des années passées à rouler toujours à la même vitesse.

Alice a fini par reconnaître cet état de fait, mais cela a pris beaucoup de persistance de la part d'Adrien. Ce dont il fit preuve le sourire aux lèvres, sans rechigner. Reconnaissant tout ce qu'il lui avait pris avec les années, il ne demandait rien de plus que de donner à son tour.

Restant cohérent par rapport à ce qu'il considérait comme étant mes erreurs, Adrien n'a jamais cherché à remonter le temps; n'a jamais essayé de redonner à Alice ce qui ne

---

32 Voir *Racines de faubourg -1-*, p. 435. Il y est mentionné qu'Alice ressemble à cette actrice américaine des années trente.

reviendrait pas, lui jurant plutôt quelque chose qu'il n'avait encore jamais su donner à personne: son avenir. Un avenir libéré de toutes les ombres du passé, ne gardant que les racines ayant fait de lui cet homme qu'elle a aimé dès leur première rencontre. C'est lorsqu'elle l'a compris qu'Alice a fini par ouvrir enfin sa porte à Adrien, qui continuait d'aller cogner chez elle avec l'anticipation d'une première fois. Et lorsqu'elle l'a laissé entrer, ce n'est pas seulement après deux jours qu'Adrien a fini par sortir de chez Alice.

Vingt ans plus tard, il y est encore.

Chapitre III
2006

1
Patrick... pour la dernière fois

Tous les membres d'une génération assez chanceux pour vivre vieux se voient octroyer la possibilité de regarder derrière, de sourire tristement et de se dire qu'ils auront eu le meilleur de ce que la jeunesse peut offrir : jouer au baseball, insouciants, avec un semblant de balle et un bâton ressemblant plutôt à un manche de balai ; s'abandonner à une partie de hockey avec de l'équipement déficient ou carrément inexistant, convaincus qu'aucun monde n'existe à l'extérieur des quatre coins de la patinoire ; danser collés au son d'une musique qui ne passera pas l'épreuve du temps ; aimer des gens qui, si le futur ne s'est pas souvenu d'eux, auront suffisamment marqué notre présent pour qu'on ne les oublie jamais.

Avons-nous raison de croire, à notre tour, que notre époque fut la meilleure ? Malheureusement, je ne me crois pas suffisamment outillé pour répondre à cette question. Peut-être que le passé nous ayant précédés avait mieux à offrir. Peut-être aussi que l'avenir apportera aux autres les moments d'une gloire, d'une joie dont nous n'aurions pu rêver. Peut-être. Ce que je sais, par contre, c'est que ce moment dans le temps qui nous fut accordé, à l'endroit même où il nous fut accordé, n'appartiendra toujours qu'à nous et nous ressemble d'une façon qu'aucune autre époque n'aurait su le faire.

Ces années furent les nôtres. Avec ses peines et ses moments de bonheur. Pour toujours, nous allons porter en nous le manque de Suzanne, le silence de monsieur Mousseau, les racines perdues des Marchand, le déni macabre des Taillon ainsi que la profonde amertume de ma propre mère. Mais, pour toujours, nous allons aussi porter en nous le souvenir de rues animées par des cris d'enfants, par les rires et les discussions passionnées de leurs parents, assis sur leur perron lors des soirs d'été. Tout comme nous allons toujours porter en nous le souvenir de quatre garçons en culotte courte jouant ensemble, se faisant la courte échelle à tour de rôle pour grandir plus vite et devenir les rêves qui les habitaient déjà et ceux, nous l'ignorions, qui ne les habitaient pas encore. Ce souvenir, en particulier, nous souda plus au fil des ans que nous pouvions l'imaginer; plus que nous voulions aussi le reconnaître, quelquefois.

Lorsque ma voix s'éteindra, je sais que les trois autres s'uniront pour qu'elle ne tombe pas dans l'oubli. Pour que cette partie de l'Histoire – celle qui n'appartient qu'à nous – ne soit pas déformée à travers un récit qui ne serait pas le nôtre.

Même si mon histoire est sur le point de prendre fin, celle-là plus collective, celle qui nous unit depuis toujours, n'est pas terminée. Toutefois, nous avons fait le choix de cesser de la raconter le jour où Jean s'est marié. Parce que nous voulions y mettre un terme sur une note positive, évidemment, mais aussi parce que ce fut à ce moment très précis que nos vies se sont rejointes pour de bon; que notre histoire est définitivement redevenue collective. Curieusement, tous les chemins de Yaoundé, d'Ottawa et de Paris ont toujours abouti à Montréal, là où le quatrième côté du carré se trouvait; là où tout prenait son sens et où tout prit forme à un temps de notre vie propice à l'acceptation de nos racines pour ce qu'elles étaient et, surtout, pour ce qu'elles avaient fait de nous.

Le jour du mariage de Jean et de Mireille – célébré dans un hôtel du centre-ville de Montréal – fut, pour nous, à l'image de ce qu'est le bonheur; ou de ce qu'il peut être, du moins, avec ce qu'il nous reste sous la main pour s'en construire un, malgré ce qu'on peut perdre en chemin au fil des années.

Adrien, entouré de sa fille Claire et de son gendre, fut le premier à féliciter chaleureusement les nouveaux mariés. Serrant Mireille dans ses bras, il lui murmura doucement à l'oreille qu'elle faisait maintenant partie de la famille et que ça prenait une femme franchement exceptionnelle pour avoir donné à Jean l'envie de se marier. Comme Paul-Émile l'a raconté, la mort de son fils enleva à Adrien toute possibilité de bonheur insouciant. Mais l'idée du bonheur en elle-même, pour sa part, existait toujours. Le retour d'Alice dans la vie d'Adrien saura le lui rappeler d'une belle manière.

Paul-Émile, pour sa part, regardait Jean et Mireille en souriant, n'acceptant de reconnaître le passé qu'il partageait avec la mariée uniquement que lorsqu'il souriait à ses enfants. Évitant les parents de Mireille comme s'ils étaient deux lépreux, il n'en avait que pour Jean, Adrien et moi, nous regardant avec les yeux de nos vingt ans. Ce qui lui permettait de croire que Suzanne, par conséquent, pourrait surgir de nulle part et venir s'asseoir à notre table à tout moment. Malgré notre difficulté de voir Paul-Émile s'entêter à vivre dans le passé, Jean, Adrien et moi avons cessé d'essayer de le ramener au temps présent. Contrairement à celle de sa mère, qui était allée jusqu'à ruiner son mariage pour retourner en arrière, la façon de vivre de notre vieux copain ne faisait de mal à personne – sauf à lui-même, évidemment –, et nous avons tous compris depuis longtemps qu'il ne survivrait pas sans cette espèce de bulle intemporelle qu'est devenu pour lui son appartement de la rue Wolfe. Lui qui, pourtant, n'a jamais hésité à lever le nez sur les difficultés d'Adrien à tirer un trait définitif sur le traumatisme que fut monsieur Mousseau.

Jean, pour sa part, ressemblait en tout point à cet enfant heureux qu'il ne fut jamais. Tout chez lui criait son amour pour Mireille – l'inverse étant aussi vrai – à un point tel qu'il nous était difficile, pour Adrien, Paul-Émile, madame Bouchard, Lili, le docteur Lajoie et moi-même, de parler d'autre chose. De plus, Jean avait laissé sortir un de ses merveilleux éclats de rire lorsque Anne lui apprit qu'elle serait présente à la noce, accompagnée de son conjoint et de leur fils. La relation entre le père et la fille était fragile et le serait encore pendant un bon bout de temps. Mais au moins, elle existait, et Jean n'en demandait pas plus.

« Jamais j'aurais pensé dire ça un jour, nous avoua Jean, ému, lors de la réception. Je suis heureux. Y a pas de mais… Y a pas de si… Y a pas de culpabilité… Y a pas d'envie de boisson… Je suis heureux, c'est tout. J'ai un *happy ending* pis je trouve même pas ça quétaine ! »

Du coin de l'œil, lui et Adrien se sont souri, arrivant à se dire merci en silence, reconnaissant en une seule seconde tout le chemin parcouru pour en être arrivés à cet état de béatitude sans avoir à prononcer le moindre mot. Ce regard entre eux, jamais personne ne l'a oublié. Encore moins Paul-Émile et moi, trop conscients que tous les deux nous serions éparpillés aux quatre coins de notre univers si ce n'eût été que Jean et Adrien, bien avant nous, ont su reconnaître la force remarquable des liens nous unissant et nous ayant portés toute notre vie. Si l'on peut sortir l'homme du faubourg à mélasse, il est extrêmement difficile de sortir le faubourg à mélasse de l'homme. Nous quatre en constituons très certainement un exemple dans tout ce qu'il y a de plus beau et durable.

Pour ma part, je vécus les noces de Jean avec cette belle sérénité qui m'habitait à l'époque et qui m'habite encore aujourd'hui, alors que je suis sur le point de partir. Malgré mon passé ecclésiastique, je ne connais pas l'endroit où je me dirigerai lorsque tout sera terminé, mais je n'ai pas peur de mourir. Bien entendu, j'aurais préféré attendre encore un peu avant de partir, mais je quitte néanmoins avec la satisfaction d'avoir vécu une existence longue et riche. Il fut un temps où je n'aurais jamais cru passer le cap des soixante-dix ans. Tout comme il fut un temps où je n'étais pas certain de le souhaiter. Pourtant, je me surprends quelquefois à regarder en arrière, et je ressors toujours de ces moments bouche bée. Élevé par une mère ayant inculqué à ses enfants le complexe du petit pain, tout me destinait à des jours prévisibles et sans intérêt, alors que ma vie fut tout sauf ennuyeuse. Comme quoi on ne peut jamais prédire l'avenir. Ma mère aurait peut-être été beaucoup moins malheureuse – et le reste de ma famille, moins misérable – si elle l'avait compris.

Mon temps est compté. Je parle avec difficulté et ma respiration est irrégulière. Pourtant, je sais que mes frères continueront d'entendre ma voix et qu'ils ne m'oublieront pas. Ceci étant dit, je ne crains absolument pas le silence. J'ai trop joui de la lumière des projecteurs à une certaine époque de ma vie pour ne pas accueillir l'obscurité avec bonheur et soulagement.

S'il est vrai que de regarder derrière soi devient presque une seconde nature à mesure que l'on vieillit, regarder la vérité en face le fut tout autant pour Jean, Paul-Émile, Adrien et moi-même, et il nous importait de ne pas voir notre existence pour ce qu'elle ne fut jamais, même si cela signifiait plus de douleur, au bout du compte. Avec le peu de temps qu'il me reste, je n'ai aucune envie d'entendre des chimères à mon sujet. Après tout, si je suis suffisamment fort pour regarder la mort en face, ce serait tout à fait ridicule de mettre ma tête dans le sable et de faire comme si ma vie fut tout autre. Ce serait un déshonneur pour moi, pour les gens ayant compté dans ma vie et pour tout le chemin que j'ai parcouru afin de devenir la personne que je suis aujourd'hui.

Je ressens une belle sérénité en regardant à la fenêtre de ma chambre d'hôpital, alors que je n'aperçois rien d'autre que des arbres semblant chatouiller le ciel d'un bleu immaculé. Sans trop savoir pourquoi, je suis convaincu que cette journée qui débute sera ma dernière, et le fait de partir par une journée de printemps aussi extraordinaire me rend heureux au-delà des mots. L'hôpital trône presque comme une falaise au-dessus du quartier où je suis né, et le peu que j'aperçois de l'extérieur me permet d'imaginer que ma chambre pourrait se trouver n'importe où dans le monde. En fermant les yeux, je peux donc me convaincre que mes racines du faubourg à mélasse et celles de Yaoundé se sont réunies et que je partirai en sachant qu'il ne restera plus rien de moi. Rien d'autre que le souvenir que je laisserai aux gens que j'ai aimés, et qu'ils emmèneront avec eux.

Pour moi, c'est ça, l'éternité.

Épilogue

Monsieur Flynn est décédé le 8 mai, à 18 heures 32, dignement et doucement, entouré de messieurs Marchand, Mousseau, Taillon et de nous tous qui l'avons soigné, ces derniers mois. Peu après, monsieur Taillon et monsieur Mousseau sont sortis de la chambre, rejoignant leur épouse dans le corridor.

Qui a dit que les hommes de cette génération ne savaient pas pleurer? Qui a dit, aussi, qu'ils ne savaient pas parler? Le poids des années étant particulièrement lourd à porter, il est quelquefois nécessaire de s'ouvrir pour arriver à s'en libérer. Nous en avons tous été témoins en regardant ces deux hommes pleurer librement, monsieur Taillon dans les bras de son épouse, monsieur Mousseau tenant la main de sa conjointe tout en fixant le plancher, se demandant ce que l'on devait faire lorsque même le passé nous déserte. Lorsque les années s'accumulent au point de forcer une porte à se refermer sur les souvenirs. Que faire d'autre à part que s'unir, se regrouper et se soutenir? Que regarder ce qui reste de l'avant, tout en ne perdant pas de vue le chemin déblayé après toutes ces années?

Mais, surtout, que faire lorsque l'on ne peut y arriver? Lorsque la force pour regarder en avant n'est plus suffisamment présente pour nous garder en vie sans brouiller la mémoire? Que faire lorsque le poids des souvenirs et des regrets devient trop étouffant et nous empêche de respirer?

«Y'est où, Paul-Émile? demanda subitement monsieur Mousseau, regardant autour de lui.

— Je sais pas, répondit monsieur Taillon, toujours dans les bras de son épouse. Y'est pas encore sorti de la chambre?»

Délaissant la main de son épouse, monsieur Mousseau retourna sur ses pas, le cœur déjà brisé: assis sur une chaise, ses yeux ouverts regardant en direction de monsieur Flynn, monsieur Marchand ne respirait plus.

Catastrophées, les deux épouses nous appelèrent à l'aide tandis que monsieur Mousseau et monsieur Taillon, eux, demeuraient immobiles. Atterrés par la vue de ces deux visages d'enfants à la peau ridée, le cœur dévasté par la perte d'une grande partie de leur histoire en si peu de temps, les deux hommes se sont rapprochés, soudés encore davantage par cette secousse imprévue.

Nous avons essayé de réanimer monsieur Marchand, mais sans succès. Cela peut paraître curieux à dire, mais nous sommes convaincus qu'il ne voulait pas être réanimé, sachant que les deux parties les plus fortes du quatuor allaient lui survivre; que messieurs Mousseau et Taillon sauraient faire pousser leurs racines communes, alors que lui, tout comme monsieur Flynn, n'en était plus capable. Ses racines, ayant été coupées trop souvent, ne généraient plus assez de force pour se rendre jusqu'à lui.

Le décès de monsieur Flynn, même si annoncé depuis longtemps, fut davantage un choc que celui, totalement subit, de monsieur Marchand. Celui-ci refusait le présent et ne voulait que revivre l'Histoire. Alors, il est logique que cette porte se refermant non seulement sur ses souvenirs, mais aussi sur cet univers parallèle qu'il s'acharnait à recréer, lui fut insupportable. Messieurs Taillon et Mousseau l'ont rapidement compris. Leur ami était enfin en paix, libre de retourner dans le temps et de lui donner les airs qu'il voulait aussi souvent qu'il le désirait.

Le cœur lourd, monsieur Taillon et monsieur Mousseau se

sont regardés longuement pour ensuite se tourner vers leurs deux amis perdus, conscients qu'ils se trouvaient tous ensemble pour la dernière fois; que cette partie de leur vie n'existerait dorénavant plus que dans leurs souvenirs. Dans les nôtres aussi. Parce que tous ceux ayant été témoins de cette scène traîneront avec eux cette image d'une rare amitié ayant traversé le temps, émus au point de vouloir, à notre tour, porter bien haut l'histoire de ces hommes, même si nous ne l'avons pas vécue personnellement. Même si nous ne pourrons jamais partager un passé qui ne nous unit en rien.

Mais ce n'est pas grave. Parce qu'ils ont tout raconté. Absolument tout.

Ils étaient quatre: Paul-Émile, Jean, Adrien et Patrick. Et lorsqu'ils se sont regardés, monsieur Taillon et monsieur Mousseau ont compris, comme nous l'avons fait depuis longtemps, que quatre, ils seront toujours.